MODERN LATIN

Book One

MODERN LATIN

Book One

J. D. SADLER

UNIVERSITY OF OKLAHOMA
PRESS : *Norman*

Library of Congress Cataloging in Publication Data

Sadler, Jefferson Davis, 1921–
  Modern Latin.

  SUMMARY: A first-year text for teaching the student to read Latin, using a small basic vocabulary, the principles of word building, and simplified grammar.
    1. Latin language—Grammar—1870–   [1. Latin language—Grammar]
I. Title.
PA2087.S13   478'.2'421   72-866

ISBN 0–8061–1046–5 (pbk)

TO THE TEACHER

The aim of this book is to teach students to read Latin in the most pleasant and practical way. Every item necessary for a reading knowledge, including the subjunctive and irregular verbs, is presented in the first year. Traditional practices of Latin grammar that do not apply to reading have been eliminated.

Probably the most important feature of the book is the vocabulary. The 525 words are based on Paul B. Diederich, *The Frequency of Latin Words and Their Endings* (Chicago, 1939). This work represents a count of 200,000 Latin words from Classical prose, Classical poetry, and Medieval Latin. The vocabulary lists only *simple* words (no compound verbs or derived words). The student is expected to learn roots, prefixes, and suffixes and to see new words as derived from basic words, not as more unrelated items in his vocabulary. If a student knows these 525 words and their Latin derivatives, he will know about 80 per cent of the words he will meet in any given passage of Latin. Heavy emphasis is also placed on the usage of word-building techniques in deriving English words.

The most important Latin forms are presented first. For the noun, the nominative, accusative, and ablative come first in the presentation and first in the complete declension when it is finally listed. For the verb, the third-person forms of the present and perfect are completely absorbed before other persons and tenses are met. The passive voice, deponent verbs, and irregular verbs occur much earlier than they do in most other texts. The use of three principal parts instead of four provides a great saving in time and effort. Stress is always placed upon identification rather than upon production of Latin forms.

The syntax is designed solely for reading. Excessive terminology has been avoided wherever possible; constructions are described in the simplest and most practical language. Two old favorite terms, ablative absolute and indirect statement, are retained, and these two constructions come early in the course. The subjunctive can very easily be mastered in the first year, if one avoids sequence of tenses and other details which are valid only for the writing of sentences in Latin.

The lettering system of the exercises is standard throughout the book. The A exercises are designed for drill on word-building principles or grammatical topics. The B exercises are the required sentences for translation. Materials in the C exercises consist of additional sentences and, beginning with Lesson IX, a reading passage. The A and B exercises adhere strictly to the lesson vocabularies and their derived Latin words. The C groups contain many proper names and a great number of other Latin words which the student should recognize from his knowledge of English. The indented exercises at the ends of the C groups are couplets and other selections of poetry.

I owe an enormous debt of gratitude to all the teachers throughout the country who have examined and tested earlier versions of this book. The enthusiasm of many people, who could visualize something worthwhile despite the obvious flaws, has kept the project alive. And the helpful criticism from many teachers has been reflected everywhere in this book.

My final and greatest expression of gratitude goes to my wife, who during the whole project has done all the typing and much of the editing.

J. D. SADLER

Sherman, Texas

CONTENTS

MODERN LATIN
Book One

Lesson I

INTRODUCTION

You are entering an exciting and valuable course of study. The excitement comes from your ability to read words written two thousand years ago and to learn about the Romans from firsthand reports. The value comes from the great increase in your understanding of English and language in general from your learning of Latin.

You may have wondered why this book was titled *Modern Latin*. There are two reasons. First, the approach is modern in every detail. The book is dedicated to the reading of Latin as quickly as possible, and every feature helps toward this goal. The vocabulary you will learn is completely efficient; every word you see is one used again and again by Roman authors. You will also find out how to stretch your vocabulary by using the words as sources of other Latin words.

The grammar you will be given has been streamlined to provide you with exactly the knowledge you need for reading Latin. The most important items are presented first, and you have abundant time to practice them before the less significant items are met. There is nothing in the grammar that will not serve our purpose of reading. And you will learn to read—early. Many of the sentences are taken directly from Latin literature, and later in the year you will read some stories from the Medieval period of Latin. You will also read some little poems by a famous Roman wit, Martial.

Modern Latin also means that Latin *is* modern. Reports of its death are greatly exaggerated. It is still spoken in all parts of the world as the various Romance languages. You will see some of the principles involved in the making of Latin into Spanish, French, and Italian. And if you later study one of these languages, you will reap a great reward from your knowledge of Latin. Even more interest is generated when a Latin word passes into English from a Romance language.

Latin is with us constantly in our own language. English is full of Latin

3

phrases, quotations, and abbreviations. You will learn why e.g. means "for example," i.e. means "that is," and etc. means "and so forth." And there are many Latin words in English still spelled the same as they were when Caesar and Cicero used them. But the most important contribution of Latin to English is in stems, or parts of words, which can figure in the formation of countless English words, sometimes fifty or even a hundred from one. Your study of Latin word formation will be at the same time a study of English word formation. Over half of English comes from Latin, and we take full advantage of this fact to make your English help your Latin and your Latin help your English.

In your second year you will read some of the delightful stories of Roman history, and you will read poetry written by the superb Roman poets Catullus and Horace. The climax will be a group of the best tales from mythology, as told by the great Roman storyteller, the poet Ovid. You will discover a little of the enormous debt that English literature owes to Latin. And finally you will be able to see at least a small fraction of the Roman influence on other areas of life—law, politics, art, architecture, and almost every other field of human endeavor. This course is designed for your maximum benefit and maximum enjoyment.

Here are a few Latin sentences. Treat everything as singular number and present tense, and see whether you can understand them:

1. Īnsomnia disturbat mē.
2. Caesar līberat hostīlem captīvum.
3. Poēta dēfendit honōrem in rēpūblicā.
4. Ōrātor interrogat candidātum in senātū.
5. Agricultūra requīrit abundantem labōrem.
6. Spectātor applaudit gladiātōrī in arēnā.
7. Āctor recitat Latīnam litterātūram in theātrō.
8. Rōmānus dictātor apprehendit dēcrepitum fugitīvum.
9. Elephantus, terrificum animal, excitat admīrātiōnem in Circō.
10. In longā ōrātiōne secundus senātor dēscrībit dīvīnam fortūnam.

LATIN PRONUNCIATION

The Latin alphabet is the same as the English except that it has no *j* or *w*. The Latin *i* is both vowel and consonant. It is a consonant at the beginning of a word before a vowel (*iūs*) and in the interior of a word between vowels (*eius*). This consonant *i* will regularly become a *j* in English derivatives.

The Latin consonants have the same sounds as the English consonants, with the following exceptions:

i	like y in yet	iam
v	like w in wind	ventus
c	always like c in can	celer
g	always like g in get	gestus
s	always like s in yes	causa

The Latin vowels have the "Continental" pronunciation, i.e., almost the same sounds as the vowels in Spanish, French, German, and Italian. A given vowel always has the same sound, and there is no variation from word to word, as there is in English.

ā	as in father	māter	a	as in ago	pater
ē	as in they	mēns	e	as in met	et
ī	as in machine	dīcō	i	as in hit	hic
ō	as in note	hōra	o	as in obey	ob
ū	as in rule	cūra	u	as in pull	sub

Diphthongs are combinations of two vowels pronounced as one. There are six Latin diphthongs:

ae	like i in bite	prae	ei	like ei in eight	hei
au	like ou in out	laus	eu	like eh oo (rapidly)	ceu
oe	like oi in oil	foedus	ui	like ui in quit	huic

There are as many syllables in a Latin word as there are vowels or diphthongs: *poe'-na, quae-sī'-vī, iū-di'-ci-um, a-mī-ci'-ti-a, in-trō-dū-cē-bā'-mi-nī.*

A single consonant goes with the following vowel: *ge'-re-re, a-mī-cō'-rum.*

Two or more consonants are divided, usually after the first consonant.

5

However, the combinations which contain a liquid (*l, r*) as the second element usually go together with the following vowel: *clau-sis'-tis, cas'-tra, lau-dan'-tur, a'-grī.*

Syllables are long if they contain a long vowel or a diphthong, or if the syllable ends in a consonant. All other syllables are short.

Words of two syllables are accented on the first syllable: *mi'-ser, vi'-a.* Words of more than two syllables are accented on the next-to-last syllable, if it is long, otherwise on the syllable third from last: *a-gri-co-lā'-rum, mo-ven'-tem, mī-li'-ti-bus.*

As practice, read in Latin the short sentences given you earlier in the lesson.

THE FIRST DECLENSION

causa *cause*   glōria *glory*
cūra *care*   īra *anger*
fāma *fame, rumor*   terra *earth, land*
fōrma *shape, beauty*   via *road, way*
fortūna *fortune*

The first portion of every lesson will be devoted to a vocabulary, and your first job will be to memorize these words and their meanings. As you can already see, this task may not be too difficult. It should not take very long to learn that *causa* means "cause" and *glōria* means "glory." Beginning with the next lesson, you will be asked to learn three things about each noun—the nominative singular, the stem, and the gender.

English nouns have very little left of their original declension. Each noun has an all-purpose case singular and plural and a possessive case singular and plural, e.g., *man, men, man's, men's.* Thus the form *man* can be used as subject, direct object, indirect object, or object of a preposition. Consider these examples:

1. The *man* comes. subject   3. I give the *man* the book. indirect object
2. I see the *man*. direct object   4. I go with the *man*. object of preposition

How do we know that the number-two-sentence *man* is a direct object and the number-three-sentence *man* is an indirect object? Word order alone tells us. It makes a vast difference whether we say "dog bites man" or "man bites dog." In English word order and prepositions have taken over functions formerly expressed by cases. In Latin, the relation of the man to the dog would be clear no matter what the word order. English pronouns still have three cases: nominative (*he*) for subject, possessive (*his*), and objective (*him*) for direct object, indirect object, and the object of a preposition. Latin nouns and pronouns have a full set of forms, five cases, singular and plural.

Latin nouns are divided into different declensions according to their endings. Those we study first, all ending in -a, are called the first declension. The form given is the nominative singular, and the stem of each word is obtained by removing the -a. The nominative case is used as the subject of the Latin sentence. The nominative plural of all these nouns adds -ae to the stem, e.g., *causae, cūrae*. Sometimes we use the Latin plural in English, as in ALUMNAE, FORMULAE, and ALGAE.

Note: Latin has no definite or indefinite article. The form *via* can thus mean "road," "a road," or "the road," and the plural *viae* means either "roads" or "the roads."

In English, we say that nouns referring to males are masculine, those referring to females are feminine, and all the rest are neuter. This gender in English is useful only for determining the proper reference of pronouns; e.g., we use *it* rather than *he* referring to the *tree*. In Latin, gender is more important. Adjectives also have gender, and they always take the same gender as the nouns they modify. In English, the adjective *good* is the same whether it modifies *man*, *woman*, or *word*, but this is not true in Latin. Almost all first declension nouns are feminine, but those which refer to males, like *poēta* "poet," are masculine.

All the words in this lesson are used in English unchanged or with only slight change. *Terra* appears in the phrases TERRA FIRMA "firm land" and TERRA COTTA "cooked earth" (through Italian). *Via* occurs in English only as a preposition, "by way of." Some Latin nouns drop their ending in English, as FORM, and some replace the ending with silent -e, as CAUSE, CURE, FAME, FORTUNE, IRE. Latin *-ia* often becomes -y (GLORY), and *-tia* often becomes -ce.

Here are some more examples of each of these types. Pronounce these Latin words carefully. Note their relationship to English, because some of them will be used in sentences later.

Unchanged	*Ending Dropped*	*Silent -e*	*-y*	*-ce*
alumna	caverna	figūra	colōnia	absentia
ārea	herba	nātūra	familia	dīligentia
arēna	persōna	olīva	historia	grātia
mīlitia	poēta	rosa	memoria	iūstitia
toga	ruīna	scrība	miseria	patientia
villa	urna	statua	victōria	violentia

8

You probably need no further proof that whole Latin words can pass into English. But even more valuable is their usage as pieces of words, or stems, in the creation of several English words. Let us take the stems of two words, *cūra* and *fōrma*, and look at some of the English words in which they appear.

ac*cura*te	mani*cure*	con*form*	in*form*al
*cur*ative	pedi*cure*	cunei*form*	per*form*
*cur*ator	pro*cure*	de*form*	re*form*atory
*cur*ious	se*cure*	*form*ality	trans*form*er
inac*cura*cy	sine*cure*	*form*ula	uni*form*

You have been taught nothing about word formation (there is *fōrma* again), but still you can see the stem in the English word and, at least in some of the examples, you can see the relationship of the Latin meaning to that of the English word. You will be taught all these methods of word formation in Latin and in English. Here are a few more derivatives from this vocabulary: CAUSATIVE, INFAMY, FORTUNATE, INGLORIOUS, IRATE, TERRAIN, OBVIOUS. See whether you can think of others that might come from these Latin words.

Lesson III

THE SECOND DECLENSION

animus, M *mind, spirit*

campus, M *field*

locus, M *place*

minister, ministr-, M

    servant

signum, N *signal, standard*

templum, N *temple*

verbum, N *word*

est *is*

sunt *are*

nōn *not*

The second declension contains nouns whose nominative singulars end in *-us, -er,* and *-um.* Remove *-us* or *-um* to obtain the stems of these nouns, and for *minister* the stem is *ministr-.* The nominative plural of *-us* and *-er* nouns adds *-ī* to the stem. The nominative plural of *-um* nouns adds *-a* to the stem. The word *locus* sometimes has a plural in *-a* in addition to its plural in *-ī.* We occasionally use Latin plurals in English, as ALUMNI, FUNGI, CURRICULA. Second declension nouns in *-us* are almost all masculine, those in *-er* are all masculine, and those in *-um* are all neuter.

Second declension nouns come into English in the ways which you have learned: unchanged, with their ending dropped, or with the ending replaced by a silent -e. The ending *-ium* sometimes gives English -y and *-tium* English -ce. The word LOCUS in English is almost entirely restricted to mathematics, the LOCUS of a point. We use the Latin plural, LOCI. The word ANIMUS has gone downhill in meaning, so that it now means a hostile state of mind, as in the other derivative, ANIMOSITY. A MINISTER, on the other hand, has come up in the world, being now a preacher or a government official.

As with the words in Lesson II, these nouns are also very prominent as stems in English derivatives. Here are a few to start your thinking: INANIMATE, MAGNANIMOUS, DECAMP, ENCAMPMENT, LOCALITY, LOCOMO-TIVE, ADMINISTER, MINISTRATION, SIGNATURE, CONSIGNMENT, CONTEMPLATE,

VERBAL. See if you can add to this list. *Nōn* participates in English as a prefix in such words as NONCONFORMIST, NONTERRESTRIAL, and many more.

Here are some more second declension nouns, divided according to the ways in which they enter English. Again pronounce in Latin and be prepared to recognize them if they appear in sentences.

Unchanged	Ending Dropped	Silent -e	-y	-ce
arbiter	angelus	exilium	augurium	palātium
cancer	elementum	fātum	diārium	servitium
circus	factum	fūmus	līlium	silentium
discus	sēcrētum	nervus	remedium	spatium
forum	tormentum	officium	salārium	
tūber	triumphus	refugium	studium	

In English the verb's person and number must be shown by the subject, because we normally have only one verb form, the third person singular (of some tenses), which may have a separate ending. Thus, if you should see only the verb form *take*, you would not know whether it meant "I take," "you take," "we take," "you all take," or "they take." Latin has a different ending for each person, so that pronoun subjects are unnecessary. With the two verb forms, if there is no subject expressed, *est* can mean "he is," "she is," or "it is"; *sunt* means "they are." *Est* and *sunt* may also mean "there is," "there are."

In the active voice, the subject performs the action; in the passive, it receives the action. A transitive verb is one which may take a direct object. All other verbs are intransitive. Only a transitive verb may have a passive voice. Examples:

	Active		*Passive*
		Transitive	
	He sees the man.		The man is seen.
	They read the books.		The books are read.
	She writes a letter.		A letter is written.
		Intransitive	
	He is good.		Can these be made passive?
	She sits here.		
	They all smile.		

The forms *est* and *sunt* are intransitive and simply connect a subject to a predicate; therefore, the nominative case is used after them as well as before.

A

Give the nominative plural of each noun in your vocabulary.

B

1. Sunt terrae.
2. Īra nōn est causa.
3. Verba sunt signa.
4. Glōria est fortūna.

5. "Via" est verbum.
6. Locus est campus.
7. Fōrma nōn est glōria.
8. Fāma est fortūna.

C

1. Terra est spatium.
2. Rosa nōn est līlium.
3. Arbitrī sunt ministrī.
4. Arēna est locus.

5. Vergilius est poēta.
6. Templa sunt monumenta.
7. Cūra est patientia.
8. Triumphus est glōria.

FIRST AND SECOND DECLENSION ADJECTIVES

bonus, -a, -um *good*

firmus, -a, -um *strong, firm*

hūmānus, -a, -um *human*

miser, misera, miserum *wretched*

pūblicus, -a, -um *public*

pūrus, -a, -um *pure*

secundus, -a, -um *second, following*

sōlus, -a, -um *alone, only*

varius, -a, -um *varied*

Latin adjectives have three genders, and they agree with the nouns they modify in gender, number, and case. All the nominative singular forms of the adjective will be listed in the vocabulary. Those in the lesson for today are second declension in their masculine and neuter, first declension in their feminine. The nominative plurals of these adjectives end in -ī (M), -ae (F), and -a (N). The adjective will have the same ending as the noun with most of the words studied so far, but this is not always the case. Consider these phrases involving various noun and adjective combinations:

locus bonus	pūblicus minister	pūblicī campī
terra firma	secunda causa	varia signa
miser animus	templa pūblica	hūmānae fortūnae

As you can see, the different endings occur in the -*us* and -*er* nouns and adjectives. These differences will increase when we come to third declension nouns. Just keep in mind that the adjective always agrees with its noun in gender, number, and case, even if its ending is not the same.

These adjectives come into English in the same ways as the nouns you have studied. They may appear unchanged (BONUS, MISER), with the ending dropped (FIRM, HUMAN, PUBLIC, SECOND), and with the ending replaced by silent -e (HUMANE, PURE, SOLE). Some in -*ius* and -*uus* are spelled -ious and -uous in English. Note that sometimes the parts of speech are different in English: a BONUS is a "good thing," a MISER is a "wretched man." The neuter form can also be found unchanged in English. Here are some more examples of each method of derivation:

Unchanged	Ending Dropped	Silent -e	-ous
magnum	aptus	acūtus	ambiguus
maximum	cīvicus	amplus	aῆxius
medium	hūmidus	dēnsus	continuus
minimum	magicus	falsus	nōtōrius
minor	quiētus	marīnus	pius
sinister	rigidus	rārus	sērius

We have said that in English we make word order tell at least part of the story once told by endings. Therefore, the word order in Latin is much more relaxed than that of English. Adjectives, for example, may either precede or follow their nouns. The Latin verb is often found at the end of its clause, but this is not always true. Just keep in mind that the ending of the word will tell you its use in the sentence, and you can easily understand the meaning.

All Latin nouns, adjectives, and verbs will have two important parts, stem and ending. The stem will give you the meaning of the word and the ending will indicate its function. Take, for example, the adjective form *pūblicae*. This breaks apart into two sections, *pūblic-* and *-ae*. *Pūblic-* informs us that the word means "public," and *-ae* means that it must modify a nominative plural feminine noun. Get accustomed to the idea of thinking in terms of stem and ending. If you know either one without the other, your interpretation of a Latin sentence is likely to be strange indeed.

Latin adjectives modify nouns in two ways, directly or in the predicate. If they are in the predicate, they are in the nominative case, the same as the subject or the predicate noun. If you have a sentence like *minister miser est*, it could mean either "the servant is wretched" or "he is a wretched servant." In these little sentences you would have no way of knowing which, but in a Latin story the meaning would always be obvious.

A

In this exercise, make the adjective agree with the noun:

campus – bonus   fōrma – pūrus   minister – miser

causa – sōlus   minister – hūmānus   verba – firmus
viae – pūblicus   īra – miser   fortūnae – varius
signa – secundus   templum – secundus   glōria – bonus
cūrae – varius   locus – pūblicus   campī – pūblicus
animī – miser   terra – bonus   templa – bonus

Make each of the resulting phrases a sentence by inserting *est* or *sunt*.

B

1. Animus est bonus.
2. Causae sunt variae.
3. Terra pūra est.
4. Via pūblica est.
5. Miser est minister.

6. Glōria sōla est firma.
7. Animī nōn sunt variī.
8. Fortūna hūmāna misera est.
9. Campus est secundus locus.
10. Nōn est pūblicus locus.

C

1. Persōna sōla misera est.
2. Mātrōnae sunt bonae.
3. Templum est antīquum.
4. Verba apta sunt.
5. Īra est falsa.

6. Iūstitia est rāra.
7. Figūrae hūmānae sunt.
8. Campus est cōnspicuus.
9. Forum est pūblicum.
10. Terrae sunt hūmidae.

Lesson V

THE THIRD DECLENSION

ars, artis, F *art, skill*

cōnsul, cōnsulis, M *consul*

corpus, corporis, N *body*

genus, generis, N *kind, family*

homō, hominis, M *man*

honor, honōris, M *honor*

labor, labōris, M *work*

parēns, parentis, M, F *parent*

pars, partis, F *part*

sermō, sermōnis, M *talk, speech*

Third declension nouns, our new declension for today, may be any gender. Nouns referring to males are always masculine and those referring to females are always feminine; there are a few Latin nouns, e.g., *parēns*, which may be either. All the rest of the genders must be memorized. Three helps: third declension *-us* nouns are always neuter, *-or* nouns are practically all masculine, and *-iō* nouns are always feminine. If you apply all these principles to the above vocabulary, you find that of the ten words, seven genders are "free"; you need to learn only three: *ars*, *pars*, and *sermō*. Be sure and take advantage of free genders just as you take advantage of free meanings for words.

The nominative singular of third declension nouns can end in almost anything. You must also learn the *stem* of the word. Latin books regularly show the stem with the genitive singular, a case we do not study until much later. We will give you the genitive in the vocabulary following the nominative; obtain the stem by removing the *-is* from the genitive. The nominative plural of masculine and feminine nouns ends in *-ēs*, and for neuter nouns the ending is *-a*. Give the nominative plural for each vocabulary word.

All the meanings in this vocabulary are free; that is, we use all these Latin words as English words. We have CONSUL, CORPUS, GENUS, HOMO, HONOR, and LABOR from the nominative singular in English. The CONSUL in Rome was one of two annually elected heads of the state, but now he is a diplomatic official. We use CORPUS in English for a "body" of literature, and there are the phrases CORPUS CHRISTI, CORPUS DELICTI, HABEAS CORPUS, etc. We also have CORPSE and CORPS in addition to CORPUS, all different derivatives from the same Latin word. We use GENERA, the Latin form, as the plural of GENUS in English. From *genus* we also get GENDER and GENRE (type of literature). We use the word *homō* in English only in the phrase HOMO SAPIENS "wise man."

For all the other nouns, the stem is the English derivative: ART, PARENT, PART, and SERMON. We are going to find that the stem is a better derivative producer than the nominative singular. For instance, take *genus*, which is one of those used unchanged in English. But that is only one derivative, and the stem yields GENERAL, GENERATE, GENEROUS, GENERATION, GENERIC, and many more. A few more stem derivatives from all these nouns would be ARTIFACT, CONSULAR, CORPORAL, INCORPORATE, HOMICIDE, HONORIFIC, LABORATORY, ELABORATE, PARENTAL, PARTIAL, and IMPART.

There are hundreds more third declension nouns which pass into English unchanged. We will not make a list here, as we did for the other declensions, but here is a hint of things to come. There are two Latin types of nouns formed from verbs, one ending in *-tor* and the other in *-tiō* (stem *-tiōn-*). Any English words you can think of in -tor and -tion will come from Latin verbs which have been made into these types of nouns. A few from verbs you will have soon are:

Latin Noun	Verb Meaning	Latin Noun	Verb Meaning
exclāmātiō	shout	āctor	do
interrogātiō	ask	monitor	warn
ōrātiō	speak	rēctor	rule
praeparātiō	prepare	victor	conquer

A

Remember that the Latin adjective agrees with the noun in gender, number, and case, but it does not necessarily have the same ending as the noun. In the following exercise, note how we do the first few and then continue as we have begun.

labor – bonus	labor bonus	Labor est bonus.
ars – bonus	ars bona	Ars est bona.

17

genus – bonus   genus bonum   Genus est bonum.
labōrēs – varius   labōrēs variī   Labōrēs sunt variī.
artēs – varius   artēs variae   Artēs sunt variae.
genera – varius   genera varia   Genera sunt varia.
cōnsul – miser
sermō – bonus
corpus – sōlus
hominēs – firmus
parentēs – bonus
corpora – hūmānus
ars – pūrus
pars – secundus
honor – pūblicus

B

1. Cōnsul miser est.
2. Sermō pūrus est ars.
3. Partēs variae sunt.
4. Secundum genus est bonum.
5. Hominēs sōlī sunt bonī.
6. Glōria honor est.
7. Cūra est labor.
8. Sunt varia genera.
9. Est hūmānum corpus.
10. Parēns est firmus.

C

1. Caesar est dictātor.
2. Cicerō est ōrātor.
3. Honōrēs sunt amplī.
4. Ars est magica.
5. Genus rārum est.
6. Sermō nōn est absurdus.
7. Partēs sunt continuae.
8. Cōnsul est victor.
9. Est cīvicus labor.
10. Parentēs sunt ānxiī.

THIRD DECLENSION NOUNS—ADJECTIVE SUFFIXES

dux, ducis, M *leader*

lēx, lēgis, F *law*

mēns, mentis, F *mind*

mors, mortis, F *death*

mōs, mōris, M *custom*

nāvis, nāvis, F *ship*

ōs, ōris, N *mouth, face*

pēs, pedis, M *foot*

prīnceps, prīncipis, M *leader, emperor*

rēx, rēgis, M *king*

With this lesson we begin one of the most important aspects of our Latin study. We are going to learn how to make Latin words into other Latin words. Once you learn the principle of formation involved, all the new words come automatically from the originals. Often you will find that one Latin word may be the source of twenty or thirty others. Important as these principles are for Latin, they are equally important for English derivation and English vocabulary building.   -

In English, we can make adjectives out of nouns by adding several different suffixes, as -y, -ly, -ish, -en, etc. Let us begin in Latin with a single adjective-forming suffix, *-ālis*. This is added to the stem of the noun, and it has the following forms:

Nominative Singular		*Nominative Plural*	
M-F	N	M-F	N
mortālis	mortāle	mortālēs	mortālia
nāvālis	nāvāle	nāvālia	nāvālia

All the nouns in this vocabulary have *-ālis* adjectives. For English meanings, you might use a phrase, "of a ship," "pertaining to a ship," or even the derivative "naval." The English derivative is regularly an adjective in -al. Sometimes an English derivative comes from a rare or nonexistent Latin word. In such cases, the English word rather than the Latin original will be given.

ducālis	nāvālis	(English) mental
lēgālis	prīncipālis	oral
mortālis	rēgālis	pedal
mōrālis		

From nouns in previous lessons, we have quite a selection of *-ālis* words. Notice that if the noun has an *-l-* in its stem, the ending is *-āris* rather than *-ālis*.

cōnsulāris	generālis	(English) causal	signal
corporālis	parentālis	local	verbal
fōrmālis		partial	

Two English words that come from exactly the same Latin word are called doublets. Some *-ālis* doublets would be MORAL and MORALE, LOCAL and LOCALE. HUMAN and HUMANE both come from *hūmānus*. Latin long *e* and short *i* both became *oi* in French. Thus, French has *loi* (law) and *roi* (king). In English REGAL and ROYAL are doublets, and so are LEGAL and LOYAL! We use the neuter plural adjective REGALIA as a noun in English.

A

I. In this exercise form the adjective from the second noun and make it agree with the first noun. Example: pēs – prīnceps   pēs prīncipālis

nāvis – rēx	labōrēs – corpus
signum – mors	causae – lēx
lēgēs – cōnsul	templa – rēx
fortūnae – parēns	verbum – fōrma
glōria – nāvis	

Make each of your resulting phrases a sentence by inserting *est* or *sunt.*

II. Change these sentences from singular to plural:

1. Dux est bonus.	6. Pēs est firmus.
2. Lēx est pūblica.	7. Prīnceps est sōlus.
3. Mōs bonus est.	8. Mēns pūra est.
4. Nāvis sōla est.	9. Labor est lēgālis.
5. Ōs miserum est.	10. Est genus rēgāle.

III. Make each adjective listed below modify: 1. dux 2. mēns 3. ōs
4. rēgēs 5. fōrmae 6. corpora.

1. bonus   4. hūmānus
2. prīncipālis   5. firmus
3. miser   6. mortālis

B

1. Lēx est bona.   6. Est ōs rēgāle.
2. Mōrēs sunt variī.   7. Prīncipēs sunt ministrī.
3. Pedēs sunt firmī.   8. Nāvālis dux est cōnsul.
4. Rēx mortālis est.   9. Fortūna est causa prīncipālis.
5. Mortēs pūblicae sunt.   10. Mēns parentālis est firma.

C

1. Est lēx cōnsulāris.   5. Mōrēs sunt antiquī.
2. Est victōria nāvālis.   6. Est corporāle tormentum.
3. Violentia nōn est lēgālis.   7. Pedēs sunt rigidī.
4. Est historia rēgālis.   8. Mentēs sunt ambiguae.

Lesson VII

SECOND DECLENSION NOUNS—ADJECTIVE SUFFIXES

annus, -ī, M *year*   populus, -ī, M *people*
marītus, -ī, M *husband*   puer, puerī, M *boy*
mūrus, -ī, M *wall*   servus, -ī, M *slave*
numerus, -ī, M *number*   socius, -ī, M *ally*
oculus, -ī, M *eye*   vir, virī, M *man, husband*

We continue giving you the genitive singular, but you probably noticed that in all these words the genitive singular has the same form as the nominative plural.

Note: The word *populus* is what is called a collective noun. Thus Latin uses the singular verb with *populus*, where in English we say "the people are." We have comparable nouns in English which use a singular verb, such as army, group, and congregation.

Some of the above nouns can use the endings *-ālis* and *-āris* to make adjectives.

annālis   populāris
marītālis   sociālis

Another suffix, declined like *-ālis* and having the same meaning, is *-īlis*.

puerīlis *boyish, childish*
servīlis *of a slave, servile*
virīlis *manly, virile*

Still another suffix is *-ōsus, -a, -um*, which regularly has a definite meaning, "full of." Here are some *-ōsus* adjectives from these and previous nouns:

animōsus   cūriōsus   labōriōsus
annōsus   fōrmōsus   numerōsus

The English derivative from *-ōsus* appears either in -ous (FAMOUS, GLORIOUS), or in -ose (VERBOSE, MOROSE). We have even adopted the *-ōsus*

22

suffix for use on some native English words, as murderous, wondrous. In many cases where there are both *-ālis* and *-ōsus* adjectives in English, the *-ōsus* form has taken on a bad meaning. Compare MORAL and MOROSE, VERBAL and VERBOSE, OFFICIAL and OFFICIOUS, IMPERIAL and IMPERIOUS. What does FORMOSA, the name of the island, mean?

CURIOUS originally meant "careful," then came to mean "too careful," in other words "nosy." GENEROUS has also changed in meaning; it formerly meant "noble," as does the Latin word. Notice that *annālis* gives us the noun ANNAL, meaning "yearly record," while our adjective ANNUAL comes from the rare Latin form *annuālis* through still another adjective, *annuus*. The *-īlis* adjectives normally come into English in -ile, but sometimes in -il, as CIVIL (from *cīvis* "citizen").

Use these suffixes and your knowledge of English words to help you build your Latin vocabulary. Make the derivative tell you the meaning of the Latin word. Here is a list of English adjectives using *-ālis*, *-āris*, *-īlis*, and *-ōsus*. See if you can guess the meaning of the Latin root noun in each case.

dental	insular	hostile	amorous
final	lunar	infantile	dubious
nuptial	solar	juvenile	furious
rural	stellar	senile	luminous

A

I. Make an *-ālis* or *-āris* adjective out of each of the following and give an English derivative:

fōrma	corpus	genus	mōs
annus	populus	socius	prīnceps
marītus	cōnsul	lēx	mors

II. Make an *-ōsus* adjective and give the derivative:

numerus	glōria	mōs
fāma	verbum	genus

III. Make all these sentences singular:

1. Terrae sunt fōrmōsae.
2. Ducēs fāmōsī sunt.
3. Ministrī annōsī sunt.
4. Mūrī sunt firmī.

5. Mentēs sunt animōsae.
6. Sociī sunt verbōsī.
7. Sunt puerīlia verba.

8. Marītī sunt virīlēs.
9. Puerī servīlēs sunt.
10. Sunt secundī labōrēs.

B

1. Mēns est puerīlis.
2. Dux est virīlis.
3. Sociī sunt servīlēs.
4. Annus est fāmōsus.
5. Populus sōlus est.

6. Virī sunt fōrmōsī.
7. Servus verbōsus est.
8. Numerī sunt variī.
9. Est mūrus pūblicus.
10. Oculī sunt numerōsī.

C

1. Triumphī sunt annālēs.
2. Gladiātōrēs sunt glōriōsī.
3. Marītī sunt religiōsī.
4. Est prōcessiō triumphālis.
5. Theātrum est spatiōsum.

6. Caesar est victōriōsus.
7. Palātium est fāmōsum.
8. Puerī studiōsī sunt.
9. Servus est annōsus.
10. Ōmen est fātāle.

PREPOSITIONS AND PREFIXES—ACCUSATIVE CASE

ad *to, at*

ante *before*

circum *around*

contrā *against*

et (conjunction) *and*

inter *between, among*

ob *because of*

per *through*

post *after, behind*

trāns *across*

re- *back, again*

Now we are going to learn the Latin accusative case. The accusative singular for masculine and feminine nouns and adjectives always ends in *-m* (*-am* first declension, *-um* second declension, *-em* third declension). The accusative plurals of these nouns and adjectives end in *-s* (*-ās* first declension, *-ōs* second declension, *-ēs* third declension). Note that the stem vowel is short in the accusative singular, long in the accusative plural. For neuter nouns and adjectives, singular and plural, the accusative is always exactly the same as the nominative. Some samples:

	Singular			*Plural*		
Nom.	via	campus	dux	viae	campī	ducēs
Acc.	viam	campum	ducem	viās	campōs	ducēs

	M	F	N	M	F	N
Nom.	bonus	bona	bonum	bonī	bonae	bona
Acc.	bonum	bonam	bonum	bonōs	bonās	bona

	M-F	N	M-F	N
Nom.	rēgālis	rēgāle	rēgālēs	rēgālia
Acc.	rēgālem	rēgāle	rēgālēs	rēgālia

We are going to learn in Lesson XI that Latin uses the accusative case as the direct object of the verb. For now, we are going to see the accusative as the object of the preposition. All the prepositions in your vocabulary are followed by the accusative. In the next lesson you will learn the prepositions that govern the ablative, and these two cases are the only ones used with Latin prepositions.

For English, the value of the prepositions lies in their use as prefixes. Here their form is often disguised; *ad*, for example, has the habit of changing its *d* to the letter of the root word. Here are some English words, all from *ad*:

abbreviate	affect	ammunition	arrive
accurate	aggressive	announce	assess
addendum	allocate	appoint	attract

Contrā can be spelled CONTRA-, as in CONTRAST, CONTRAVENE, but it also appears as COUNTER-, as in COUNTERACT, COUNTERSPY. *Inter* may have the French spelling ENTER- or ENTR-, as in ENTERTAIN, ENTRANCE. *Ob* is also frequently disguised, as in OCCUR, OFFER, and OPPRESS. *Trāns* appears whole in TRANSFER, TRANSACT, and other words, but it also is seen as TRA-, in TRAVERSE, TRADITION, and many more.

You are going to learn much more about the meanings of the prefixes when you begin studying verbs, but here are a few principles you might find useful. *Per* often has an intensive meaning, "very," "completely," "very well," as in PERFECT "very well done," PERCEIVE "completely grasp." *Ad* also may carry the intensive meaning. *Ob* often means "against," "in the way," as in OBSTRUCT, OPPOSE. *Ob* never has its prepositional meaning in compounds. *Per* sometimes takes on a rather unhappy meaning, "to the bad," as in PERJURY, PERFIDY. *Per* and *ob* can both mean "to death," as in PERISH, OBITUARY. But the prepositional meanings will frequently be used, as in the following examples.

adjoin *join to*	intervene *come between*
anteroom *room before*	pervade *go through*
circumnavigate *sail around*	postpone *put after*
contradict *say against*	transfer *carry across*

The last entry in your vocabulary is used only as a prefix. Study the following examples and tell for each whether *re-* means "back" or "again."

rearm	reconstruct	reform	remit
rebound	recount	regress	repay
recede	redo	remake	repeat

Although all these prefixes will primarily be used with verbal roots, you can already see combinations with the roots of some of your nouns and adjectives: ACCURATE, ADMINISTER, ADVERB, ALLOCATE, ASSIGN, COUNTER-SIGN, OBVIOUS, PERVIOUS, REGENERATE, and TRANSFORM.

A

Make each of the nouns in the line the object of the preposition, then make each phrase plural:

ad – homō, labor, dux, fortūna, templum
ob – cūra, verbum, sermō, numerus, corpus
contrā – minister, dux, lēx, cōnsul, socius
trāns – via, campus, nāvis, terra, pars
per – templum, oculus, pars, honor, annus

B

1. ob fāmam	10. circum corpora
2. per campōs	11. ante parentēs
3. ante labōrem	12. ad nāvem
4. ad templum	13. per annum
5. ob īram	14. inter viam et mūrum
6. trāns terrās	15. ante oculōs
7. inter rēgēs	16. circum pedēs
8. contrā cōnsulem	17. post mortem
9. post sermōnem	18. ante ōra

C

1. ob senātōrem	8. Mūrus est circum arēnam.
2. contrā Rōmam	9. Via post stadium est.
3. per forum	10. Captīvī sunt ante templum.
4. trāns campum	11. Rosae sunt circum statuam.
5. ob iniūriam	12. Inter Ītaliam et Britanniam est Gallia.
6. inter Rōmānōs	13. Post mātrimōnium est īra.
7. post annum	14. Ante populum est ōrātor.

PREPOSITIONS AND PREFIXES—ABLATIVE CASE

ā, ab *from, by*

cum *with*

dē *down from, about, from*

ē, ex *from, out of*

prae *before*

prō *before, for*

sine *without*

in (abl.) *in, on*; (acc.) *into*

sub *under*

super *over, upon*

in- *not*

dis- *apart, not*

The ablative is our new case for today. The ablative singular endings are: first declension *-ā*, second declension *-ō*, third declension *-e*. For the plural, the first and second declensions use *-īs*, the third declension uses *-ibus*. Adjectives have the same endings as nouns, except that the third declension ablative ending is *-ī* rather than *-e*. Examples:

	Singular			Plural	
viā	campō	duce	viīs	campīs	ducibus
M	F	N	M	F	N
bonō	bonā	bonō	bonīs	bonīs	bonīs
rēgālī	rēgālī	rēgālī	rēgālibus	rēgālibus	rēgālibus

The Latin ablative will be used to express many ideas for which we employ a prepositional phrase in English. The ablative can be found alone, but for now we will see it only with the Latin prepositions. The prepositions *ab, cum, dē, ex, prae, prō,* and *sine* are always followed by the ablative, but *in, sub,* and *super* can take either ablative or accusative. *In* with the ablative means "in" or "on"; with the accusative it means "into." *Sub* is normally used with the ablative with verbs of rest, with the accusative with verbs of motion. *Ab* usually is found before vowels and *ā* before consonants, *ex* before vowels and *ē* before consonants.

In compounds, *ab* is spelled *ab-* (ABDUCT, ABLATIVE) and *abs-* (ABSTAIN, ABSTRACT). It is also spelled *au-* in Latin, but this spelling does not survive in an English derivative. *Cum* is spelled *com-* in compounds, and variants are *co-*, *cor-*, *con-*, *col-* (COMPARE, COOPERATE, CORRECT, CONFER, COLLECT). The usual meaning of *com-* is "together" (COMBINE, COLLABORATE, CONGREGATE), but it can have the intensive meaning: CONVINCE "conquer thoroughly," CONSECRATE "make very sacred." *Sine* as a prefix is found in only one English word, SINECURE, but in its short form *sē-*, meaning "apart," it is very common (SECEDE, SEPARATE). *Sub* may appear as *sus-*, and it also changes its final letter to the initial letter of the root (SUBMARINE, SUSPEND, SUCCEED, SUFFER, SUGGEST, SUPPOSE). *Sub* means "under," but it also means "from under," therefore, "up," as in SUSTAIN, SUPPORT.

With some of the noun roots you have had, these prefixes will yield such derivatives as ELABORATE, CONFORM, DEVIOUS, INCORPORATE, PROVERB, SECURE, and INTER (from *terra*). Even SCAMPER comes from *excampāre* "to get out of the field."

The last two vocabulary "words" occur only as prefixes. *Dis-*, also spelled *dī-* or *dif-*, means "not" with an adjective or noun, "apart" or "not" with a verb. The negative prefix *in-* looks just like the preposition in compounds, even including its disguised forms (*il-*, *im-*, *ir-*). In the following list of English words, try to determine whether IN- means "not" or "in" and whether DIS- means "not" or "apart."

illiterate	informal	disable	disperse
impartial	inhuman	discomfort	displease
import	insert	dishonor	dissect
imprison	invade	dismiss	dissimilar
include	irregular	dispel	divert

A

I. Beginning with Lesson XI, we are going to have a series on the Latin verb. We can even use our knowledge of the Latin prefixes and English words to discover the meanings of Latin verbs. From the three English words given, tell what the Latin verb ought to mean:

export	preserve	precede	retain	promote
import	reserve	recede	detain	demote
deport	conserve	proceed	contain	remote
include	invert	extract	exclaim	convoke
exclude	revert	retract	proclaim	invoke
conclude	divert	contract	acclaim	revoke

If you can do this little exercise, you already know the meanings of ten Latin verbs. You will find that the meanings of other verbs will be equally easy if you use everything that you know.

II. Use the ablative singular of each noun in the line with the preposition, then use the ablative plural:

cum – honor, parēns, prīnceps, servus, socius
dē – terra, verbum, mōs, glōria, vir
sine – cūra, pēs, causa, numerus, oculus
prō – templum, fōrma, lēx, puer, cōnsul
in – via, animus, locus, pars, labor

B

1. ā virō
2. sine honōre
3. in templum
4. prō homine
5. dē labōre
6. prae signō
7. ex animō impūrō
8. super terram

9. Ē bonō genere est.
10. In rēgālī locō est.
11. Sunt cum miserīs servīs.
12. Prō fōrmōsō templō est.
13. Sunt sub campīs fāmōsīs.
14. Sociī sunt in prīncipālibus locīs.
15. Immortālēs virī sunt sine morte.
16. Rēx annōsus est super populō.

C

1. ā poētā
2. dē morte
3. sub partem exteriōrem
4. ē mente īnfirmā
5. in villās

6. Sunt cum puerīs inglōriōsīs.
7. In pictūrīs sunt fāmōsī Rōmānī.
8. Sine remediō īra est.
9. Cicerō cum Caesare est.
10. Nerō in palātiō est.

Rome

Rōma in Ītaliā est. Ītalia est paenīnsula. Est longa terra in Marī (*sea*) Mediterrāneō. Circum mare sunt prōvinciae Rōmānae. Trāns mare est Āfrica. Inter Ītaliam et Āfricam est Sicilia. Hispānia, Gallia, et Graecia sunt prōvinciae Rōmānae. Britannia, prōvincia Rōmāna, est in Marī Atlanticō. Asia et Aegyptus sunt aliae (*other*) terrae Rōmānae.

Lesson X

REVIEW

CASES OF NOUNS

Singular

	M and F			N	
	I	II	III	II	III
Nom.	via	campus	cōnsul	templum	corpus
Acc.	viam	campum	cōnsulem	templum	corpus
Abl.	viā	campō	cōnsule	templō	corpore

Plural

Nom.	viae	campī	cōnsulēs	templa	corpora
Acc.	viās	campōs	cōnsulēs	templa	corpora
Abl.	viīs	campīs	cōnsulibus	templīs	corporibus

CASES OF ADJECTIVES

Singular

	I and II			III	
	M	F	N	M—F	N
Nom.	bonus	bona	bonum	mortālis	mortāle
Acc.	bonum	bonam	bonum	mortālem	mortāle
Abl.	bonō	bonā	bonō	mortālī	mortālī

Plural

Nom.	bonī	bonae	bona	mortālēs	mortālia
Acc.	bonōs	bonās	bona	mortālēs	mortālia
Abl.	bonīs	bonīs	bonīs	mortālibus	mortālibus

You have seen only four adjective-forming suffixes thus far, but they are very important in forming Latin and English words and only the first in a long series of processes to increase your vocabulary the painless way. Let us review the four:

-ālis	-īlis
-āris	-ōsus

Give the immediate Latin source and the ultimate Latin source for the italicized words. Example: an *informal* occasion   īnfōrmālis   fōrma

1. *moral* law
2. *general* tendencies
3. his *curious* behavior
4. a *morose* appearance
5. *consular* diplomacy
6. *naval* armament
7. *social* behavior
8. a *famous* general
9. a *mortal* fear
10. *puerile* anger
11. *laborious* Latin lessons
12. *popular* support
13. painted a *mural*
14. *marital* difficulties
15. a *servile* nature
16. a *verbose* teacher
17. a *glorious* sight
18. the *regal* attire
19. *parental* love
20. *corporal* punishment
21. occasions were *numerous*
22. the *annals* of crime
23. *principal* and interest
24. a *virile* outlook
25. *ducal* coat of arms
26. *legal* training

Give the probable meaning of the prefix in each of these English words:

an *export* license
circumnavigate the globe
transmit the information
intercollegiate athletics
broken by *insanity*

demoted in rank
a sneak *preview*
this *antedates* the other
postpone the program
submarine exploration

As you begin to build up a stock of Latin verb forms in the coming lessons, your Latin sentences will gradually become more interesting and meaningful. Always keep in mind what we said earlier about Latin word order. The first word that occurs in any Latin sentence is not necessarily the subject. Remember that the meaning is expressed by word *endings*, not word *order*.

Make these Latin adjectives agree with their nouns:

1. cōnsulem – bonus
2. locō – pūblicus
3. annī – numerōsus
4. parēns – miser
5. nāvibus – varius
6. duce – sōlus
7. oculōs – hūmānus
8. virī – firmus

9. lēgēs – secundus	15. homine – firmus
10. viās – bonus	16. mentem – puerīlis
11. nāvis – rēgālis	17. sociōs – fāmōsus
12. prīncipem – annōsus	18. servī – verbōsus
13. corpora – fōrmōsus	19. templum – prīncipālis
14. ōribus – mortālis	20. ministrō – cōnsulāris

Give the meaning of the following prepositions and the case each governs:

ad	cum	sine	prae
ab	dē	ante	circum
post	per	inter	prō
trāns	contrā	ob	ex

FIRST CONJUGATION VERBS

clāmāre, clāmātus	*shout*	portāre, portātus	*carry*
errāre, errātus	*wander, err*	rogāre, rogātus	*ask, question*
mūtāre, mūtātus	*change*	servāre, servātus	*save, guard*
parāre, parātus	*prepare*	vocāre, vocātus	*call*

English verbs have what we call principal parts, those forms of the verb which are needed to obtain all the other forms, e.g., *ring, rang, rung*. These are the present tense (or infinitive), the past tense, and the past participle. English verbs are not all conjugated alike; compare *ring, rang, rung* with *drive, drove, driven* or with *walk, walked, walked*. Latin verbs also fall into different classes, and those which we study today are called the first conjugation. The principal parts are much the same as those for English, and we have here the first and the last parts, the infinitive and the perfect passive participle with English meanings:

clāmāre	*to shout*	clāmātus	*shouted, having been shouted*
portāre	*to carry*	portātus	*carried, having been carried*
vocāre	*to call*	vocātus	*called, having been called*

The infinitive is a verbal noun and can be used as the subject, predicate nominative, or direct object of a verb. The perfect passive participle is an adjective and must modify and agree with a noun or pronoun.

Two other Latin verb forms for this lesson are the third persons singular and plural, present tense. For all these verbs they are made the same way; here are a few samples:

clāmat	*he, she, it shouts*	clāmant	*they shout*
errat	*he, she, it wanders*	errant	*they wander*
parat	*he, she, it prepares*	parant	*they prepare*

All these verbs can be combined with the prefixes to make more verbs. As a sample, let us take only the verb *portāre*.

apportāre	*carry to*		importāre	*carry in*
dēportāre	*carry down*		reportāre	*carry back*
exportāre	*carry out*		trānsportāre	*carry across*

English derivatives sometimes come from the infinitive (CLAIM, ERR, PARE, COMMUTE, TRANSPORT, PRESERVE, INVOKE), sometimes from the participle (INTERROGATE). Here are some more ways to make Latin and English words. There are two third declension nouns made by adding *-or* and *-iō* to the stem of the perfect participle. The *-iō* noun indicates the action and the *-or* the doer of the action. The *-or* suffix is called an agent suffix. Examples:

exclāmātiō	*a shouting out*	praeparātiō	*a preparing*
interrogātiō	*a questioning*	dēclāmātor	*a declaimer*
mūtātiō	*a change*	servātor	*a savior*

The *-iō* noun is always feminine and the *-or* noun is always masculine. They are declined as follows:

	Singular	Plural	Singular	Plural
Nom.	mūtātiō	mūtātiōnēs	servātor	servātōrēs
Acc.	mūtātiōnem	mūtātiōnēs	servātōrem	servātōrēs
Abl.	mūtātiōne	mūtātiōnibus	servātōre	servātōribus

Theoretically, we could have an *-iō* and an *-or* noun from every Latin verb. But since many of these nouns are rare or do not exist in Latin, we have mentioned only a few of the more common ones. Consider how many English nouns come from these few verbs: DECLAMATION, EXCLA-MATION, PROCLAMATION, MUTATION, COMMUTATION, COMMUTATOR, PER-MUTATION, PREPARATION, REPARATION, SEPARATION, DEPORTATION, EXPORTA-TION, IMPORTATION, TRANSPORTATION, INTERROGATION, INTERROGATOR, CONSERVATION, OBSERVATION, PRESERVATION, RESERVATION, VOCATION, AVO-CATION, CONVOCATION, and INVOCATION.

A

I. Make a Latin sentence by putting each verb with its subject. Make sure the verb agrees with the subject.

1. Cōnsul – rogāre
2. Rēgēs – vocāre
3. Ducēs – clāmāre
4. Puer – exportāre

5. Homō – servāre
6. Marītī – mūtāre
7. Parēns – errāre

8. Virī – parāre
9. Minister – importāre
10. Prīncipēs – exclāmāre

II. Make a Latin sentence by making the noun after the verb its direct object (accusative); then change the object to the plural.

1. Parat – nāvis
2. Rogant – servus
3. Mūtat – labor
4. Portat – corpus
5. Servat – puer

6. Vocat – homō
7. Portat – pars
8. Parant – via
9. Servat – templum
10. Rogant – dux

B

1. Cōnsulēs bonī errant.
2. Signum rēgāle mūtant.
3. Interrogat variōs servōs.
4. Praeparātiō est pūblica.
5. Corpora hūmāna reportat.
6. Rogat rēx ducem.

7. Parat mūtāre animum.
8. Vir ē templō vocat.
9. Errāre est hūmānum.
10. Puerum servāre est bonum.
11. Marītus miser exclāmat.
12. Vocāre est clāmāre.

C

1. Rosās variās exportant.
2. Caesar servat templum dīvīnum.
3. Triumphum aptum parant.
4. Religiō servat Rōmānōs.

5. Rēgem vocant servī.
6. Īnferiōrēs lēgēs mūtat.
7. Iūstitia nōn errat.
8. Fortūna virōs falsōs nōn servat.

Cicero

Cicerō est fāmōsus cōnsul et ōrātor. In senātū dēfendit Rōmam contrā hostīlēs hominēs. Cum cūrā ōrātiōnēs parat. Hominēs interrogat, et lēgēs Rōmānās servat. Cum ēloquentiā dēclāmat. Deōs (*gods*) immortālēs invocat. Labōrat cum dīligentiā prō populō Rōmānō. Sub Cicerōne senātus nōn errat. Ob ēloquentiam Rōmānī honōrant Cicerōnem. Ōrātiōnēs sunt numerōsae et glōriōsae.

Lesson XII

DENOMINATIVE VERBS

anima, -ae, F *soul, life*	nūntius, -ī, M *messenger*
arma (N pl.) *arms*	opus, operis, N *work*
dominus, -ī, M *master*	pugna, -ae, F *fight, battle*
dōnum, -ī, N *gift*	sonus, -ī, M *sound*
nōmen, nōminis, N *name*	

Just as Latin verbs can have a perfect passive participle, so they can have other passive forms. Here are the passive forms corresponding to the actives you have already learned:

rogārī *to be asked*	mūtārī *to be changed*
rogātur *he, she, it is asked*	mūtātur *he, she, it is changed*
rogantur *they are asked*	mūtantur *they are changed*

Some Latin verbs are deponents, which means that they have all passive forms but active meanings. Whenever you are given a passive infinitive instead of an active, this will mean that the verb is deponent.

In English, we can often make a verb out of a noun or adjective. For example, the nouns *house* and *mother* may also be used as verbs, and we use an -en suffix to make verbs from adjectives, e.g., *quicken, darken, lighten*. In Latin this process is also very common. Most of these verbs, called denominatives, will be first conjugation, as are all those from nouns in this lesson. Here is the denominative verb from each of the nouns in your vocabulary:

animāre *to enliven*	nūntiāre *to announce*
armāre *to arm*	operārī *to work*
dominārī *to master*	pugnāre *to fight*
dōnāre *to give*	sonāre *to sound*
nōmināre *to name*	

Note that *dominārī* and *operārī* are deponents. They do not have active forms, but their passive forms have active meanings. Examples:

dominārī *to master*	operārī *to work*
dominātus *having mastered*	operātus *having worked*
dominātur *he masters*	operātur *he works*
dominantur *they master*	operantur *they work*

There are many denominative verbs derived from the nouns and adjectives you have been given. Here are a few whose meanings might not be perfectly obvious:

generāre *produce*	miserārī *pity*
glōriārī *boast*	ōrāre *speak, beg*
lēgāre *appoint, bequeath*	signāre *mark, seal*
marītāre *marry*	viāre *travel*

There are even two denominatives related to Latin prepositions, *intrāre* "enter," and *superāre* "conquer." Here are three derived nouns you may find useful:

viātor *traveler*	ōrātiō *speech*	ōrātor *speaker*

A

I. Give the Latin denominative verb and an English -ion noun from the following. Example: socius   sociāre   association

locus	varius	firmus	labor
minister	pūblicus	corpus	numerus

II. In this exercise you are given a singular sentence, then a plural subject. Change the verb to agree with the new subject:

1. Dominus dōnat. Dominī ....
2. Dux nōminat. Ducēs ....
3. Rēx ōrat. Rēgēs ....
4. Servus pugnat. Servī ....
5. Signum sonat. Signa ....
6. Puer firmat. Puerī ....
7. Nāvis dōnātur. Nāvēs ....
8. Rēx dominātur. Rēgēs ....
9. Homō mūtātur. Hominēs ....
10. Pugna nūntiātur. Pugnae ....
11. Dominus operātur. Dominī ....
12. Parēns armātur. Parentēs ....

B

1. Fortūna fōrmat hominēs.
2. Virī animās cūrant.
3. Cōnsul numerat annōs.
4. In pugnā populus superat.

5. Nūntium sōlum nōminat.
6. Dux sonōs mūtat.
7. Populus ōrātōrem honōrat.
8. Arma varia dōnant.
9. Hominēs generat terra.
10. Bonī hominēs fōrmantur.
11. Animae ā virīs cūrantur.

12. Annī ā cōnsule numerantur.
13. In pugnā populus superātur.
14. Nūntius sōlus nōminātur.
15. Sonī ā duce mūtantur.
16. Ōrātor ā populō honōrātur.
17. Arma varia dōnantur.
18. Hominēs generantur.

C

1. In templum vocant victōrem.
2. Caesar pugnam mūtat.
3. Dōna sēcrēta parat.
4. Vir ōrātiōnēs parat.
5. Viātor nāvem servat.

6. Victor in templum vocātur.
7. Pugna ā Caesare mūtātur.
8. Dōna sēcrēta parantur.
9. Ōrātiōnēs ā virō parantur.
10. Nāvis ā viātōre servātur.

Julius Caesar

Iūlius Caesar est Rōmānus dux. Variae Rōmānae legiōnēs sunt sub Caesare. In pugnam signa et arma portant. Legiōnēs pugnant cum glōriā in Galliā et Gallōs superant. Caesar viat ad Britanniam. Terrās et virōs superat. Intrat Rōmam et Rōmānī exclāmant dē victōriā. Rōmānī nōminant Caesarem dictātōrem. In terrīs Rōmānīs Caesar dominus est.

Lesson XIII

INDIRECT STATEMENTS

cōgitāre, cōgitātus *think, plan*	putāre, putātus *think*
indicāre, indicātus *show*	stāre, statum *stand*
mandāre, mandātus *order, entrust*	vacāre, vacātum *be free, be empty*
negāre, negātus *deny, refuse*	

Verbs that cannot take a direct object are called intransitive verbs. Such verbs cannot have a passive voice, and naturally no perfect passive participle. For intransitive verbs, e.g., *stāre*, a form in *-um* will give you the stem to use for Latin and English derivatives. Notice that all these participial stems have derivatives: COGITATE, MANDATE, INDICATE, NEGATE, REPUTATION, STATE, VACATE.

Compound verbs are not so prominent in this lesson, but here are a few you can readily understand:

commendāre *commend*		circumstāre *stand around*	
computāre *reckon*		distāre *stand apart*	
disputāre *disagree*		obstāre *stand in the way*	

You should have no difficulty at all with these derived nouns:

cōgitātiō	statiō
negātiō	vacātiō

In English we have two ways of reporting the words of the speaker. We can do it either directly or indirectly.

Direct: He says, "They are calling."
Indirect: He says that they are calling.

With certain verbs in English, especially those of thinking and knowing, we may use the infinitive with the subject in the objective.

He knows that they are calling. *or* He knows them to be calling.

Latin regularly uses the infinitive with its subject in the accusative for these indirect expressions. Since the clause introduced by *that* is always proper in English, get in the habit now of using the *that* clause in all English translations of Latin indirect statements. Incidentally, the infinitive that goes with *est* and *sunt* is *esse* "to be." Here are some sample sentences:

Putat virum stāre. *He thinks that the man is standing.*
Clāmat nūntium vacāre. *He shouts that the messenger is free.*
Negant arma parārī. *They deny that arms are prepared.*
Putat servum servāre. *He thinks that the slave is guarding.*
Nūntiant ducem ōrāre. *They announce that the leader is begging.*

Examples of direct and indirect expression:

Dominus nūntiat.	Putat dominum nūntiāre.
Parēns labōrat.	Nūntiat parentem labōrāre.
Prīnceps glōriātur.	Indicat prīncipem glōriārī.
Cōnsul nōminātur.	Putat cōnsulem nōminārī.
Rēgēs nōn honōrantur.	Negant rēgēs honōrārī.
Ōrātor rogat.	Putant ōrātōrem rogāre.
Dux nōn intrat.	Negant ducem intrāre.

A

Make these direct statements indirect by putting the verb into the infinitive:

1. Parēns in campō stat.	Negant parentem in campō ....
2. Causa est bona.	Indicat causam bonam ....
3. Vir sōlus labōrat.	Nūntiant virum sōlum ....
4. Cōnsul fāmōsus ōrat.	Putant cōnsulem fāmōsum ....
5. Pūblicum templum vacat.	Indicant pūblicum templum ....
6. Vacātiō est bona.	Putat vacātiōnem bonam ....
7. Sociī numerōsī disputant.	Indicātur sociōs numerōsōs ....
8. Servī virum circumstant.	Nūntiat servōs virum ....

B

1. Negant virum post templum stāre.

2. Virī in templō stāre cōgitant.

3. Putant virōs ante templum stāre.
4. Sine cūrā puer labōrat.
5. Putat puerōs sine cūrā labōrāre.
6. Negat puerum cum arte labōrāre.
7. Puerī dē labōre cōgitant.
8. Indicant puerōs labōrāre.

9. Ad nāvem signa portantur.
10. Negant signa portārī.
11. Negant servōs signa portāre.
12. Cum glōriā pugnāre cōgitant.
13. Vir armātus mandat.
14. Putat virum mandāre.
15. Nūntiant virum mandāre.
16. Nūntiant rēgem vacāre.
17. Negant arma parārī.

C

1. Nūntiant signa mūtārī.
2. Nūntiant signa esse numerōsa.
3. Virī prō victōriā clāmant.
4. Virī post victōriam clāmant.
5. Circum forum pugnant.
6. Per forum pugna sonat.

7. Putant Rōmānōs dē glōriā cōgitāre.
8. Sine īrā Caesar nōn pugnat.
9. Negant Caesarem cum arte pugnāre.
10. Negant pictūram parārī.

Vergil

Poēta Vergilius nārrat dē pugnā inter Graecōs et Trōiānōs. In epicō poēmate Aenēās est Trōiānus hērōs. Vergilius nārrat Aenēam cum glōriā circum Trōiam pugnāre. Post victōriam Graecam Aenēās nāvigat ad Ītaliam. In aliīs (*other*) poēmatibus Vergilius nārrat dē mōribus rūsticīs et dē agricultūrā. Rōmānī putant Vergilium indicāre glōriam Rōmānam in operibus. Putant Vergilium esse poētam splendidum.

Lesson XIV
THE SECOND CONJUGATION

dēbēre, dēbitus *owe, ought*   respondēre, respōnsus *answer*
fatērī, fassus *confess*   rīdēre, rīsus *laugh (at)*
habēre, habitus *have, hold*   sedēre, sessum *sit*
manēre, mānsum *remain*   tenēre, tentus *hold*
monēre, monitus *warn*   vidēre, vīsus *see*
movēre, mōtus *move*

Verbs whose infinitives end in -*ēre* or -*ērī* belong to the second conjugation. You will readily see that we do not have a whole new set of
endings here; it is simply that wherever we had *a* in the first conjugation
we have *e* in the second. A sample verb:

monēre *to warn*
monērī *to be warned*
monitus *warned, having been warned*
monet *he warns*
monent *they warn*
monētur *he is warned*
monentur *they are warned*

Follow the pattern for *monēre* and give the forms for *vidēre* and
tenēre. Give their English meanings. The verb *fatērī* is another deponent.
Here are its forms:

fatērī *to confess*   fatētur *he confesses*
fassus *having confessed*   fatentur *they confess*

Note: in compounds, a short *a* often becomes short *i* in the present and
short *e* in the perfect participle. The compounds of *fatērī* are *cōnfitērī* and
profitērī and their participles are *cōnfessus* and *professus*.
You will recall that first conjugation verbs regularly had a participle
ending in -*ātus*. Second conjugation verbs are not so nice in this respect,

43

but we are going to see how English derivatives can teach the participle. *Manēre* and *sedēre* are intransitive, but we can still use their stems.

Participial Stem	*English Derivative*
dēbit-us	*debit*
cōnfess-us	*confess*ion
habit-us, *inhibit*-us	*habit*, *inhibit*ion
māns-um	*mans*ion
monit-us	*monit*or
mōt-us	*mot*ion
respōns-us	*respons*e
rīs-us	deri*s*ion
sess-um	*sess*ion
tent-us	reten*t*ion
vīs-us	*vis*ion

Here are some of the compound verbs for this lesson which you should know:

cōnfitērī	remanēre	prōmovēre	obtinēre
profitērī	admonēre	removēre	retinēre
permanēre	admovēre	abstinēre	prōvidēre

Only a few of the *-iō* and *-or* nouns are important enough in Latin to be listed here: *dēbitor, mānsiō, monitor, mōtiō, respōnsiō, sessiō,* and *vīsiō.* But there is a long list of -ion nouns in English coming from these verbs. Let us note first that *tenēre* becomes *-tinēre* in Latin compounds and -TAIN in English derivatives. We frequently get the English verb from the Latin infinitive and the corresponding noun from the participial stem, e.g., ABSTAIN – ABSTENTION, DETAIN – DETENTION, RETAIN – RETENTION, SUSTAIN – SUSTENTION. Other nouns: EXHIBITION, INHIBITION, PROHIBITION, ADMONITION, PREMONITION, MOTOR, DEMOTION, COMMOTION, EMOTION, PROMOTION, VISOR, PROVISION, REVISION, SUPERVISION, and TELE-VISION (Greek *tēle* "far").

A

I. Change the following into the passive. Use this as a model: Homō videt campum.   Campus ab homine vidētur.

1. Ōrātor populum monet.
2. Prīncipēs signa movent.
3. Cōnsulēs servōs tenent.
4. Misera corpora puer videt.
5. Socius numerōs mūtat.

6. Vir sonum rīdet.
7. Ducēs mūrum servant.
8. Rēx nāvem movet.
9. Prīnceps lēgēs tenet.
10. Dux vocat ministrōs.

II. Make these sentences indirect statements after *putat*. Example: Servus fatētur. Putat servum fatērī.

1. Templum in campō manet.
2. Puer post templum sedet.
3. Parēns firmus respondet.
4. Servus mentem pūram habet.
5. Oculus mortem videt.

6. Nūntiī sōlī rīdent.
7. Homō dēbet manēre.
8. Per annum signa videntur.
9. Vir pedem movet.
10. Marītus cōnfitētur.

B

1. Miserī dēbitōrēs videntur.
2. Pēs manet immōtus.
3. Bonam vīsiōnem habēre dēbet.
4. Ministrōs ē locō movet.
5. Per secundum annum manet.
6. Servōs monēre dēbent.

7. Respōnsiō movet īram.
8. Ob causam bonam tenētur.
9. Dē morte miserā monent.
10. Populus dēbet respondēre.
11. Rēx rīdet ōrātōrem.
12. Fatentur servum sedēre.

C

1. Miseria in populō manet.
2. Habet mōrēs rēgālēs.
3. In Ītaliā adulēscentēs tenentur.
4. Ē locō olīvae moventur.

5. Respondētur triumphum esse grandem.
6. Inter ruīnās manent.
7. Sedent cum puerīs rūsticīs.
8. Campum dēsertum videt homō.

Plautus

Plautus scrībit (*writes*) cōmoediās Latīnās. In variīs cōmoediīs est servus ingeniōsus. Ūnus (*one*) servus nōmen Pseudolum habet. Spectātōrēs dēbent servum rīdēre. Hodiē (*today*) drāma dē Pseudolō nōminātur "Rēs (*thing*) Rīdicula Occurrit in Viā ad Forum." In ūnā cōmoediā nārrat Plautus dē II frātribus (*brothers*). Frātrēs sunt geminī (*twins*). Drāma hodiē vidētur sub nōmine "Cōmoedia Errōrum" (*of errors*) vel (*or*) "Puerī dē Syrācūsīs." Plautus excellit in arte cōmicā.

45

THE THIRD CONJUGATION

cadere, cāsum *fall*	dūcere, ductus *lead*
caedere, caesus *cut, kill*	mittere, missus *send*
cēdere, cessum *yield, go*	petere, petītus *ask, seek*
claudere, clausus *close*	vertere, versus *turn*
dīcere, dictus *say*	sequī, secūtus *follow*

Here are all the forms for the new conjugation:

dūcere *to lead*	mittere *to send*
dūcī *to be led*	mittī *to be sent*
ductus *led, having been led*	missus *sent, having been sent*
dūcit *he leads*	mittit *he sends*
dūcunt *they lead*	mittunt *they send*
dūcitur *he is led*	mittitur *he is sent*
dūcuntur *they are led*	mittuntur *they are sent*

Again the endings for the third conjugation are the same as you have learned, but the vowel changes. Where we had *a* for the first conjugation and *e* for the second, here we have *e, i,* or *u.* The present passive infinitive is unusual; before, we changed the final *e* of the active to *ī,* but here we remove the whole *-ere* and add *ī.* The perfect participle is rather undependable, but here again we will use English as a learning tool. Before we start compounding, let us remember that short *a* in compounds becomes short *i.* Similarly, *ae* becomes long *i,* so that *caedere* becomes *-cīdere,* while *cadere* becomes *-cidere.* Note the following pairs:

excidere	*fall out*	excīdere	*cut out*
incidere	*fall into*	incīdere	*cut into*
occidere	*fall, die*	occīdere	*cut, kill*

Another change of this sort is that of *au* to *ū*; thus the compounds of *claudere* are spelled *-clūdere*: *exclūdere* "shut out," *inclūdere* "shut in."

Dūcere and *mittere* are especially rich in derivatives; give the -DUCE and -MIT derivative from each of these:

dēdūcere	prōdūcere	committere	remittere
ēdūcere	redūcere	ēmittere	submittere
indūcere	sēdūcere	permittere	trānsmittere

Cēdere enters English as -CEDE or -CEED; there is nothing in the Latin to tell you which. The one derivative in -SEDE, SUPERSEDE, comes not from *cēdere*, but from *sedēre*. Give the derivatives from these:

accēdere	excēdere	praecēdere	recēdere
concēdere	intercēdere	prōcēdere	succēdere

Here are a few *-or* and *-iō* nouns; give a meaning for each:

accessiō	ductiō	missiō	petītiō
dictiō	ductor	occāsiō	secūtor

With these verbs we have some striking illustrations of the principle that the English verb comes from the present stem, the noun from the perfect participle:

concede	concession	admit	admission
proceed	procession	emit	emission
deduce	deduction	avert	aversion
produce	production	divert	diversion

Here is a derivative from each of the other participles: OCCASION, INCISION, EXCLUSION, PREDICTION, COMPETITION, and PERSECUTION. Sometimes in English we have a verb from the present and another verb from the participle, while one noun serves for both verbs, e.g., INDUCE – INDUCT – INDUCTION, DEDUCE – DEDUCT – DEDUCTION, REVERT – REVERSE – REVERSION, RECEDE – RECESS – RECESSION.

A

I. Here are six brief sentences involving verb forms you know.

Rēx mittit. *The king sends.*
Rēx mittitur. *The king is sent.*
Rēgēs mittunt. *The kings send.*

Rēgēs mittuntur. *The kings are sent.*
Rēx dēbet mittere. *The king ought to send.*
Rēx dēbet mittī. *The king ought to be sent.*

Following the above pattern, make five more sentences from each of these:

1. Puer dūcit.
2. Servus caedit.
3. Marītus videt.

4. Socius vocat.
5. Dominus monet.
6. Vir ōrat.

II. Change the italicized infinitive into the proper verb form for the sentence. In a few cases a change will not be necessary.

1. Dē nāvī puer *cadere.*
2. Rēx dōna *mittere.*
3. Servī ducem *sequī.*
4. Dīcit servōs *cēdere.*
5. Ministrī ōra *vertere.*

6. Rēx causam *petere.*
7. Dēbent oculōs *claudere.*
8. Puer pedem *caedere.*
9. Sociī ad locum *cēdere.*
10. Dīcunt virōs *sequī.*

B

1. Corpora cadunt.
2. Signa prōcēdunt.
3. Ducem sequuntur.
4. Partem mittunt.
5. Templa claudit.
6. Mortem petunt.
7. Servōs dūcunt.
8. Puer recēdit.

9. Dīcunt corpora cadere.
10. Vertit pedem ad campum.
11. Parant ad mortem dūcī.
12. Dīvertī nōn dēbent.
13. Nōmen immortāle petit.
14. Puer ad nāvem missus caeditur.
15. Dīcitur populum ē terrā mittī.
16. Dīcit servōs sequī.

C

1. Nūntius ad Āfricam mittitur.
2. Pugnam violentem nōn petunt.
3. Respōnsiō quiēta īram āvertit.

4. Poētae nārrant glōriam petī ā ducibus.
5. Cum furōre Brūtum sequitur.
6. Ad nāvem rapidam recēdit.
7. Dīcunt tumultum vidērī.
8. Ēdūcit Caesar servōs timidōs.

48

Hannibal and Fabius

Hannibal, fāmōsus dux Carthāginiēnsis, pugnat contrā Rōmānōs.
Dūcit mīlitēs (*soldiers*) per Hispāniam et Galliam et trāns Alpēs. Cum
hominibus et elephantīs intrat Ītaliam. Elephantī terrōrem incitant et
Hannibal dēvāstat Ītaliam. Petit Rōmam superāre. Fabius Maximus, dux
Rōmānus, sequitur Hannibalem et Rōma nōn cadit. Hannibal ad Āfri-
cam recēdit. Rōma ā duce Fabiō servātur, et Fabius ā Rōmānīs honōrātur.

THE FOURTH AND FIFTH CONJUGATIONS

audīre, audītus *hear*   capere (i), captus *take, seize*
orīrī, ortus *arise, rise*   facere (i), factus *make, do*
scīre, scītus *know*   fugere (i), fugitum *flee*
sentīre, sēnsus *feel*   gradī (i), gressus *go, walk*
venīre, ventum *come*   patī (i), passus *suffer, allow*

Latin verbs whose infinitives end in *-īre* or *-īrī* belong to the fourth conjugation. They have an *i* where we found *a* and *e* in the first and second conjugations. The fifth conjugation has some forms like the third and some like the fourth. These verbs will be identified in your vocabularies by an (i) after the infinitive. Here are the forms for both conjugations:

audīre *to hear*   capere *to take*
audīrī *to be heard*   capī *to be taken*
audītus *heard, having been heard* captus *taken, having been taken*
audit *he hears*   capit *he takes*
audiunt *they hear*   capiunt *they take*
audītur *he is heard*   capitur *he is taken*
audiuntur *they are heard*   capiuntur *they are taken*

You will often have need for the present stem of the verb. For the five conjugations, the present stems are these:

First	*Second*	*Third*	*Fourth*	*Fifth*
rogā-	vidē-	dūc-	audī-	capi-
dominā-	fatē-	sequ-	orī-	gradi-

The Latin present active participle adds *-ns* to the present stem of first and second conjugation verbs, *-ēns* to the present stem of the others. The participle is a third declension adjective with a stem ending in *-nt-*. Note: even deponent verbs have a present active participle. Examples:

rogāns   *asking*   audiēns   *hearing*
vidēns   *seeing*   capiēns   *taking*
dūcēns   *leading*

	Singular		Plural	
	M-F	N	M-F	N
Nom.	rogāns	rogāns	rogantēs	rogantia
Acc.	rogantem	rogāns	rogantēs	rogantia
Abl.	rogante(ī)	rogante(ī)	rogantibus	rogantibus

English adjectives and nouns come from the stem form: ORIENT, OMNISCIENT, SENTIENT, CONVENIENT, RECIPIENT, EFFICIENT, GRADIENT, PATIENT. Latin nouns are made from participles by adding *-ia* to the stem, and these give English nouns in -nce and -ncy: *audientia* – AUDIENCE, *convenientia* – CONVENIENCE, *efficientia* – EFFICIENCY. If the participle becomes a noun in English, then an adjective is often formed with -al, e.g., ACCIDENTAL, ORIENTAL, INCIDENTAL. Some present participle derivatives from previous lessons are ANTECEDENT, CLAIMANT, COMPETENT, CONSEQUENT, CONSONANT, CORRESPONDENT, DOMINANT, EVIDENT, IMPORTANT, INTERMITTENT, PERMANENT, PRESIDENT, REPUGNANT, and VACANT.

Give the meaning of these compound verbs:

aufugere	aggredī	ingredī
diffugere	congredī	prōgredī
effugere	dīgredī	regredī
refugere	ēgredī	trānsgredī

Capere and *facere* in compounds both change *a* to *i* in the present stem and to *e* in the perfect participle. Some of the verbs derived from *capere* come from the present stem (spelled -CEIVE, through French), others from the participial stem. Give the English verb from each:

accipere	dēcipere	intercipere	recipere
concipere	excipere	percipere	

Here are some derived nouns. Give the English derivatives:

audītor	factor	scientia
audītiō	patientia	sententia
audientia	passiō	convenientia

From previous vocabularies there are *prōvidentia* or *prūdentia* from *vidēre* and *cōnstantia* from *stāre*. *Prūdēns* is just a shortened form of *prōvidēns*; thus English PROVIDENT and PRUDENT are originally the same word. *Gradī* changes *a* to *e* in its compounds and gives many good derivatives. An INGREDIENT is something that "goes into" a recipe. The participial stem gives CONGRESS, EGRESS, AGGRESSION, DIGRESS, PROGRESS, REGRESSION, and TRANSGRESS. Latin *facere* gives us more derivatives than any other Latin verb. A few from the present stem would be DEFICIENT, EFFICIENT, PROFICIENT, and SUFFICIENT. From the participial stem there are FACT, FACTOR, FACTION, AFFECT, EFFECT, PERFECT, and CONFECTION.

There are a few fourth conjugation denominative verbs. From *servus*, *servīre* means "serve," "be a slave." *Pars* gives *partīrī*, meaning "divide," "share." From *pēs* there are two interesting compound verbs, *impedīre* "hinder" and *expedīre* "set free."

A

Following the pattern for *audīre*, give all the forms for the other verbs. Give English meanings:

audīre *to hear*	vocāre
audīrī *to be heard*	monēre
audit *he hears*	mittere
audiunt *they hear*	scīre
audītur *he is heard*	capere
audiuntur *they are heard*	
audiēns *hearing*	
audītus *having been heard*	

B

1. Puerum vocantem audit.
2. Nūntium venientem videt.
3. Servum fugientem capit.
4. Dominum patientem occīdit.
5. Scit varia genera orīrī.
6. Parentēs captī iram sentiunt.
7. Verba audiēns, respondēre dēbet.
8. Dissēnsiō hominēs miserōs facit.
9. Sentiunt viātōrēs patī.
10. Per terram prōgressus, nāvem petit.

11. Scit patientiam esse bonam.
12. Mortem advenientem sentit.

13. Sentit nūntiōs scientiam habēre.

C

1. Cum Graecīs ingredī parat.
2. Miser captīvus patitur.
3. Terram capiēns, dictātor templum facit.
4. Sonus secundus ā prophētā audītur.

5. Rūmor falsus facit hominēs suspiciōsōs.
6. Cum ēlegantiā sacrificium faciunt.
7. Ad forum decorātum conveniunt senātōrēs.

Homer

Homērus est fāmōsus poēta Graecus. Nārrat Graecōs convenīre et pugnāre circum mūrōs Troiānōs IX annōs. Achillēs īram sentit contrā Agamemnonem, ducem Graecum, et negat pugnāre. Socius Patroclus occīditur ab Hectore, et Achillēs, dē morte audiēns, ad pugnam regreditur. Achillēs mortem patitur. Ulixēs, alius (*another*) hērōs Graecus, per longam viam revertit ad Ithacam, et Homērus nārrat de itinere (*journey*) in secundō poēmate.

THE GERUNDIVE

amāre, amātus *love*

plicāre, plicātus (plicitus)
   fold

agere, āctus *do, drive,*
   act, spend

-dere, -ditus *place, give*

ferre, lātus *bear, carry*

legere, lēctus *choose, read,*
   pick

regere, rēctus *rule, guide*

trahere, trāctus *drag, draw*

memor *mindful*

mīrus, -a, -um *wonderful*

The verb *-dere* never appears as a simple verb, but it compounds with most of the prefixes and gives many derivatives. The verb *ferre* is irregular; note especially the perfect participle. We have compound derivatives from both the first and last parts: DIFFER, DILATE, CONFER, COLLATE, REFER, RELATE, TRANSFER, TRANSLATE. Here are its forms:

ferre *to carry*

ferrī *to be carried*

lātus *carried, having been carried*

ferēns *carrying*

fert *he carries*

ferunt *they carry*

fertur *he is carried*

feruntur *they are carried*

The two adjectives *memor* (third declension, stem *memor-*) and *mīrus* were put in this lesson because of their denominative verbs, *memorāre* "remind," "tell," and *mīrārī* "wonder (at)." What should these compound verbs mean?

abdere	auferre	abstrahere
addere	dēferre	contrahere
indere	efferre	extrahere
reddere	referre	retrahere
trādere	trānsferre	subtrahere

Notice that all the English verbs from *trahere* use the participial stem. The same goes for COLLECT, ELECT, SELECT from *legere*. Some derived

54

nouns are *admīrātiō, āctor, āctiō, lēctor, lēctiō,* and *rēctor. Lēctiō* gives the English derivative LESSON. The agent noun from *amāre* gives English AMATEUR, one who does something for the love of it. *Plicāre* is the source of many interesting derivatives. Several words in -PLY come from it, as APPLY, IMPLY, REPLY, even MULTIPLY and PLYWOOD. If something is unfolded, it is EXPLICIT; if it is folded in, it is IMPLICIT. To EXPLICATE is to "unfold," or explain; a person is "folded into" something or IMPLICATED; something "all folded together" is COMPLICATED.

Latin has another verb form, called the gerundive, which is formed by adding to the present stem *-ndus* for the first and second conjugations and *-endus* for the others. It is an adjective, with endings like those of *bonus,* and it usually means "to be loved," "to be done," "to be sent." In combination with *est* or *sunt,* it is often best translated "must be."

amandus   monendus   agendus   sentiendus   capiendus

The gerundive occurs in a few English derivatives. AMANDA and MIRANDA are girls to be loved and to be wondered at, respectively. AGENDA was originally a neuter plural meaning "things to be done." A LEGEND is to be read and a SUBTRAHEND is to be subtracted (from the MINUEND, the number to be lessened). A REFERENDUM is to be referred to the people. A book often has a list of ADDENDA and CORRIGENDA, things to be added and corrected. A MEMORANDUM is, of course, a reminder.

Latin *f* at the beginning of a word gives Spanish *h,* so that *facere* becomes Spanish *hacer.* The gerundive *facienda* "things to be done" becomes the place where things are to be done, the HACIENDA. Three different Latin verbs meaning "to fear" give us REVEREND, HORRENDOUS, and TREMENDOUS. STUPENDOUS comes from *stupēre* "to be amazed." The thing to be multiplied is the MULTIPLICAND, and the thing to be divided is the DIVIDEND. QUOD ERAT DEMONSTRANDUM (Q.E.D.) means "which was to be shown."

A

Make sure that you understand the meaning of all these sentences. Then substitute the correct forms of *capere* in group I, those of *audīre* in group II:

55

I

1. Homō dōna fert.
2. Hominēs dōna ferunt.
3. Dōnum ab homine fertur.
4. Dōna ab homine feruntur.
5. Dōnum ab homine lātum bonum est.
6. Homō dēbet dōna ferre.
7. Dōna dēbent ferrī.
8. Dōna ferenda sunt.

1. Populus regendus est.
2. Numerus addendus est.
3. Glōria amanda est.
4. Pēs extrahendus est.
5. Arma sunt referenda.
6. Opus agendum est.
7. Annus est agendus.
8. Verba explicanda sunt.

1. Rosae legendae sunt.
2. Plicandus est papȳrus.
3. Sonus mīrus ā rēctōre audītur.
4. Putat arma splendida ā Germānīs ferrī.

II

1. Vir legit verba.
2. Virī legunt verba.
3. Verbum ā virō legitur.
4. Verba ā virō leguntur.
5. Verbum ā virō lēctum bonum est.
6. Dīcit virum verba legere.
7. Dīcit verba ā virō legī.
8. Verba legenda sunt.

B

9. Dē templīs rēgālibus memorat.
10. Reddunt numerōsa dōna.
11. Nōmen glōriōsum fert.
12. Mīrātur mentem puerīlem.
13. Prīnceps hominēs regit.
14. Scit glōriam accipiendam esse.
15. Corpus miserum trahitur.
16. Verba fāmōsa leguntur.

C

5. Sociī ē terrīs Rōmānīs aguntur.
6. Rōma per annōs regenda est.
7. Poēta ā lēctōribus amātur.
8. Error corrigendus est.

*A*ugustus

Augustus est Rōmānus prīnceps. Post mortem Caesaris (*of Caesar*) Augustus et Marcus Antōnius petunt Rōmam regere. Cleopātra Antōnium amat. Cleopātra et amātor ad Graeciam aguntur. In nāvālī pugnā Augustus est victor. Cleopātra ad Aegyptum fugit et ā serpente caeditur. Augustus Rōmānōs regit cum glōriā et honōre multōs (*many*) annōs. Hominēs hodiē (*today*) dē multīs operibus memorābilibus Augustī (*of Augustus*) legunt.

56

Lesson XVIII
NOUNS AND ADJECTIVES FROM VERBS

candēre, — *shine, be white*	valēre, valitum *be strong, be able, be well*
dolēre, dolitum *grieve*	cupere (i), cupītus *wish*
horrēre, — *shudder, dread*	iacere (i), iactus *throw*
terrēre, territus *frighten*	pōnere, positus *place*
timēre, — *fear*	scrībere, scrīptus *write*

You have already seen the *-or* suffix added to the participial stem meaning the doer of an action. The suffix is also added to the present stem (without its vowel), but here it denotes the action itself. It makes a masculine noun (stem *-ōr-*). Examples from this lesson and previous lessons:

candor *whiteness, splendor, frankness*	timor *fear*
dolor *grief*	amor *love*
	tenor *course, career*

These nouns often come into English unchanged, and they also appear as adjectives with the *-ōsus* suffix, e.g., DOLOROUS, TIMOROUS, and AMOROUS. The suffix *-idus* added to the present stem makes a Latin adjective:

candidus *white, frank*   cupidus *desirous*

Note that *-or* and *-idus* are often used with the same verb roots and this pairing is preserved in English in CANDID and CANDOR, HORRID and HORROR, VALID and VALOR. Unfortunately, many of the -id adjectives have an unpleasant meaning in English, as GELID, LURID, LIVID, STUPID, TURGID, RABID, and VAPID.

One more Latin noun suffix is *-ūra*, added to the participial stem. Here are two examples. Note that *positus* sometimes becomes *postus* for the sake of derivatives.

positūra *position, situation*   iactūra *throwing away, loss*

Tell what these Latin derivatives ought to mean:

candidāre	abicere	sēpōnere
abhorrēre	disicere	positiō
dēterrēre	dispōnere	scrīptor
exterrēre	repōnere	scrīptiō

Latin often uses a construction called the ablative absolute. The most common type consists of a noun and a perfect passive participle together in the ablative, and the meaning is that of an English adverbial clause. Some examples:

virō caesō *when the man has been killed* or
   because, since, if, although the man has been killed
servō captō *when the slave has been captured,*
   because the slave has been captured
puerō missō *when the boy has been sent*
labōre factō *when the work has been done*

You will immediately wonder which of the conjunctions to use in any given sentence. Simply use the one that seems to give the best meaning. In these individual sentences often two or three will be possible, but when you read Latin stories the meaning will usually be obvious.

A

I. Make an English -ure noun from:

stāre	capere
scrībere	legere
conicere	venīre

II. Give an English -id adjective from:

horrēre   valēre   timēre

III. Give the English -or derivative from:

horrēre	errāre
terrēre	clāmāre

IV. Give an -ion derivative from each of these combinations:

iacere + dē	pōnere + ad
ē	com
in	dis
prō	in
re	prō

V. In this exercise we make one sentence out of two by substituting an ablative absolute for the first sentence. Remember to put both the noun and the participle in the ablative. Example: Arma iaciuntur. Rōmānī currunt. Armīs iactīs, Rōmānī currunt.

1. Verba scrībuntur.   Nūntiī fāmōsī sunt.
2. Templum pōnitur.   Sociī nōn timidī sunt.
3. Parentēs terrentur.   Puer pedem retrahit.
4. Sonus audītur.   Dominus horret.
5. Mēns mūtātur.   Cōnsul nōn fugit.
6. Timor recipitur.   In pugnā horrent.
7. Dux caeditur.   Dolōrem sentiunt.

B

1. Timor est mortālis.
2. Puerī sunt cupidī.
3. Scrīptūra est candida.
4. Iactūra est horrida.
5. Terror est validus.
6. Clāmor fert terrōrem.
7. Amor est dolor.
8. Verbīs scrīptīs, nōn dolent.
9. Parentibus territīs, puer servātur.
10. Mente mūtātā, verba misera scrībit.
11. Duce caesō, clāmor audītur.
12. Īrā dēpositā, amanda est.
13. Glōriā petītā, rēgēs valent.
14. Armīs abiectīs, pugnāre nōn cupiunt.

C

1. Timor est error.
2. Lēgibus scrīptīs, Rōmānī terrentur.
3. Cum dolōre īnfōrmant mē dē iactūrā.
4. Horror est vīvidus.
5. Cum favōre scrībunt dē amōre.
6. Nātūra fōrmat hominēs validōs.
7. Litterātūra ēlegantēs scrīptōrēs continet.

59

The Poet Martial

Poēta Martiālis scrībit versūs dē vītā (*life*) Rōmānā. Lēctor dēbet rīdēre. Martiālis dēscrībit variōs hominēs invalidōs et rīdiculōs. Ūnus (*one*) homō dentēs (*teeth*) nōn habet. Alius (*another*) comam (*hair*) falsam habet. Alius amat et nōn amātur. Alius odōrem corporālem habet. Alius cupit esse poēta; scrībit versūs quī (*which*) nōn leguntur et recitat versūs quī nōn audiuntur. Hominēs versūs horridōs Martiālis (*Martial's*) timent et dolent. Martiālis ā victimīs nōn terrētur.

Lesson XIX
ADJECTIVES FROM VERBS

audēre, ausus *dare*	ostendere, ostēnsus (ostentus)
cernere, certus (crētus)	*show*
see, decide	posse, — *can, be able*
fallere, falsus *deceive*	tangere, tāctus *touch*
frangere, frāctus *break*	vincere, victus *conquer*
nōscere, nōtus *learn, know*	vīvere, vīctum *live*

The verb *posse* is really a compound of the verb *esse*. Its singular and plural forms are *potest* "he can" and *possunt* "they can." It is regularly used with a dependent infinitive: *vincere potest* "he can conquer."

While any perfect passive participle can be used as an adjective, a few are so commonly used this way as to be listed as separate adjectives in most books. From this lesson we have *falsus* "false," *nōtus* "well known," *ignōtus* and *incognitus* "unknown," *certus* "certain," and *sēcrētus* "secret," and from previous lessons there are *rēctus* and *dīrēctus* "straight," *ērēctus* "upright," *adversus* "opposite," and *dīversus* "apart," "different." Note that there are options in two of the perfect participles, and English makes use of both; *cernere* gives CERTAIN and DISCRETION and *ostendere* gives OSTENSIBLE and OSTENTATIOUS.

The *-bilis* suffix added to a present or participial stem makes a third declension adjective meaning "able to" or "able to be" plus the idea of the verb. The -ble derivative becomes so popular in English that it is attached even to native English words, as in workable and understandable. *Nōbilis* "noble" comes from a short form of *nōscere*; the negative is *ignōbilis*. *Mōbilis* comes from a condensed form of *movēre*. The Latin phrase *mōbile vulgus* "moveable crowd" has been shortened to the English word MOB. Here are some more samples:

vincibilis	dēbilis *weak*	mīrābilis
mūtābilis	amābilis	horribilis

The *-ilis* suffix is used in the same way as *-bilis*. *Fragilis*, from *frangere*, gives us both FRAGILE and FRAIL, and we even have another adjective, FRANGIBLE. English words such as TACTILE and DUCTILE are formed in this way, and here are some Latin words:

fertilis *fertile*	facilis *easy*
habilis *able*	difficilis *difficult*

The *-āx* suffix is another used to make third declension adjectives (stem *-āc-*) from verbs. The regular English derivative in -acious comes from the *-āx* adjective plus the *-ōsus* suffix.

audāx *bold*	capāx	pugnāx
ferāx *fertile*	efficāx	tenāx
pertināx *stubborn*	fallāx	vīvāx

Some other derived nouns and adjectives:

frāctiō	nōtiō	tāctiō	invictus
fragor	cognitiō	victor	vīvidus

We have learned that a noun and a perfect passive participle can appear together in an ablative absolute. The same is true of a noun and a present participle, a noun and an adjective, or even two nouns. Consider these examples:

servō fatente *when the slave confesses*
puerō bonō *because the boy is good*
Caesare duce *if Caesar is leader*
parentibus vīventibus *while the parents are living*
labōre facilī *although the work is easy*
Augustō regente *since Augustus rules*

As with the other type of ablative absolute, several conjunctions (since, when, while, because, although, if) may express the meaning in English. Again, use the one that fits your sentence best.

A

I. Give the *-bilis* adjective and the root word for each of these.

immutable	memorable	miserable	stable
admirable	terrible	innumerable	invincible

II. The *-bilis* suffix has been used in English frequently where it was not common in Latin. Give the root for these derivatives.

ostensible	convertible	indisputable
tangible	eligible	possible
honorable	incorrigible	visible

III. Instead of the verb, use a derived adjective with *est* or *sunt*. Example: Mēns nōn mūtātur.   Mēns immūtābilis est.

1. Puer pugnat.
2. Servus audet.
3. Dōnum frangitur.
4. Terra amātur.
5. Campus fert.
6. Locus terret.

7. Virī nōn numerantur.
8. Arma moventur.
9. Servus fallit.
10. Cōnsul nōn vincitur.
11. Vir agit.
12. Minister vīvit.

B

1. Parentibus vīventibus, puer est amābilis.
2. Dominō clāmante, servus fugit.
3. Sociīs videntibus, pedem frangit.
4. Audet opera dīversa.
5. Ostendit puerōs posse legere.
6. Hominibus dēbilibus, est facile fallī.

7. Nōbilēs virī mīrābilēs āctiōnēs ostendunt.
8. Dēbilēs servī pedēs tangere nōn possunt.
9. Via facilis cernī potest.
10. Dē certīs et falsīs signīs monentur.
11. Nōmina innumerābilia nōscit.
12. Audāx prīnceps regere potest.
13. Mors est inexplicābilis.

C

1. Rēge Rōmulō, nōtī sunt Rōmānī.
2. Regente Augustō, Rōma est nōbilis.
3. Terrā admīrābilī, mātrōnae cupiunt manēre.

4. Rūmor est crēdibilis et horribilis.
5. Poētā scrībente, virī legere cupiunt.
6. Pugnāx dictātor vīvere nōn potest.

63

7. Pertināx spectātor ē theātrō
   ēicitur.

8. Urnam fragilem audet portāre
   puer agilis.

Nero

Nerō est Rōmānus prīnceps. Est audāx et fallāx. In theātrō recitat versūs cōmicōs et tragicōs. Lyram habet, sed (*but*) violīnum *nōn* habet. Nerōne recitante, spectātōrēs nōn possunt discēdere. Sunt miserī—sed applaudunt Nerōnī. Nerō semper (*always*) victōriam obtinet. In amphitheātrō Nerō pugnās inter hominēs et animālia cernit. Armīs frāctīs, variī hominēs occiduntur, sed Nerō dolōrem nōn ostendit.

REVIEW

SUMMARY OF SUFFIXES

Noun Forming

-ia, F	to present participle
-or, -ōr-, M	to present stem
-or, -ōr-, M	to participial stem
-ūra, F	to participial stem
-iō, -iōn-, F	to participial stem

Adjective Forming

-ālis (-āris)	3rd declension	to nouns
-īlis	3rd declension	to nouns
-ōsus	1st and 2nd declension	to nouns
-idus	1st and 2nd declension	to verbs
-ilis	3rd declension	to verbs
-bilis	3rd declension	to verbs
-āx, -āc-	3rd declension	to verbs

Give the Latin prefix and verb from which each italicized word is derived. Example: a fine *reputation*   re + putāre

1. endless *repetition*
2. a compound *preposition*
3. quieted the *commotion*
4. under constant *observation*
5. *interrogate* the prisoner
6. a *perfect* example
7. *exact* a penalty
8. inadequate *sustenance*
9. a great *difference*
10. *preside* at the meeting
11. a constant *obsession*
12. studied current *events*
13. *conceded* the victory
14. a shrewd *deduction*
15. doomed to *perdition*
16. a *resonant* voice
17. proper *pronunciation*
18. *preparation* for battle
19. *permutations* of numbers
20. issued a *proclamation*

What should these Latin words mean ?

cōnfessiō	monitiō	servātor
petītor	petītiō	mūtātiō
operōsus	cōnservātiō	vīvācitās
rēctor	caesūra	ēlēctiō
mūtātor	repugnāre	perfacilis
acclāmātiō	excōgitāre	sēparāre
ēnumerāre	applicāre	compōnere

Find as many English derivatives as you can from these words.

VERB FORMS

Inf.	Pres. Part.	Gerundive	Perf. Part.	3rd Sing.	3rd Pl.
amāre	amāns	amandus	amātus	amat	amant
mīrārī	mīrāns	mīrandus	mīrātus	mīrātur	mīrantur
vidēre	vidēns	videndus	vīsus	videt	vident
fatērī	fatēns	fatendus	fassus	fatētur	fatentur
agere	agēns	agendus	āctus	agit	agunt
sequī	sequēns	sequendus	secūtus	sequitur	sequuntur
facere	faciēns	faciendus	factus	facit	faciunt
patī	patiēns	patiendus	passus	patitur	patiuntur
audīre	audiēns	audiendus	audītus	audit	audiunt
orīrī	oriēns	oriendus	ortus	orītur	oriuntur

Give the same forms for the following verbs:

operārī   monēre   ferre   scīre   gradī

For the forms of *vocāre* in the sentences below, substitute the proper forms of *vidēre, caedere, audīre,* and *capere.*

1. Rēx vocat servum.
2. Rēx cupit vocāre servum.
3. Rēx cupit servum vocārī.
4. Rēgēs vocant servōs.
5. Rēx vocātur ā sociō.
6. Rēgēs vocantur ā sociīs.
7. Rēx, servum vocāns, fugit.
8. Rēge vocātō, cōnsul venit.
9. Rēx vocandus est.

For the following verbs, give the perfect participles and one derivative from the present stem and one from the participial stem.

66

legere	vertere	agere
dūcere	sequī	pōnere
respondēre	sentīre	vincere

Up to this point, you have been given a total of 166 official vocabulary words. *Derived* Latin words, including all the compound verbs, would number over 300. And we are not yet finished with these words. Other suffixes and methods of formation will raise their productivity still higher. As far as English is concerned, it would not be unreasonable to guess that we have several thousand derivatives from these Latin words.

Lesson XXI
THIRD DECLENSION ADJECTIVES—NOUN SUFFIXES

brevis, -e *short*
fortis, -e *brave, strong*
gravis, -e *heavy, serious*
levis, -e *light*
similis, -e *like, similar*

celer, celeris, celere *swift*
fēlīx, fēlīcis *happy, lucky*
pār, paris *equal*
pauper, pauperis *poor*

The *-is* third declension adjectives are the most common, and they are all declined like the *-ālis* and *-āris* adjectives you have had. *Celer* has three separate forms in the nominative singular and *pār, fēlīx,* and *pauper* have only one, but the rest of their declension is like that of the others. Declensions of *celer* and *pār* in the singular:

	M	F	N	M-F	N
Nom.	celer	celeris	celere	pār	pār
Acc.	celerem	celerem	celere	parem	pār
Abl.	celerī	celerī	celerī	parī	parī

Two third-declension noun-forming suffixes are *-tās* (stem *-tāt-*), F and *-tūdō* (stem *-tūdin-*), F. Often there is an *i* inserted between the stem and ending. For the noun meaning, use the adjective meaning + -ness, or the derivative. The *-tās* gives Spanish *-tad* or *-dad*, Italian *-tá*, French *-té*, and English -ty. Examples: Latin *lībertās* (from *līber* "free"), Span. *libertad*, Ital. *libertá*, Fr. *liberté*, Eng. LIBERTY; Latin *cīvitās* (from *cīvis* "citizen"), Span. *ciudad*, Ital. *cittá*, Fr. *cité*, Eng. CITY. Either *-tās* or *-tūdō* can be added to all the adjectives in this lesson, and there are good English derivatives from all. Examples:

fortitūdō
similitūdō

brevitās
gravitās

celeritās
fēlīcitās

Many of the adjectives you have learned previously have derived nouns. Note that if the adjective stem ends in *-i-*, an *e* is inserted before the suffix. Here are only a few examples:

68

varietās	mortālitās	firmitūdō
hūmānitās	societās	fertilitās
sōlitūdō	firmitās	timiditās

Note the many denominative verbs that come from these adjectives. Give a derivative from each:

| breviāre | levāre | simulāre | celerāre |
| gravāre | alleviāre | assimilāre | |

Latin has the adjectives *cōnsimilis* and *compār*, and some good negative adjectives are *īnfēlīx, dissimilis, dispār*, and *impār*. The *com-* in *cōnsimilis* and *compār* is intensive and does not affect the meaning. Latin even has a denominative verb *nōbilitāre* from the noun *nōbilitās*. The English verbs FACILITATE and FELICITATE are formed as if from the denominatives *facilitāre* and *fēlīcitāre*.

Consider the English word SIMILARITY. It seems to come from *similis* + *-āris* + *-tās*, but neither *similāris* nor *similāritās* occurs in Classical Latin. The denominatives from *similis*, in addition to SIMULATE, ASSIMILATE, and DISSIMILATE, give ASSEMBLE, DISSEMBLE, and RESEMBLE. *Brevitās* obviously gives BREVITY, but the adjective *brevis*, through French, gives BRIEF. If *brevis* gives BRIEF, what does *gravis* give?

A

I. Give the component parts of these English words. Example: mobility movēre + -bilis + -tās

| facility | cupidity | debility |
| animosity | stability | adversity |

II. Instead of an adjective modifying the subject, use a phrase with the derived noun and the preposition *cum*. Example: Bonus vir amat populum. Cum bonitāte vir amat populum.

1. Prō rēge fortis vir pugnat.
2. Gravis dux petit honōrem.
3. Nōbilis vir cadit in pugnā.
4. Facile opus reficitur.
5. Celerēs victōrēs veniunt in campum.
6. Timidī puerī captum servum vident.
7. Fēlīx ōrātor dīcit virōs vincere.
8. Servus dēbilis labōrat per miserōs annōs.

B

1. Fortitūdō manet.
2. Gravitās vidētur.
3. Levitās rīdenda est.
4. Similitūdō valet.
5. Celeritās amātur.
6. Fēlīcitās petenda est.
7. Paupertās venit.
8. Dīcit dōna esse similia.
9. Negant opus esse leve.

10. Putant numerum esse parem.
11. Audit ducēs fortēs esse.
12. Scit paupertātem gravem esse.
13. Scrībit victōrēs esse celerēs.
14. Negat corpora esse brevia.
15. Scrībunt sociōs esse fēlīcēs.
16. Fatētur genera esse imparia.
17. Fatentur populum pauperem esse.

C

1. Prōsperitās servanda est.
2. Adversitās sentītur.
3. Sōlitūdō scienda est.
4. Dēbilitās fugit.
5. Immortālitās cupitur.

6. Timiditās nōn amanda est.
7. Audiunt hūmānitātem esse bonitātem.
8. Sciunt sēcūritātem esse serēnitātem.

Ceres and Proserpina

Cerēs fīliam (*daughter*) Prōserpinam habet. Prōserpinā in campīs flōrēs (*flowers*) legente, Plūtō, fortis deus (*god*) īnfernus, ē terrā venit. Prōserpinam vidēns, amat. Prōserpina, ā Plūtōne capta, ad terrās īnfernās cum celeritāte dūcitur. Cerēs īnfēlīx per terrās errat, fīliam petēns. Post longum tempus (*time*) nōscit Prōserpinam cum Plūtōne esse. Iuppiter, dē gravī crīmine petītus, post brevem cōgitātiōnem dēcernit, "Prōserpina ēgredī potest, sī (*if*) nihil (*nothing*) ēdit (*has eaten*) in palātiō subterrāneō." Prōserpina VI grāna (*seeds*) ēdit; itaque (*therefore*) VI mēnsēs (*months*) in terrā, pār tempus sub terrā manet.

MORE ADJECTIVES—NOUN SUFFIXES

aequus, -a, -um *equal, fair*	grātus, -a, -um *pleasing,*
altus, -a, -um *high, deep*	*grateful*
cārus, -a, -um *dear*	lātus, -a, -um *wide*
clārus, -a, -um *clear,*	līber, lībera, līberum *free*
bright, famous	longus, -a, -um *long*
dignus, -a, -um *worthy*	pulcher, pulchra, pulchrum
	beautiful

We have nouns derived from all these adjectives. *Grātitūdō* was not used in Classical Latin; *clārus*, on the other hand, has two good Latin nouns, *clāritās* and *clāritūdō*, of which only one survived in English. Using English as a guide, give the Latin nouns for the other adjectives.

Here are some more English derivatives from these suffixes (mostly *-tās*). Some of these words actually occur in Latin, but they are rare.

capacity	formality	popularity	rectitude
curiosity	fragility	possibility	servitude
falsity	partiality	servility	

By now you should have learned to recognize that a denominative verb is involved if you have an English derivative in -tor or -tion; i.e., EQUATOR and INDIGNATION must be from *aequāre* and *dignārī* rather than direct from the noun or adjective. Here is another key: if there is -at- after the root, the derivative must come from the perfect participle of a verb, even if you don't know the suffix. For instance, both DECLARATIVE and DECLARATORY point to a denominative *clārāre* or *dēclārāre*. If the English derivative is a verb, it will normally be from the denominative: EXALT from *exaltāre*, PROLONG from *prōlongāre*. Another derivative from *dignārī* is the verb DEIGN, and one more denominative from this lesson is *līberāre*. The meaning of *dignārī* is "deem worthy."

Latin *c* before *a* gives *ch* in French; thus we have CHARITY from *cāritās.* This is how we get CHAMPION from *campus,* and we will see other derivatives using this device. In the Romance languages, Latin *au* tends to become *o.* In French *au* is pronounced *o* whether the spelling changes or not. The Spanish word for "poor" is *pobre;* the French word is *pauvre.* We get POOR and POVERTY from *pauper* through French. This principle is what gives us CLOSE and ENCLOSE from *claudere. Causa* became in later Latin the regular word for "thing"; the Spanish and French words for "thing" are *cosa* and *chose.* Latin *al* first became *au* and then sometimes *o. Altus* became in French *haut,* giving us HAUGHTY, and, of all things, OBOE. Latin *falsus* gave French *faux,* which we have in the expression FAUX PAS, literally a "false step."

A

I. Give the root and suffixes for these derivatives. Example: tenacity tenēre + āx + tās

verbosity	portability	audacity
mentality	audibility	mutability
virility	agility	vivacity

II. With adjectives the main thing to watch is agreement. In this exercise, the adjective is sandwiched between two nouns and can modify only one. Tell which one.

1. Homō grātum opus facit.
2. Trāns campum lāta via vidētur.
3. Cum ministrīs aequīs parentēs veniunt.
4. Dē fortūnā clārī scrīptōrēs scrībunt.
5. Ante mortem misera est paupertās.
6. In pugnā longa arma iacit.
7. Inter sermōnēs grātōs sonus audītur.
8. Servī fortēs aequitātem amant.
9. Sine nāvibus longīs virōs nōn vincunt.
10. Altitūdō pulchrum locum servat.
11. Dōna cāra cōnsul portat.
12. Mēns gravēs cūrās habet.
13. Audit verba digna ōrātor.
14. Prō templō altus mūrus stat.
15. Marītī miserī lībertātem petunt.

B

1. Dignitās amanda est.
2. Lībertāte servātā, prīnceps valet.
3. Dōna sunt pulchra et grāta.
4. Ob aequitātem servus līberātur.
5. Viā lātā perfectā, cum celeritāte abscēdunt.
6. Sōlitūdō longa est.

7. Cāritās mentēs tangit.
8. Dē altitūdine monent.
9. Ob longitūdinem via est clāra.
10. Digna et clāra verba scrībit.
11. Pulchritūdō grāta levat mentēs.
12. Ōrātor aequat dignitātem cum clāritāte.

C

1. Ampla genera mīrātur.
2. Dīcitur terrās esse torridās.
3. Clārō duce missō, Rōma servātur.
4. Arma barbarica gravant corpus.

5. Nōn dignātur pulchra loca vidēre.
6. Pugnam circum rapidās nāvēs prōlongant.
7. Terrā lātā victā, Augustus sōlus regit.
8. Validus rēx aequās lēgēs dōnat.

Pygmalion

Pygmaliōn est clārus et ingeniōsus sculptor Graecus. Fēminās (*women*) nōn amat. Ā fēminīs fugit et in sōlitūdine vīvit. Dea (*goddess*) Venus Pygmaliōnem sōlum videt et dolet. Venus est dea amōris (*of love*). Pygmaliōnem amōrem sentīre cupit. Pygmaliōn statuam grātam creat. Statuam amat. Venus statuam dignam in pulchram fēminam convertit. Pygmaliōn fēminam in mātrimōnium dūcit et magnā (*great*) fēlīcitāte vīvunt.

THE FOURTH DECLENSION

cornū, cornūs, N *horn,* *wing (of an army)*	currere, cursum *run*
domus, domūs, F *home*	gerere, gestus *bear, wear, carry on*
manus, manūs, F *hand, troop*	īre, itum *go*
metus, metūs, M *fear*	quaerere, quaesītus *ask, seek*
canere, cantus *sing*	ūtī, ūsus *use* (with ablative object)

Fourth declension nouns have the following forms:

	Singular		*Plural*	
Nom.	manus	cornū	manūs	cornua
Acc.	manum	cornū	manūs	cornua
Abl.	manū	cornū	manibus	cornibus

Fourth declension *-us* nouns are all masculine except *manus* and *domus* (F). *Domus* also sometimes has second declension forms. Nouns in *-ū* are always neuter, and there are very few of these in Latin. Again we will give you the genitive to show the stem and declension. Latin has a great number of fourth declension nouns made from the participial stems of verbs. The verbs in this lesson all produce nouns in this fashion.

cantus	*song*	interitus	*ruin, death*
cursus	*running, race course*	obitus	*ruin, death*
gestus	*bearing, gesture*	reditus	*return*
abitus	*departure*	quaestus	*gain*
aditus	*approach*	ūsus	*use*

Here are some fourth declension nouns from earlier verbs:

āctus	*impulse, act*	dēlēctus	*choice, draft*
apparātus	*preparation, display, apparatus*	ēventus	*outcome*
		gressus	*course*
cāsus	*chance, fate*	habitus	*habit, dress*

occāsus *setting*	versus *verse*
ostentus *display*	vīctus *food, living*
tāctus *touch*	vīsus *sight*

There are even three fourth-declension nouns from present stems, *gradus* "step," *impetus* "attack," and *currus* "chariot." Derivatives from these fourth declension nouns sometimes retain the *-u-* of the stem, as MANUAL, USUAL, OBITUARY, CASUAL, HABITUAL, SENSUAL, VISUAL, EVENTUAL, ACTUAL, VICTUALS, GRADUAL, and IMPETUOUS. A few derived nouns and adjectives:

cantor	cursor	quaestiō	ūtilis
cantiō	manuālis	ūsuālis	ūtilitās

Metuere is a third conjugation denominative from *metus. Canere* has a compound *concinere*, and *ūtī* has the compound *abūtī* (the derivative is the meaning). What should these compounds of *īre* mean?

abīre	coīre	praeīre	subīre
adīre	exīre	redīre	trānsīre
circumīre	inīre		

The verb *īre* is irregular; its two present forms are *it* "he goes" and *eunt* "they go." Its present participle is *iēns* in the nominative but *eunt-* in the stem for the other cases. We have an English derivative from the participle, TRANSIENT.

CANARY does not come from *canere*, but from *canis* "dog." The bird was named for the Canary Islands, which were originally "dog islands." What English word does *canere* give through French? We get MANUFACTURE from *manus* and *facere*. The CORN that you can have on your toe comes from *cornū*. A "little horn" is a CORNET. *Gerere* gives us CONGESTION, DIGESTION, GESTURE, INGESTION, and GERUNDIVE. Later we will show you how to get GESTICULATE and METICULOUS from this vocabulary.

You have learned that the Latin ablative can be used with certain prepositions. If the ablative occurs without a preposition, it may express various English prepositional ideas, generally "by," "with," "in," "on," "at," "from," or "because of." Use the meaning that best fits your sentence. Remember that the verb *ūtī* uses an ablative object.

75

A

I. Form the fourth declension noun from these verbs and give a derivative, if there is one:

concurrere	recēdere	advenīre	prōgredī
discurrere	appetere	convenīre	exīre
stāre	sentīre	congredī	trānsīre

II. What must the ablative mean in each of these examples?

1. Cāsū ad mūrum it.
2. Manū validā iacit.
3. Parentēs domū eunt.
4. Oculīs ūtitur.
5. Metū sociī congrediuntur.
6. Secundō annō mittitur.
7. Cornū ducem monent.
8. Metū servī līberantur.
9. Labōre petit quaestum.
10. Fēlīcibus verbīs respondet.
11. Sunt parēs numerō.
12. Vīsū horribilī terrentur.
13. Monitū fugiunt.
14. Monitū territī, fugiunt.
15. Habitū virī sunt similēs.
16. Adventū facit puerōs miserōs.
17. Timōre nōn redeunt.

B

1. Versūs grātōs scrībit.
2. Cursum longum vident.
3. Cornibus audītīs, abeunt.
4. Manus ducem sequitur.
5. Domus in campō pōnitur.
6. Gestus nōbilis quaeritur.
7. Interitum gravem dolent.
8. Ob metum nōn manent.
9. Verba ūsū perficiunt.
10. Versūs mīrābilēs canit.
11. Rīsus monitum sequitur.
12. Arma gerit manū.

C

1. Cornū ablātō, dolet.
2. In portū nāvēs manent.
3. Habitus admīrandus est.
4. Dīcit quaestum esse grātum.
5. Exitus est facilis.
6. Ēventus dignus vidētur.
7. Vīctum grātum quaerunt.
8. Sonitus terribilis audītur.

Theseus and the Minotaur

Mīnōtaurus est mōnstrum horribile. In labyrinthō in īnsulā (*island*) Crētā vīvit. Ē homine et taurō (*bull*) compositus, amat hominēs dēvorāre.

Rēx Athēniēnsis mittit VII puerōs et VII puellās (*girls*) per annōs (*yearly*) ad Mīnōtaurum. Thēseus, fortis puer Athēniēnsis, cum victimīs venit. Ariadnē, rēgālis puella Crētēnsis, Thēseum amat et iuvāre (*help*) Thēseum cupit. Eī (*him*) dōnat gladium (*sword*) et fīlum (*string*). Gladium gerēns, cornua acūta ēvādit et Mīnōtaurum manū validā occīdit. Fīlō ūtēns, viam ē labyrinthō sequitur. Ariadnē cum Thēseō ab īnsulā it.

77

Lesson XXIV

THE FIFTH DECLENSION

diēs, diēī, M, F *day*   aqua, -ae, F *water*

fidēs, fidēī, F *faith*   littera, -ae, F *letter*

rēs, reī, F *thing, matter* liber, librī, M *book*

speciēs, speciēī, F *appear-* iter, itineris, N *journey,*

 ance   *road*

spēs, speī, F *hope*   tempus, temporis, N *time*

Fifth declension nouns are feminine, except for *diēs*, which is either masculine or feminine. The first five nouns in your vocabulary are most of the common fifth declension nouns. The forms are:

	Singular	*Plural*
Nom.	diēs	diēs
Acc.	diem	diēs
Abl.	diē	diēbus

Now that you have had all the declensions of nouns, let us look at them side by side:

Singular

aqua	annus	lēx	manus	rēs	dōnum	genus	cornū
aquam	annum	lēgem	manum	rem	dōnum	genus	cornū
aquā	annō	lēge	manū	rē	dōnō	genere	cornū

Plural

aquae	annī	lēgēs	manūs	rēs	dōna	genera	cornua
aquās	annōs	lēgēs	manūs	rēs	dōna	genera	cornua
aquīs	annīs	lēgibus	manibus	rēbus	dōnīs	generibus	cornibus

Note the following points of similarity: 1. the accusative singular always ends in -*m*, stem vowel short (the second declension was originally an -*o*- stem, but short *o* became short *u*). 2. The accusative plural ends in -*s*, stem vowel long. 3. The ablative singular ends in a long stem vowel, except in the third declension, which is a consonant stem. 4. The third, fourth, and fifth declensions are alike in having *-s* for the nominative plural and *-bus* for the ablative plural.

The *-ārius* suffix makes an adjective or a masculine noun out of a noun or another adjective. Examples from words in this lesson:

aquārius *of water* (or as a noun, *water carrier*)	itinerārius *of a journey*
	litterārius *literary*
librārius *of books* (or as a noun, *bookseller, scribe*)	temporārius *temporary*

Sometimes the suffix is *-ārium*, making a second declension neuter noun. Two Latin and two English nouns are listed here:

diārium *daily pay, diary*	aquarium
honōrārium *present, fee*	terrarium

In English the derivatives usually end in -ary, sometimes -arium: ADVERSARY, ANNIVERSARY, AQUARIUM, CONTRARY, DIARY, EMISSARY, HONORARIUM, HONORARY, INFIRMARY, ITINERARY, LIBRARY, SECONDARY, SOLITARY, TEMPORARY, TERRARIUM. The *-ārius* suffix became *-ero* in Spanish and *-ier* in French. *Caballārius* (from the slang word *caballus* "horse") gives us CABALLERO through Spanish, CAVALIER through Italian, and CHEVALIER through French. Add another suffix and we have CAVALRY through Italian and CHIVALRY through French. Latin *vaccārius* (from *vacca* "cow") gives Spanish *vaquero*, which also is found in English in its corrupted form BUCKAROO. COURIER comes through French from *currere*. A TERRIER is a dog that digs in the dirt. Sometimes the French form appears in -aire, as in SOLITAIRE, LEGIONNAIRE. Occasionally we find English derivatives in -eer, as PRIVATEER, VOLUNTEER.

The denominative verb from *spēs* is *spērāre* "to hope." A Latin *s* between vowels tended to become *r*. This is an important principle which will explain many Latin spellings. For instance, the verb *gerere* was originally *gesere*. The *s* changed to *r* in the infinitive, but in the perfect participle it was no longer between vowels; there it remained *s*, *gestus*.

The *-ālis* suffix is good for this lesson. Latin has *speciālis*, *litterālis*, and *temporālis*, and English has DIAL and REAL. Sometimes the adjective suffix was *-lis*: *fidēlis* is the adjective from *fidēs*, and derivatives include

79

FIDELITY and INFIDEL. Note again the distinction between *-ālis* and *-ōsus* in English; SPECIAL is a good word, but SPECIOUS has turned bad. A Roman teacher was sometimes called a *litterātor*; what he taught was *litterātūra*.

A

Give the case and number of these nouns:

terram	metū	campō	puerōs
parte	templa	domum	viā
rērum	spem	partibus	signīs

B

1. Diēs est longus.
2. Per diem manet.
3. Secundō diē adveniunt.
4. Diēs sunt brevēs.
5. Diēs fēlīcēs amat.
6. Dē diēbus scrībunt.
7. Speciēs pulchra est.
8. Rēs sunt pūblicae.

9. Fidem mīrābilem ostendit.
10. Cupit spēs habēre.
11. Variīs rēbus moventur.
12. Librō lēctō, puer est fidēlis.
13. Longō tempore āctō, exit.
14. Aquā vīsā, iter nōn faciunt.
15. Librī sunt speciē similēs.
16. Error in litterīs est.

C

1. Speciē incrēdibilī terrētur.
2. Aquam pūram Rōmā portant.
3. Litterīs scrīptīs, diārium recipit.
4. Aquārius speciem miseram gerit.
5. Similī tempore iter ingrediuntur.

6. Dīversae rēs speciem pulchram mūtant.
7. Itineribus longīs per Italiam eunt.
8. Lībertās inaestimābilis rēs est.

Hercules

Herculēs est fortis vir Graecus. Adhūc (*still*) īnfāns II serpentēs videt advenientēs. Speciēs est terribilis. Serpentēs cupiunt Herculem occīdere. Rēs horrida timōrem in puerō nōn incitat. Herculēs, serpentibus strangu-

lātīs, servātur. Post longum tempus XII labōrēs gravēs et difficilēs cōnficere compellitur. Varia animālia occīdenda sunt aut (*or*) adhūc vīventia
domum trahenda sunt. Terra īnferna vīsitanda est. Ad variās nātiōnēs
per aquās ignōtās itinera facit. Labōribus cōnfectīs, Herculēs immortāli-
tātem obtinet et ā Graecīs putātur esse dīvīnus.

Lesson XXV

ADJECTIVES AND NOUNS

amīcus, -a, -um *friendly*
deus, -ī, M *god*
dīvus, -a, -um *divine*
equus, -ī, M *horse*
fīlius, -ī, M *son*
cīvis, cīvis, M, F *citizen*

gēns, gentis, F *race, nation, clan*
hostis, hostis, M *enemy*
iuvenis, iuvene *young*
mare, maris, N *sea*
senex, senis *old*

Latin has several pairs of nouns, one second declension masculine and the other first declension feminine, like *deus* "god," *dea* "goddess," *fīlius* "son," *fīlia* "daughter." *Dea* and *fīlia* use the ablative plural forms *deābus* and *fīliābus* to distinguish them from the masculine nouns. Latin even has the noun *equa* "mare." Two others of this type are *serva* "slave girl" and *domina* "lady." If the noun is third declension, as *cīvis*, it may be either masculine or feminine without a change in form.

Any Latin adjective may be used as a noun. *Bonus*, used alone, means "a good man," *bona* "a good woman," *bonum* "a good thing." In the plural, *bonī* means "good men" or "good people." In English we may speak of "the true," "the good," or in the plural "the blind," "the poor." We have already seen that Latin *pauper* and *miser* gave nouns in English. *Senex* and *iuvenis* are adjectives commonly used as nouns meaning "old man" and "young man." *Dīvus* and *amīcus* mean "god" and (male) "friend," while *dīva* and *amīca* mean "goddess" and "girl friend."

A review of the *-īlis* suffix is in order. Here are the previous *-īlis* adjectives plus those from this lesson:

cīvīlis *civil, of a citizen*
gentīlis *of a race, of a clan*
hostīlis *hostile*
iuvenīlis *youthful, juvenile*

puerīlis *boyish, childish*
senīlis *of an old man, senile*
servīlis *of a slave*
virīlis *manly*

The *-īlis* suffix seems to like various types of people, especially those in every stage of human development. Two other English derivatives are INFANTILE "babyish" and ANILE "old womanish." A new adjective suffix, *-īnus*, on the other hand, prefers animals. We do have *dīvīnus* and *marīnus*, but there is also *equīnus*, plus (switching to English) AQUILINE, BOVINE, CANINE, FELINE, HIRCINE, PORCINE, TAURINE, etc. King Philip's islands are the Philippines. An inhabitant of Tangier, North Africa, is called a Tangerine!

There are very few other derivatives from these words. The negative of *amīcus* is *inimīcus*, and ENEMY is a via-French derivative. We have the adjectives FILIAL and INIMICAL in English. AMICABLE comes from a theoretical *amīcābilis*. *Dīvīnitās* is a good Latin word, but *deitās* is not. English regularly has -ty nouns from *-īlis* adjectives, as CIVILITY, GENTILITY, HOSTILITY, JUVENILITY, and SENILITY. *Gentīlis* gives not only GENTILE, but also GENTEEL, GENTLE, and JAUNTY (the last from a rough approximation of the French pronunciation of the word). Two more *-tās* nouns are *iuventās* and *cīvitās*. *Cīvitās* means first "citizenship," then "state," and finally in Medieval Latin "city." If you MARINATE something, you literally dip it in sea water. The denominative *dīvīnāre* gives DIVINATION.

A

I. Make the adjectives agree with the nouns in the cases requested:

	Nominative	*Accusative*	*Ablative*
Singular	rēs – dīvīnus	spem – bonus	fidē – pūblicus
	cornū – levis	aquam – pār	dominā – dignus
	metus – fortis	currum – altus	impetū – celer
Plural	domūs – fēlīx	manūs – dēbilis	diēbus – brevis
	speciēs – pulcher	fīliās – audāx	gradibus – longus
	gentēs – līber	tempora – varius	deābus – cārus

II. In this exercise there is not a single noun used. Remember that adjectives may do noun duty and supply the correct noun (man, woman, thing, men, women, things, people) with each adjective. Or an English noun may give the meaning.

1. Senex potest sequī.   2. Iuvenem cernere cupiunt.

83

3. Dīva cum mortālibus vīvit.
4. Miserī nōn audent fugere.
5. Dēbilēs ab audācibus vincuntur.
6. Dignī bonōs dīvōs habent.
7. Immortālēs bona dōnant.
8. Celerēs ab aequīs vincuntur.

9. Amīcī et inimīcī in pūblicō operantur.
10. Amīca iuvenem amat.
11. Fēlīcēs sunt līberī.
12. Senēs pauperem fallunt.
13. Nōbilēs patiuntur misera.
14. Dīcunt dīvōs esse amīcōs.

B

1. Fīliī ex aquīs trahuntur.
2. Deus iuvenīlis ā cīvibus amātur.
3. Fīliae senem dē hostibus monent.
4. Hoste victō, deōs nōn metuunt.
5. Amīcīs vīsīs, sciunt gentem servārī.
6. Fīlia in aquam cadit.
7. Equī ab amīcō capiuntur.

8. Gēns amīca monenda est.
9. Scit iuvenēs esse dīvīnōs.
10. Sine deābus deī īnfēlīcēs sunt.
11. Senex inimīcus dīvōs nōn cūrat.
12. Cum cīvibus pauperibus mare trānsit.
13. In pugnā gentēs sunt hostīlēs.
14. Nāvēs marīnae senēs portant.

C

1. Hostis Rōmānam gentem timet.
2. Prō rē pūblicā senex respondet.
3. Īrā puerīlī iuvenis movētur.
4. Tortūra cīvēs senīlēs terret.

5. Nōmina fēminīna sunt apta.
6. Spīritus virīlis frangitur.
7. Rūmor venit rēctā viā ab ōre equīnō.
8. Amīcus certus in rē incertā cernitur.

Perseus and the Gorgon

Perseus est iuvenis hērōs Graecus. Est fīlius Iovis (*of Jupiter*). Sub rēge hostīlī vīvit. Rēx cupit Perseum ad mortem mittere. Dīcit Medūsam occīdendam esse. Medūsa est Gorgō. Trāns mare in Āfricā vīvit. Est pulchra, sed (*but*) serpentēs in capite (*head*) habet. Virī Medūsam videntēs in saxum (*stone*) vertuntur. Deus Mercurius sandalia ālāta

84

(*winged*) et gladium (*sword*) magicum dōnat. Minerva scūtum (*shield*) candidum dōnat. Perseus, sandalibus ūtēns, ad Medūsam venit. Scūtum prō speculō (*mirror*) tenēns, Medūsam gladiō occīdit. Capite abscīsō, domum revertit. Rēgem ignōbilem capite horribilī in saxum vertit.

Lesson XXVI

NOUNS AND SUFFIXES

cor, cordis, N *heart*
custōs, custōdis, M *guard*
frāter, frātris, M *brother*
iūs, iūris, N *right, law*
māter, mātris, F *mother*
mīles, mīlitis, M *soldier*

pater, patris, M *father*
salūs, salūtis, F *health,*
  safety
urbs, urbis, F *city*
somnus, -ī, M *sleep*

We have already used the *-ia* suffix to make nouns from present active participles. This suffix is also used to make nouns from adjectives and other nouns. In English the *-ia* appears sometimes unchanged, sometimes as -y, sometimes it drops; *-tia* can become -ce. We even have one -ia word the Romans did not use, SUBURBIA. Here are some good Latin derivatives from these and previous words:

concordia *agreement*
discordia *disagreement*
misericordia *pity*
iniūria *injustice*
audācia *boldness*

fallācia *deceitfulness*
grātia *favor, gratitude*
ignōminia *disgrace*
inertia (from *ars*) *laziness*

You have seen a few Latin derived words using a simple *-s* suffix, as *rēx* from *regere*, *dux* from *dūcere*, and *prīnceps* from *prīmus* "first" and *capere*. There are *-s* adjectives corresponding to the three *-ia* nouns from *cor*. An important noun is *vōx, vōcis*, F "voice" from *vocāre*. Here are a few more adjectives and nouns from words you have studied:

artifex *skilled, an artisan*
index (from *indic-*) *one who points out, an informer*
iners (from *ars*) *incompetent, lazy*
iūdex (from *iūs-dic-*) *one who tells the law, a judge*
multiplex *manifold*
supplex *suppliant*

86

The *-ūs* or *-tūs* suffix makes a feminine third declension noun with stem *-ūt-*. *Virtūs* is the derivative from *vir*, and "courage" is a more common meaning than the derivative VIRTUE; *salūs* is from the verb *salvēre* "be well." What would *servitūs, iuventūs*, and *senectūs* mean?

Members of the family can use three suffixes; the first is either *-mōnia* or *-mōnium*. *Mātrimōnium* means "marriage," and *patrimōnium* means an "inheritance from a father." Two other English derivatives are ALIMONY, from *alere* "to feed," and ACRIMONY, from the adjective *acer* "sharp." The second suffix is *-nus*, making an adjective: *paternus, māternus, frāternus*. In English we combine this with *-ālis* and *-tās* for PATERNAL, MATERNAL, FRATERNAL, and PATERNITY, MATERNITY, FRATERNITY. Other *-nus* adjectives come from the prepositions, *internus, supernus*, and later *externus, īnfernus*.

The suffix *-cīda* (from *caedere*) means "one who commits a killing" and *-cīdium* is used for the killing itself. Thus, the English word HOMICIDE means either "manslayer" or "manslaughter." We have the English derivatives PATRICIDE or PARRICIDE, MATRICIDE, and FRATRICIDE, with two Latin origins for each. You may also see REGICIDE, SORORICIDE (Latin *soror* "sister"), TYRANNICIDE (from the Greek word for "tyrant"), SUICIDE (from the Latin reflexive pronoun), even INSECTICIDE.

Denominative verbs from this lesson include:

concordāre	iūrāre *swear*
discordāre	coniūrāre *conspire*
custōdīre	mīlitāre *serve as a soldier*
iūdicāre	salūtāre *greet*

English derivatives, using the denominatives and derived nouns and adjectives: ADJUDICATE, CORDIAL, CONJURE, DISCORDANT, GRACIOUS, JUDICIARY, INGRATIATE, MILITARY, MILITATE, SALUTARY, SALUTATION, VOCAL. French influence is responsible for VOWEL as the doublet of VOCAL.

A

I. Make an *-ia* noun out of the following and give an English derivative.

mīles	miser
custōs	memor

in + fāma   per + fidēs

in + somnus   victor

II. This exercise is simply a drill on the new derived nouns and adjectives. Know what each sentence means.

1. Cum concordiā agunt.
2. Misericordiam ostendit.
3. Ob iniūriam fugit.
4. Iūdicēs sunt inertēs.
5. Īnfāmia est gravis.
6. Cum rēge in grātiā est.
7. Virtūs nōn est miseria.
8. In memoriā victōriam tenent.

9. Spēs in audāciā est.
10. Sine fallāciā capiuntur.
11. Perfidiā senem fallunt.
12. Īnsomnia īnfēlīcitātem fert.
13. Causae sunt multiplicēs.
14. Ōrātor dē senectūte scrībit.
15. Supplicēs misericordiam petunt.
16. In custōdiam hostēs trādit.

B

1. Corda sunt īnfēlīcia.
2. Ā custōdibus līberantur.
3. Ex urbe patrem portat.
4. Frātrēs iniūriam patiuntur.
5. Spērant parem salūtem.
6. Mīlitēs domō abeunt.

7. Somnus cum celeritāte venit.
8. Māternus amor corda tangit.
9. Frātrēs patrem honōrant.
10. Salūs ā custōdibus dōnātur.
11. In somnō vōcem audit.
12. In urbe iūra servantur.

C

1. Māter sine fīliābus tranquilla nōn est.
2. Patrimōniō cum fallāciā ūtitur.
3. Amat victōria cūram.

4. Dē urbibus extīnctīs audiunt.
5. Iūra nōn sunt moderna.
6. Pater iners salūtem petit.
7. Frāter sincērus est fidēlis custōs.

Arion and the Dolphins

Ariōn est fāmōsus poēta. In urbe Graecā vīvit. Iter ad Ītaliam facit. In Ītaliā prō populō canit et dīvitiās (*riches*) obtinet. Ad Graeciam cupit revertere. In nāvem ascendit, et nāvis ē portū exit. Virī nāvem regentēs sunt pīrātae. Ariona [accusative] circumstant et pecūniam quaerunt. In corde Arīōn dē salūte dolet. Iniūriam timet. In nāve stāns, lyram capit et pulchrā vōce canit. Cantū terminātō, Arīōn sē (*himself*) iacit in mare. Pīrātae iuvenem mīrantur et vīsū terrentur. Delphīnī Arīona accipiunt et domum portant.

COMPARISON OF ADJECTIVES

beātus, -a, -um	*happy, blessed*	vērus, -a, -um	*true*
magnus, -a, -um	*great, large*	vīvus, -a, -um	*living*
nūllus, -a, -um	*no, not any*	dulcis, -e	*sweet*
sānctus, -a, -um	*holy*	mollis, -e	*soft, gentle*
		quālis, -e	*what sort of?*

In English we compare an adjective regularly by adding -er for the comparative and -est for the superlative: *long, longer, longest*. In Latin the comparative is made by adding *-ior* (M and F), *-ius* (N) to the stem of the positive. The Latin superlative is normally formed by adding *-issimus, -a, -um* to the stem of the positive. Adjectives in *-er* add *-rimus* to the nominative singular masculine of the positive, while *facilis* and *similis* add *-limus* to the stem of the positive. Examples:

lātus	lātior	lātissimus
celer	celerior	celerrimus
pulcher	pulchrior	pulcherrimus
facilis	facilior	facillimus

The comparative adjective is declined like a third declension *noun*—not like the third declension adjectives you have learned. Example:

	Singular		*Plural*	
	M-F	N	M-F	N
Nom.	lātior	lātius	lātiōrēs	lātiōra
Acc.	lātiōrem	lātius	lātiōrēs	lātiōra
Abl.	lātiōre	lātiōre	lātiōribus	lātiōribus

After a comparative, Latin often uses the ablative to mean "than." If there is no word actually compared with another, the comparative can mean "rather" or "too," and the superlative "most" or "very."

Fīlius est beātior fīliā. *The son is happier than the daughter.*
Patrēs sunt seniōrēs mātribus. *The fathers are older than the mothers.*
Mare est altius. *The sea is rather deep.*
Diēs est brevior. *The day is too short.*
Māter est pulcherrima. *The mother is most beautiful.*
The mother is very beautiful.

The verb *facere* has an adjective form *-ficus* which is frequently attached to Latin adjectives and nouns, as *beātificus* "making happy" and *honōrificus* "doing honor." The English derivative is in -FIC. Here are some more from words you have had:

magnificus	mīrificus	terrificus	horrificus

From this adjective a denominative verb in *-ficāre* is made. Sometimes the verb occurs where the adjective is rare in Latin, and sometimes there is an English verb in -FY where neither adjective nor verb is common in Latin. Some Latin and English derivatives:

grātificārī	pūrificāre	beatify	sanctify
horrificāre	significāre	dulcify	verify
magnificāre		nullify	vivify

In a few cases, the compound verb is made with *-facere* and not *-ficāre*, in which case the English noun will end in -FACTION and not -FICATION, as SATISFY, SATISFACTION, LIQUEFY, LIQUEFACTION, PUTREFY, PUTREFACTION. Sometimes there is an English derivative in -FICENT, as MAGNIFICENT, and there is a Latin *magnificentia*. Look at all the *-tās* and *-tūdō* nouns we have here:

beātitās	sānctitās	dulcitūdō
beātitūdō	vēritās	mollitūdō
magnitūdō	dulcitās	quālitās

The comparative adjective *senior* became used as a title of respect, giving Spanish *señor* "Sir," "Mr." French *monsieur*, meaning the same thing, is the French word for "my" plus *senior*. As you might suspect, the adjective *iuvenis* has an irregular comparative, *iūnior*. What do you imagine *Sāncta Fidēs* gave in Spanish? English ANNUL comes from a denominative *annūllāre*. The combination *nōnnūllus* came to mean "some"; do you see how? English VERACITY comes from a derived adjective, *vērāx*.

A

Give the English -FY derivatives from these:

mollis	certus	nōtus
quālis	falsus	fortis
mors	rēctus	clārus
glōria	dīversus	dignus
deus	speciēs	terrēre

B

1. Sānctī sunt beātiōrēs pauperibus.
2. Quālis vir cor mollissimum habet?
3. Dē vīvīs nūllus bonum scit.
4. Vēritās magnōs servat.
5. Fīlia est mollior fīliō.
6. Quāle nōmen sānctificātur?
7. Salūs est dulcior morte.
8. Nūllam spem habent.
9. Magnā cum virtūte pugnant mīlitēs.
10. Dulcis vōx audītur.
11. Beātissimī sunt vīvī.
12. Mīlitēs fāmam vēriōrem audiunt.

C

1. Magnus equus ā seniōre vidētur.
2. Vir sānctior in urbe sēcūrā vīvit.
3. Magna beātitās cīvēs fortēs animat.
4. Opus religiōsum est facillimum.
5. Celerrimō itinere clārissimī eunt.
6. In campō lātissimō nūlla rēs manet.

Androcles and the Lion

Androclēs est servus. Nōn est beātus. Dominum indignum habet. Ā dominō in locum dēsertum fugit. Leō (*lion*) advenit ad servum et pedem ostendit. Est spīna (*thorn*) magna in pede. Androclēs spīnam excipit et leō ob bonitātem est amīcus. Mīlitēs per locum dēsertum euntēs Androclem vident et ad dominum redūcunt. Post annum Androclēs est in arēnā Rōmānā. Servī cum animālibus pugnant. Androclēs leōnem adeuntem videt. Leō Androclem recognōscit. Androclem occīdere nōn cupit. Rēx, leōnem mollem mīrāns, rogat, "Quālis leō hominem nōn dēvorat? Nūlla rēs est incrēdibilior." Scit Androclem et leōnem esse vērōs amīcōs, et hominem et animal līberat.

IRREGULAR COMPARISON OF ADJECTIVES

malus, -a, -um *bad*

multus, -a, -um *much, many*

parvus, -a, -um *small*

extrā (adv.) *outside*

īnfrā (adv.) *below*

prope (adv. and prep. with acc.) *near*

ultrā (adv.) *beyond*

In English some of the most common adjectives are irregularly compared, as *good, better, best* and *bad, worse, worst*. The same situation prevails in Latin. The following list of irregulars must be memorized just as you would a vocabulary.

bonus	melior	optimus
magnus	maior	maximus
malus	peior	pessimus
parvus	minor	minimus
multus	plūs, plūris	plūrimus
prope	propior	proximus
prō	prior	prīmus
post	posterior	postrēmus, postumus
īnfrā	īnferior	īnfimus, īmus
ultrā	ulterior	ultimus
inter	interior	intimus
extrā	exterior	extrēmus, extimus
super	superior	suprēmus, summus

Note the pairs of English words to help you with these forms: MAJOR and MINOR, PLUS and MINUS, MAXIMUM and MINIMUM, OPTIMIST and PESSIMIST. Starting with *prior*, all the remaining comparatives give English words directly. *Maior* has the derivative MAYOR as well as MAJOR. AMELIORATE comes from *melior*, and IMPAIR and PEJORATIVE from *peior*. Some more derivatives from these words are PLURAL, OPTIMUM, PRIME, PRIMITIVE, PRIMER, APPROXIMATE, ULTIMATE, INTIMATE, EXTREMITY, SU-

PREME, SUMMIT. There are many derivatives from *malus,* including MALADY, MALICE, MALARIA, MALADJUST, MAL DE MER, and MALPRACTICE. We use INFRA-, ULTRA-, and EXTRA- as prefixes in English. There are also Latin adverbs *intrā* "within" and *suprā* "above." These adverbs may occasionally be used as prepositions, as in the phrase *infrā dignitātem* "beneath dignity."

You saw that sometimes a preposition or an adverb had to be listed instead of the positive adjective. Latin does have the following adjectives which are related to the adverbs: *inferus, exterus, posterus, superus.* Latin also has these *-nus* adjectives: *infernus, externus, internus, supernus.* The English derivative from a *-nus* adjective is almost always in -al: INFERNAL, EXTERNAL, INTERNAL, SUPERNAL. *Prior* is usually translated "former," and *prīmus* is regularly "first." The superlative *extrēmus* means "farthest" and also "last," as does *ultimus. Postrēmus* and *suprēmus* also mean "last," but *summus* means "highest." *Summus* can mean "top of" and *īmus* "bottom of."

In summō mūrō   *on top of the wall*
In īmō mūrō   *at the bottom of the wall*

The highest part of a number was the *summa* "total." *Summa* and its denominative *cōnsummāre* give us such derivatives as SUM, SUMMARY, CONSUMMATION. Other Latin derivatives from these words:

maleficus	multitūdō	parvitās
maleficentia	multiplicāre	posteritās

A

Here you are given a sentence with the adjective in the positive. Make two more sentences, one with the comparative adjective and one with the superlative. Example: Mare est altum. Mare est altius. Mare est altissimum.

1. Campus est lātus.
2. Puer est bonus.
3. Dea est pulchra.
4. Hostēs sunt multī.
5. Fīliae sunt dulcēs.
6. Librī sunt parvī.
7. Rēx est magnus.
8. Iter est facile.
9. Cūrae sunt malae.
10. Manūs sunt mollēs.

B

1. Cum plūrimīs mīlitibus ad urbem propiōrem it.
2. Numerus maior hostem fortem vincit.
3. Dōnum minus est pulchrius maiōre.
4. Priōre diē librum pessimum legit.
5. Mare est īnferius terrā.
6. In ulteriōre parte stant.
7. Multī simillimī corpore sunt.
8. Multae manūs leve opus faciunt.
9. Multitūdō iūra aequissima habēre cupit.
10. In intimō corde amōrem maximum sentit.
11. Parvus puer est peior magnō.
12. Prope clārissimum templum stant.

C

1. Pessimus poēta scrībit plūrimōs versūs.
2. Magnum opus brevissimō tempore cōnficī potest.
3. Summum bonum ā maximīs quaeritur.
4. Terra īnferna est horribilior superiōre parte.
5. Mala exempla ex rēbus bonīs oriuntur.
6. Lēgēs bonae ex malīs mōribus veniunt.

Cadmus Founds Thebes

Cadmus venit ā Phoenīciā in Graeciam. Ōrāculum fāmōsum Graecum Delphīs (*at Delphi*) vīsitat. Ōrāculum dē futūrīs rēbus rogat, et ōrāculum respondet Cadmum dēbēre vaccam (*a cow*) sequī. In locō ubi (*where*) vacca immōbilis stat, dēbet urbem condere (*found*). Prope locum dēsignātum vīvit serpēns terribilis. Cadmus cum pessimō serpente pugnat, et post longissimam pugnam serpentem occīdit. Dentēs (*teeth*) serpentis (*of the serpent*) in terram pōnit, et brevissimō tempore virī armātī oriuntur. Virī inter sē (*with each other*) pugnant. Multī cadunt, et reliquī (*the rest*) sunt prīmī cīvēs Thēbānī. Cadmus Harmoniam, pulchram fēminam (*woman*), in mātrimōnium dūcit, et in Graeciā multōs annōs magnā fēlīcitāte regit.

COMPARISON OF ADVERBS

alius, alia, aliud *another*	tantus, -a, -um *so great, so much*
alter, altera, alterum *the other*	
duo, duae, duo *two*	tertius, -a, -um *third*
paucī, -ae, -a *few*	tōtus, -a, -um *all, whole*
quantus, -a, -um *how great? how much? as much as*	trēs, tria *three*
	ūnus, -a, -um *one*

Duo and *trēs* have only plural forms. Their declensions are:

	M	F	N	M-F	N
Nom.	duo	duae	duo	trēs	tria
Acc.	duōs	duās	duo	trēs	tria
Abl.	duōbus	duābus	duōbus	tribus	tribus

Adverbs are formed from first and second declension adjectives by adding -*ē* to the stem; the third declension adds -(*i*)*ter* to the stem. The comparative adverb is the accusative singular neuter of the comparative adjective, and the superlative adverb adds -*ē* to the stem of the superlative adjective. Occasionally a neuter accusative singular is used as a positive adverb, as *facile, multum*. A few adverbs are irregular and must be memorized. Examples:

lātē	lātius	lātissimē
pulchrē	pulchrius	pulcherrimē
breviter	brevius	brevissimē
celeriter	celerius	celerrimē
facile	facilius	facillimē
bene	melius	optimē
male	peius	pessimē
parum	minus	minimē
magnopere	magis	maximē
multum	plūs	plūrimum

We have already had the adjectives *prīmus* and *secundus*. The Latin cardinal and ordinal numerals all have many English derivatives. *Bene* and *male* both combine with *facere, dīcere,* and *vol-* (stem of the verb "to wish") for good derivatives.

benedīcere	maledīcere
beneficus	malevolēns
beneficentia	malevolentia
benevolēns	
benevolentia	

Latin has derived adjectives *duplex* and *triplex* and the verb *duplicāre* (*triplicāre* occurs, but it is rare), giving us DUPLEX, TRIPLEX, DUPLICATE, and TRIPLICATE. From the numerals we have UNIT, UNION, UNIFY, DUO, DUET, DUAL, and DUEL (it takes two to make a fight), TRIANGLE, and TRIPLE. What are the exact Latin sources of UNITY and PAUCITY? What must be the source of the English verb UNITE? *Alius* has as derivatives ALIAS and ALIENATE, and *alter* has ALTERATION and ALTERNATE (from a *-nus* adjective). The English word TOTALITARIANISM employs five suffixes, some of which we have later. What does TANTAMOUNT mean? What is the full Latin spelling of English ET AL.?

A

I. Make two additional sentences, using a comparative and then a superlative adverb. Example: Prīnceps lātē regit. Prīnceps lātius regit. Prīnceps lātissimē regit.

1. Pater bene labōrat.
2. Mīles fortiter pugnat.
3. Parentēs magnopere amantur.
4. Puer celeriter currit.
5. Validē victōriam tenet.
6. Corpus graviter cadit.
7. Pauperem facile fallit.
8. Mare altē sonat.
9. Multum dē deīs cōgitat.
10. Paucī male scrībunt.

II. In these sentences you are given a positive or a superlative adjective or adverb. Change each to the comparative:

1. Facilis causa ostenditur.
2. Vir optimus cēdit.
3. Puer male rīdet.
4. Puerī sunt simillimī.
5. Gradiuntur celerrimē.
6. Mūrī sunt īnfimī.

7. Est proxima domus.

8. Cornū clārissimē sonat.

9. Sunt prīmae causae.

10. Plūrimae rēs iaciuntur.

III. In this exercise the adjective or adverb is in the positive or comparative. Change to the superlative:

1. Servus est validior.
2. Ōrātōrēs sunt nōbilēs.
3. Dēbent esse beātiōrēs.
4. Celeriter sequuntur.
5. Servī facilius capiuntur.
6. Iūdex aequē rogat.
7. Vīvunt melius.
8. Fortius hostem vincunt.
9. Aqua est pūrior.
10. Servī sunt audāciōrēs.

B

1. Prope urbem alius campus vidētur.
2. Ūnus puer plūs senibus tribus nōscit.
3. Trēs filiī peiōrēs sunt alterīs.
4. Ūnā vōce duo cōnsulēs ēliguntur.
5. Trēs sōlī ē tōtā urbe veniunt.
6. Magnopere cupit frātrem alterum vidēre.
7. Parva quantitās celeriter ostenditur.
8. Paucī nūntiī similiter agunt.
9. In tertiō locō advenit equus dēbilis.
10. Tanta dōna in aliud templum pōnuntur!
11. Duo virī tōtum iter ūnō diē faciunt.
12. Lātius regēns, in maximō honōre est.

C

1. Ē plūribus ūnum optimum petitur.
2. Cor malevolēns tōtum corpus invalidum facit.
3. Trēs parvī porcī in domibus dissimillimīs vīvunt.
4. Parēs cum paribus facillimē congregantur.
5. Bene parātus terram incognitam intrat.
6. Dīcunt paucōs gladiātōrēs in arēnā esse.

The Tragedy of Oedipus

Oedipus est vir Thēbānus. Fātum scīre cupiēns, ōrāculum cōnsulit. Prophēta videt Oedipum patrem occīdentem et mātrem in mātrimōnium dūcentem. Paucī tantum horrōrem patī possunt. Oedipus aliam fortūnam spērat. In itinere ad urbem Sphinx, mōnstrum horribile, Oedipum terret et rogat, "Quāle animal graditur IV pedibus māne *(in the morning)*, duōbus pedibus merīdiē *(at noon)*, et tribus pedibus noctū *(at night)* ?" Oedipus respondet, "Homō." Prīmō tempore homō manibus et pedibus ūtitur, secundō duōbus pedibus sōlum, tertiō baculō *(cane)* et pedibus. Sphinx miserā morte cadit. In viā patrem Oedipus cāsū occīdit. In urbe mātrem in mātrimōnium dūcit, et multōs annōs vīvit in miseriā.

Lesson XXX

REVIEW

Now that we have had three cases for all types of nouns, let us make a few generalizations that should help you to remember the cases and declensions.

CASES

Masculine and Feminine Nouns

The accusative singular always ends in -*m*, with short stem vowel.

The ablative singular always ends in the long stem vowel, except for the third declension, which is really a consonant stem.

The accusative plural always ends in -*s*, with a long stem vowel.

The ablative plural ends in either -*īs* or -*bus*.

The nominative plural ends in -*s* (same as the accusative) for three declensions, but has -*ae* for the first and -*ī* for the second.

Neuter Nouns

The accusative singular is always the same as the nominative.

The nominative and accusative plural always end in -*a*.

The ablative is the same as for M and F nouns.

DECLENSION

If the nominative singular ending is -*a*, the noun is almost sure to be first declension.

If the ending is -*um*, it is second declension neuter.

If the ending is -*ū*, it is fourth declension neuter.

If the ending is -*ēs*, it is likely to be fifth declension, possibly third.

If the ending is -*us*, it is second declension, fourth declension, or a third declension neuter.

Everything else is third declension.

GENDER

First declension: nearly all feminine, few masculine nouns denoting males

Second declension: *-um* always neuter, *-er* and *-ir* always masculine, *-us* nearly all masculine

Third declension:

masculine

 -or: nearly all masculine

feminine

 -iō (stem *-iōn-*)
 -tās (stem *-tāt-*)
 -tūs (stem *-tūt-*)
 -tūdō (stem *-tūdin-*)

neuter

 -us (stem *-er-* or *-or-*)
 -men (stem *-min-*)

Fourth declension:

masculine

 -us (except feminine *manus* and *domus*)

neuter

 -ū

Fifth declension: feminine except *diēs*, which may also be masculine

Give the immediate and ultimate Latin sources of the italicized words.
Example: showed his *fortitude*   fortitūdō   fortis

1. kept a *diary*	11. a great *multitude*
2. an *equine* laugh	12. *manual* labor
3. *magnify* the print	13. a *hostile* manner
4. ward off *injury*	14. *accelerate* rapidly
5. a freight *elevator*	15. *clarity* of expression
6. at great *altitude*	16. torn by *discord*
7. left to *posterity*	17. *paucity* of supplies
8. public *utility*	18. a long *itinerary*
9. the minimum *quantity*	19. the judge's *equity*
10. the *quality* of mercy	20. a warm *salutation*

Let us review the suffixes we have studied since Lesson XX.

Noun Forming

-tās, -tāt-, F	-mōnia, F
-tūdō, -tūdin-, F	-mōnium, N
-ārium, N	-cīda, M
-ia, F	-cīdium, N
-s, M	-tūs, tūt-, F

Adjective Forming

-ārius, -a, -um	-nus, -a, -um
-īnus, -a, -um	-ficus, -a, -um
-īlis, -e	-s

Here are some Latin nouns and adjectives. Using the above suffixes, make adjectives from the nouns and nouns from the adjectives. Give an English derivative from each:

Nouns		Adjectives
liber	brevis	dignus
pater	ūnus	longus
gēns	sānctus	miser
māter	gravis	pulcher
hostis	grātus	vērus
mare	lātus	celer

Make fourth declension nouns from these verbs and give a derivative from each:

exīre	stāre
ūtī	advenīre
prōgredī	tangere
agere	cōnsentīre
discurrere	cadere

Lesson XXXI

VERBS—THE PERFECT ACTIVE

dare, dedī, datus *give*

fārī, fātus *speak*

imperāre, imperāvī, imperātus *command*

iuvāre, iūvī, iūtus *help, please*

volāre, volāvī, volātum *fly*

dēserere, dēseruī, dēsertus *desert*

emere, ēmī, ēmptus *take, buy*

linquere, līquī, lictus *leave*

sūmere, sūmpsī, sūmptus *take*

tendere, tetendī, tentus (tēnsus) *stretch, go*

The Latin perfect active is equivalent to two English tenses, the past and the present perfect. The form given as the principal part is the first person singular of the perfect; *dedī* means "I gave" or "I have given." The third person endings are *-it* for the singular and *-ērunt* for the plural: *dedit* "he gave," *dedērunt* "they gave." Most first conjugation verbs form their perfects by adding *-vī* to the present stem. Here are four which do not:

dare	dedī	datus
iuvāre	iūvī	iūtus
stāre	stetī	statum
sonāre	sonuī	sonitus

Note: the perfect of *plicāre* is either *plicāvī* or *plicuī*.

The principal parts of the verb are those forms which are needed to obtain all the other forms. A normal Latin verb has three parts, the infinitive, the first person singular perfect active, and the perfect passive participle. Deponent verbs, of course, will have no perfect active; therefore they have only two parts. The principal parts are very important and should be learned thoroughly for every verb you are given. For the first conjugation, this is no chore whatever. Except for the four given above, you can be sure that the endings of the verbs we have studied are *-āre*, *-āvī*, and *-ātus*.

For the other conjugations it is not so easy. From now on, we will give you the three principal parts of new verbs, and gradually we will add the perfect tenses of the verbs you have already studied. The perfects will show one of these four methods of formation: *-uī* or *-vī* (*dēseruī*), *-sī* (*sūmpsī*), reduplication or doubling of the stem (*tetendī*), and lengthening or other vowel change (*ēmī*). Notice that our use of the English derivative to find the participle is still valid, as in today's verbs: adJUTant, DESERTion, exEMPTion, deRELICT, asSUMPTion, atTENTion or exTENSion. Note again that we frequently get the English verb from the present stem and the corresponding noun from the participial stem, as in ASSUME, ASSUMPTION, CONSUME, CONSUMPTION, RESUME, RESUMPTION.

Emere, sūmere, and *tendere* have especially good compounds:

adimere	absūmere	attendere
dēmere	assūmere	contendere
prōmere	cōnsūmere	distendere
redimere	resūmere	extendere
		intendere
		praetendere

Some *-iō* nouns from this vocabulary are *praefātiō, ēmptiō, redēmptiō, sūmptiō, assūmptiō, contentiō,* and *intentiō*. Some *-us* fourth declension nouns are *volātus, prōmptus* "visibility," "readiness," and *sūmptus* "expense." An INFANT (Latin *īnfāns*) is one who doesn't speak. An AFFABLE person is one to whom it is easy to speak. The PREFACE of a book is the part spoken before. The agent noun *imperātor* first meant "general," then "emperor," and gives us EMPEROR through French. The English verb AID comes from *adiuvāre,* which also gives us ADJUTANT. What is a VOLATILE liquid? Have you ever heard the phrase CAVEAT EMPTOR? *Prōmptus* gives us PROMPT and, through Spanish, PRONTO. A doublet of REDEMPTION is RANSOM. What does SUMPTUOUS mean? The verb *tendere* has over fifty derivatives, some of which will be discussed later.

A

I. You are given a combination of subject and present verb. Repeat with the verb in the perfect.

1. Deae dōnant.
2. Mīles dat.
3. Pater imperat.
4. Iūdicēs putant.
5. Mare sonat.
6. Custōdēs dēserunt.

7. Fidēs linquit.
8. Labor iuvat.
9. Homō tendit.
10. Puerī stant.
11. Prīnceps sūmit.
12. Fīlius emit.

II. Now let's reverse. Change the verb from perfect to present.

1. Cōnsul explicuit.
2. Ars fōrmāvit.
3. Diēs indicāvit.
4. Equī relīquērunt.
5. Amīcī iūvērunt.
6. Vir labōrāvit.

7. Servus portāvit.
8. Cīvēs dedērunt.
9. Fortūna sociāvit.
10. Spēs dedit.
11. Senēs mandāvērunt.
12. Hostis dēseruit.

B

1. Clāmor clārē sonuit.
2. Mīlitem exclāmantem iūvērunt.
3. Nāvibus relictīs, salūtem spērāvērunt.
4. Rēs meliōrēs dedērunt.
5. Amīcōs optimōs in itinere dēseruit.
6. Armīs sūmptīs, ad nāvem tetendērunt.

7. Extrā domum paternam stetērunt.
8. Magnā vōce ōrātor fātur.
9. Cōnsule imperante, per campum volāvērunt.
10. Dōnum maius ēmit.

C

1. Deīs iuvantibus, īnfantem servāvit.
2. Lēgem in manūs sūmpsit.
3. Imperātor in terram dēsertam tendit.
4. Salūtem meliōrem resūmpsit.

5. Fortēs fortūna adiuvat.
6. Dē gemmīs ēmptīs fantur.
7. Per āera maximā facilitāte volat.
8. Rēs ab amīcīs datās dēmōnstrāvit.

The Judgment of Paris

In Graeciā est diēs nūptiālis. Rēx Pēleus in mātrimōnium Thetida [accusative of *Thetis*], nympham marīnam, dūcit. Multī mortālēs adveniunt. Deī dē Olympō volant. Dea Discordia nōn invītātur. Īrāta dea in celebrantēs iacit mālum aureum (*a golden apple*) īnscrīptum "pulcherrima mē sūmit." Trēs deae, Iūnō, Minerva, et Venus, dē mālō contendunt. Ad Paridem, iūdicem Trōiānum, eunt. Trēs pulchrae deae, Paridem adfātae, varia dōna dare prōmittunt. Venus pulcherrimam fēminam (*woman*) in terrīs prōmittit. Dōnum iūdicem iuvat, et Paris mālum aureum Venerī (*to Venus*) dat. Pulcherrima fēmina in terrīs est Helena. Marītus Helenae (*of Helen*) est Menelāus, Spartānus rēx. Paris Helenam abdūcit et Graeciam relinquunt, ad urbem Trōiam volantēs.

Lesson XXXII

VERBS AND NOUNS

aperīre, aperuī, apertus *open*

sepelīre, sepelīvī, sepultus
  bury

miscēre, miscuī, mixtus *mix, mingle*

colere, coluī, cultus *till, inhabit, worship*

iungere, iūnxī, iūnctus *join*

nāscī, nātus *be born*

rumpere, rūpī, ruptus *break*

struere, strūxī, strūctus
  build, heap up

vehere, vexī, vectus *carry*

All the verbs in this vocabulary can form *-ūra* nouns from their participial stems. Latin *ruptūra* is rare, but the rest are good Latin.

apertūra

sepultūra *burial*

mixtūra

cultūra

iūnctūra

nātūra

strūctūra

vectūra *carrying, freight*

Give the meaning of the prefix in these compounds:

immiscēre

permiscēre

adiungere

obstruere

abrumpere

irrumpere

prōvehere

revehere

Operīre (*ob* plus *aperīre*) means "close"; *cooperīre* gives English COVER, through French. Add to this Latin *focus*, which meant "fireplace," and you get English CURFEW, the time to cover the fires. English SEPULTURE, meaning "burial," is rare, but SEPULCHER, which we get later from another suffix, is common. The English word MISCIBLE means "mixable." *Iūnctus*, through French, gives us JOINT, just as *pūnctus* (from *pungere* "prick") gives POINT and *ūnctus* (from *unguere* "anoint") gives OINTMENT.

A rebirth is a RENASCENCE, or in the French spelling a RENAISSANCE. The participle *nātus* was used as a noun meaning "son." The stem, in addition to NATURE, gives us NATION, NATAL, INNATE, NATIVE, NAIVE, and even PUNY (from *post nātus* "born too late"). *Rumpere* produces all its derivatives from the participle: ABRUPT, CORRUPT, DISRUPT, ERUPT, and INTERRUPT. If your bank is broken, you are BANKRUPT. *Ruptus* also gives us the verb ROUT and the noun ROUTE. *Dēstruere* gives DESTROY through French, and other compounds of *struere* give CONSTRUE, CONSTRUCT, INSTRUCT, and OBSTRUCT. The most obvious derivative from *vehere*, VEHICLE, uses a suffix we have not yet had.

A

Note carefully the following series of sentences:

1. Oculōs aperit. *He opens his eyes.*
2. Oculōs aperiunt. *They open their eyes.*
3. Oculōs aperuit. *He opened his eyes.*
4. Oculōs aperuērunt. *They opened their eyes.*
5. Oculī aperiuntur. *The eyes are opened.*
6. Parat oculōs aperīre. *He prepares to open his eyes.*
7. Dīcit oculōs aperīrī. *He says that his eyes are opened.*
8. Oculīs apertīs, abeunt. *After their eyes are opened, they go away.*
9. Oculōs aperiēns, capitur. *Opening his eyes, he is captured.*
10. Oculī aperiendī sunt. *The eyes must be opened.*

Following the pattern for *oculōs aperīre*, make the same sentences for the following:

1. Variās rēs miscet.
2. Deam colit.
3. Dōna rumpit.
4. Corpus sepelit.

B

1. Equīs iūnctīs, campum coluit.
2. Levitātem gravitāte miscuit.
3. Mūrō ruptō, equus in urbem trahitur.
4. Per apertūram manūs iungunt.
5. Nāscuntur multī in paupertāte.
6. Nātūra tanta bona aperuit.
7. Strūctūra magna cīvēs iuvat.
8. Hostēs nātiōnem tōtam dēstrūxērunt.
9. Cornū ruptō, signum nōn dedit.
10. Nātī patrem sepelīvērunt.
11. Urbem nātālem colit.
12. Per mare apertum vehendī sunt.

C

1. Pede ruptō, ad tortūram trahitur.
2. Timor īrā permixtus mentēs occupāvit.
3. Partēs ruptās coniungere potest.
4. Dē optimō genere nāscitur.
5. Templum grande et splendidum cōnstrūxērunt.
6. Rapidō equō vehitur.
7. In sepultūrā amātōrēs īnfēlīcēs iunguntur.
8. Rōmānī diēs nātālēs maximē colunt.

Iphigenia at Aulis

Menelāus et Agamemnōn, frāter eius (*his*), īrātī ob Helenam āvectam, multōs Graecōs in Aulidem congregāvērunt. Graecī Trōiam oppugnāre cupīvērunt. Agamemnōn, dux magnus, nāvēs cōnstrūxit et nāvigāre parāvit, sed (*but*) ventus (*wind*) nāvēs dēseruit. Deam Diānam dē rē rogāvit, et Diāna dīxit, "Tua (*your*) nāta Īphigenīa sacrificanda est." Pater fīliam maximē coluit. Multum dolēns, sacrificium parāvit. Fīlia prope altāria stetit, et mōmentō ultimō Diāna cervam (*deer*) substituit et Īphigenīam ad aliam terram vexit. Graecī trāns mare apertum nāvigāvērunt.

Lesson XXXIII
SECOND CONJUGATION VERBS

arcēre, arcuī, — *keep away, protect*

augēre, auxī, auctus *increase*

iacēre, iacuī, — *lie*

merēre, meruī, meritus *earn, deserve*

nocēre, nocuī, — *be harmful*

pārēre, pāruī, pāritum *appear, be obedient*

-plēre, -plēvī, -plētus *fill*

rērī, ratus *think*

tuērī, tūtus *look at, guard*

The perfect actives of all the second conjugation verbs you have studied previously are very easy to learn. Ten use -*uī*, two -*sī*, three lengthen their vowel, and one does nothing whatever.

canduī	horruī	terruī	mānsī	mōvī	respondī
dēbuī	monuī	timuī	rīsī	sēdī	
doluī	tenuī	valuī		vīdī	
habuī					

There is a -*mentum* suffix, used to make a second declension neuter noun from a verb, which works well with the second conjugation and some other verbs. Notice that the stem vowel sometimes is dropped and sometimes changed. The meanings of these words should be obvious from the Latin origin or from the derivative.

augmentum

complēmentum

monumentum

mōmentum (movēre)

impedīmentum *baggage*

In English, we have adopted this suffix for great numbers of words for which there was no Latin -*mentum* word. For instance, Latin *pars* is the origin of English APARTMENT, DEPARTMENT, and COMPARTMENT. What Latin words must be the origins of these?

deportment

movement

requirement

sediment

sentiment

tenement

Arcēre becomes *-ercēre* in compounds: *coercēre* means "confine" and gives the derivative COERCE. Another compound is *exercēre* "train," which has an important fourth declension derivative *exercitus* "army." An important adjective is the perfect participle of *tuērī, tūtus*, meaning "safe."

Distinguish carefully between the new verb *iacēre* and *iacere* "to throw." ADJACENT is the only obvious derivative from *iacēre*, although both GIST and JOIST come from it through French, and the participle *adiacēns* also gives EASE. We actually have NOCENT in English, but the negative INNOCENT is much more common. We also have a rare noun NOCUMENT in English. Note: PARENT does not come from *pārēre*, but from another verb we have later.

An AUCTION is a sale in which the price increases. AUTHOR and AUTHORITY are good meanings and derivatives of *auctor* and *auctōritās*. A TUTOR is a protector, and the TUITION your families will pay to colleges is just protection money. What is a PROFESSOR EMERITUS? How many suffixes are added to make the English word SENTIMENTALITY? The Latin word *ratiō* "reason" of course gives us RATION and RATIO, but it also gives French *raison* and English REASON.

A

I. Using English as a guide, form *-mentum* nouns from the following verbs:

implēre	frangere	firmāre
supplēre	regere	temperāre
armāre	īnstruere	

II. Put the present tense verb in each sentence into the perfect.

1. Custōs arcet.
2. Pater auget.
3. Corpus iacet.
4. Mīles meret.
5. Cūra nocet.

6. Fīlia pāret.
7. Puer complet.
8. Senex rīdet.
9. Servus respondet.
10. Dea monet.

B

1. Trēs diēs invalidus iacuit.
2. Campōs inter mare et urbem iacentēs vīdērunt.
3. Templum vōcibus replētum sonuit.
4. Breve tempus tūtī mānsērunt.
5. Fragmenta colligere horruērunt.
6. In locō honōrātō sedēre meruit.

7. Respondērunt monumenta in urbe iacēre.
8. Patrimōnium augēre meret.
9. Exercitus locum impedīmentō complēvit.
10. Quālis mors maximē nocet?
11. Rentur fīliōs pārēre.
12. Nūllus iuvenis tūtōrem rīsit.
13. Ratiō hominēs ad mortem nōn dūcit.

C

1. Furōre replētus, adulēscēns nōn pāret.
2. Documenta terribilia innocentēs legunt.
3. Rīsus horribilis puerōs terruit.

4. Exercitus tōtus servum furiōsum vīdit.
5. Fīlia silenter appāruit.
6. Statuās in terrā iacentēs tuentur.
7. Silent lēgēs inter arma.

Achilles and Ulysses

Pēleus et Thetis fīlium nōmine Achillem habuērunt. Ōrāculum dē fīliō cōnsuluērunt. Deus monuit, "Sī (*if*) Achillēs ad Trōiam it, mortem immeritam effugere nōn potest." Parentēs, ōrāculum vērum esse ratī, iuvenem inter fēminās (*women*) concēlāvērunt. Aliī Graecī Achillem invēnērunt (*found*) et ad pugnam dūxērunt. Similiter Ulixēs ad pugnam īre nōn cupīvit. Graecī Ulixem invēnērunt īnsāniam praetendentem. Ulixēs, sānus prōnūntiātus, cum exercitū Graecō tetendit. Multī fāmōsī Graecī in campīs Trōiānīs exercitum auxērunt. Nestor, Āiāx, et Diomēdēs prō Graeciā fortiter contendērunt. Graecī circum Trōiam multōs annōs sine victōriā complēvērunt.

Lesson XXXIV

IMPERSONAL VERBS

decēre, decuī, — *be fitting*
libēre, libuī, libitum *be pleasing*
licēre, licuī, licitum *be permitted*
placēre, placuī, placitum *be pleasing*
pudēre, puduī, puditum *shame, be shameful*

studēre, studuī, — *desire, be eager*
tacēre, tacuī, tacitus *be silent*
vovēre, vōvī, vōtus *vow, promise*
vādere, vāsī, — *go*
gignere, genuī, genitus *bear, produce*

Some Latin verbs, such as the first five in this lesson, are called impersonal verbs; that is, they occur only in the third person singular with the subject "it." Most of the verbs can be used with an infinitive; the verb *pudet* takes an accusative case: *patrem pudet* "it shames the father" or better "the father is ashamed." Some of these verbs are used with genitive and dative cases, which we have not yet studied. We will see more uses of these verbs later.

The two participles are prominent in this lesson's derivatives. From the present participle we have the English adjectives DECENT, INDECENT, COMPLACENT, RETICENT, IMPUDENT, plus the noun LICENSE from the Latin *-ia* noun. A STUDENT is literally "one who is eager." There is a Latin adjective *libēns* "happy" and the adverb *libenter* "gladly." From the perfect participle we have TACIT and ILLICIT. With the *-nus* suffix we have Latin *taciturnus* and English TACITURN. The participial stem of *gignere* gives us both PROGENITOR and PRIMOGENITURE. Latin *genitor* is used as a substitute for *pater*. The Latin phrase *ad libitum* "to one's pleasure" has been shortened in English to AD LIB. Give the Latin compound verbs that are the sources of English EVADE, INVADE, and PERVADE. Give the formation and meaning of these words: *displicēre, placidus, impudēns, pudor,* and *dēvōtiō.*

114

A

I. This is a drill on the impersonal verb and the infinitive. What do these sentences mean?

1. Libet pārēre.	4. Licet tacēre.	7. Licet iacēre.
2. Pudet vādere.	5. Decet vovēre.	8. Placet merēre.
3. Placet rērī.	6. Pudet nocēre.	9. Libet studēre.

Now make each sentence past time by putting the verb in the perfect.

II. We have had a number of synonyms or almost-synonyms. Make a new sentence by substituting for a verb the proper form of the verb which follows:

1. Deum esse virum putant.
   rērī
2. Cupiunt librum legere.
   studēre
3. Per locum ignōtum it.
   vādere
4. Mortem ēvādere iuvat.
   placēre
5. Terra multās rēs fert.
   gignere
6. Multa vovēre libuit.
   placēre
7. Servōs captōs servant.
   tuērī
8. Iūra cīvīlia dōnāvērunt.
   dare

B

1. Puer impudēns vādit cum geni-
   tōre.
2. In rēbus difficilibus libet
   tacēre.
3. Māter nōn studet cum rēge
   fārī.
4. Ex aquā terribilī libet
   ēvādere.
5. Mare placidum esse optimum rentur.
6. Rem tōtam tacitam tenet.
7. Pudor indecentēs virōs sequitur.
8. Deīs iuvantibus, libentēs
   dōna vovent.
9. Fīliō iniūriam faciente,
   mātrem pudet.
10. Dēvōtiō animat fortēs mentēs.
11. Deus hominēs prīmōs genuit.
12. Decor ā gestū et mōtū venit.

C

1. Prīmō annō nōn licet Rōmam
   vidēre.
2. Medicīnam bonam accipere
   student.

3. In studiīs nōn decet vacāre.

4. Per maleficia nōn licet vīvere.

5. Prō bonā fortūnā sculptūrās pulchrās vovent.

6. Tacitō corde studuit līberārī.

7. Ad portum sēcūrum placet venīre.

8. Epistulās frequentēs libenter scrībit.

The Trojan Warriors

Priamus, Trōiānus rēx, multōs fīliōs et fīliās genuit. Inter fīliōs Hector, mīles fāmōsissimus, Graecōs ex Asiā studuit agere. Hectorem et Priamum Graecōs Trōiam invādentēs vidēre puduit. Aenēās, nātus Veneris (*of Venus*), magnā cum fortitūdine pugnāvit. Paris et Helena urbem coluē-runt. Paris in exercitū Trōiānō contendit, sed (*but*) cīvēs Helenam tacitī timuērunt et nōn amāvērunt. Graecī urbem capere petīvērunt [perfect of petere] et Trōiānī exercitum hostīlem ad nāvēs agere petīvērunt. Patro-clus, amīcus optimus Achillis (*of Achilles*), Trōiānōs invāsit arma Achillis gerēns. Hector Patroclum occīdit [perfect of occīdere].

NOUN FORMATIONS

-cendere, -cendī, -cēnsus
 kindle, light, burn
fingere, fīnxī, fīctus *form,*
 invent, pretend
fruī, frūctus *enjoy* (with abl.)
lābī, lāpsus *slip, glide*
lūdere, lūsī, lūsus *play*

quatere (i), —, quassus
 shake, beat
sinere, sīvī, situs *let, allow*
sistere, stitī, status *set,*
 stop, stand
statuere, statuī, statūtus
 establish, decide
tegere, tēxī, tēctus *cover*

Three more *-mentum* nouns come from verbs in this vocabulary. We have FIGMENT and TEGUMENT in English, but *frūmentum* appears only in the adjective FRUMENTACEOUS. The stem of *fruī*, incidentally, originally was *frūg-*. A derived noun in *-s* is *frūx*, which means "fruit," "produce," "crop."

figmentum *formation, creation*
frūmentum *grain*
tegumentum *covering*

We have already learned that participles are adjectives and that any Latin adjective can be used as a noun. Some of the neuter perfect participles are used so commonly as nouns that they are frequently listed as such. Here are some nouns from verbs you have studied:

statūtum (rare) *statute*
cōnstitūtum *agreement*
īnstitūtum *plan*

fātum (*thing spoken*) *fate*
tēctum *cover, roof*
vōtum *vow, prayer*

Note that the fourth declension noun from the verb is still prominent; this lesson gave us *frūctus, lāpsus, lūsus,* and *situs*. Since *ct* gives French *it, frūctus* gives us FRUIT in addition to the verb FRUCTIFY. The verb *sinere* has the meanings "let," "allow," but it originally meant "to place." The noun *situs* means "location" and gives us SITE, SITUATE (from the rare denominative *situāre*), and the phrase IN SITU. Do you know the meanings of the English phrases LAPSUS LINGUAE and LAPSUS MEMORIAE? The verb *fingere* (through French) gives FEIGN; the participle, which was later spelled *finctus*, gives both FEINT and FAINT.

There are the *-ūra* noun *figūra* and the *-iō* noun *fictiō* with obvious derivatives. Latin also has the adjective *fictilis* and the agent noun *fictor* "sculptor." Notice that the verb *quatere* appears in compounds as *-cutere*; derivatives are CONCUSSION, PERCUSSION, DISCUSSION (if you DISCUSS something, you shake it apart). The verbs *sistere* and *statuere* are both derived from *stāre*. *Statuere* and its compounds *īnstituere* and *cōnstituere* all use the two important meanings given you, "establish" and "decide." *Dēsistere* and *dēstituere* both have the meaning "cease," "abandon," giving us DESIST and DESTITUTE. *Dēsinere* also means "cease."

A

I. Make *-um* nouns from the following and give English derivatives:

agere	mandāre	prōmittere
facere	praecipere	respondēre

II. Make compound verbs in the following combinations and give English derivatives:

in + cendere	ex + lūdere	in + sistere	re + statuere
ex + lābī	ad + sistere	re + sistere	dē + tegere
re + lābī	com + sistere	sub + sistere	prō + tegere

III. This is a quick case drill. Translate these sentences:

1. Fātum est adversum.
2. Fātum bonum augent.
3. Fēlīcī fātō fruitur.
4. Fāta regunt hominēs.
5. Fāta mala timent.
6. Rēs fātīs aguntur.
7. Frūctus cadit in manūs.
8. Frūctum accipere spērat.
9. Dē frūctū mīrificō audit.
10. Frūctūs salūtem ferunt.
11. Frūctūs in campō colligunt.
12. Frūctibus multīs ūtuntur.
13. Figūra est pulchra.
14. Figūram longam fōrmat.
15. Figūrā tēctā, mīrantur.
16. Figūrae vōtum complent.
17. Figūrās mīrābilēs vident.
18. Figūrīs horribilibus terrentur.

B

1. Scrībunt cīvitātem fingī ā rēgibus.
2. Dīvī ācta inglōriōsa nōn sinunt.
3. Nāvis in marī cōnsistī nōn potest.
4. Super tēctum īre cōnstituit.
5. Campum pede audācī equus quatit.
6. Domibus incēnsīs, cīvēs exīre sīvit.

7. Puerīlibus lūsibus fruuntur.
8. Verba inīqua ex ōre lābuntur.
9. Terrā quassā, plūrēs lāpsūs timent.
10. Similitūdinēs fingunt et in templō statuunt.
11. Vōtum prō reditū facere īnstituērunt.
12. Prōmissīs acceptīs, dīcunt fāta esse bona.

C

1. Trōiānī equum fātālem in urbe stitērunt.
2. Facta dīvīna finguntur ā poētīs ēminentibus.
3. Frūmentum in aquam lābī sinunt.
4. Dē sitibus fābulōsīs responsa dedērunt.

5. Lūdentibus Rōmānīs, corpora leve tegumentum habent.
6. Mātrōna virum amōre magnō incendit.
7. Āctīs indignīs movērī dēsinunt.
8. Deī sinunt hūmānam figūram esse pulcherrimam.

Achilles and Hector

Patroclō occīsō, Achillēs īrātus ad pugnam revertit. Armīs novīs (*new*) ā Vulcānō deō fabricātīs ūtitur. Contrā Hectorem corde incēnsō currit. Scūtō (*shield*) novō et pulchrō prōtēctus, iaculum (*javelin*) immēnsum quatit. Hector sistit et fortiter pugnāns ad terram lābitur. Achillēs, Hectore occīsō, corpus circum urbem currū et equīs trahit. Corpus nōn sinit ad Trōiānōs remittī. Rēx Priamus, ad Achillem veniēns, corpus petit. Achillēs, senem miserātus, corpus dat et rēgem ad urbem redīre sinit. Nōn multō post Achillēs ā Paride occīditur.

Lesson XXXVI

VERBS—SOME IRREGULARS

bibere, bibī, — *drink*
crēdere, crēdidī, crēditus
 trust, believe
edere (ēsse), ēdī, ēsus *eat*
esse, fuī, futūrus *be*
querī, questus *complain*

solvere, solvī, solūtus *free,*
 destroy, pay
specere (i), spexī, spectus *see*
surgere, surrēxī, surrēctum *rise*
tollere, sustulī, sublātus *raise,*
 remove, destroy
velle, voluī, — *wish*

We have been using *est, sunt,* and *esse* all along. The perfect is irregular, and the last principal part is really the future participle, which we will learn later for other verbs. Here are the two present forms for *esse, edere,* and *velle.*

est sunt   ēst edunt   vult volunt

There is a suffix *-ulus* which makes an adjective out of a verb; the regular English derivative is in -ulous. The last word, *figulus,* is a masculine noun.

bibulus *tending to drink, thirsty*
crēdulus *believing, credulous*
incrēdulus *unbelieving, incredulous*

querulus *complaining*
figulus *potter*

Related to this is a noun suffix in *-ula, -ulum, -cula, -culum, -bula, -bulum,* or *-crum.* It indicates the place or means of the verbal action. There is even one *-culus* adjective, *rīdiculus,* with an obvious meaning. Here are the nouns from verbs you know:

fābula *story*
iaculum *javelin*
rēgula *rule*
sepulcrum *tomb*
simulācrum *image*

specula *watchtower*
speculum *mirror*
tēgula *roof tile*
vocābulum *name*

The *-uus* suffix makes an adjective from a verb, and the English word is in -uous. The derivative is normally the meaning.

perspicuus	dēciduus	praecipuus *outstanding*
prōmiscuus	contiguus (tangere)	mūtuus *borrowed*

There are a few Latin nouns formed by adding the *-iō* suffix to the present stem instead of the participial stem:

legiō *a gathering of men, legion*   obsidiō *siege*
regiō *a ruling out of an area, region*   ūniō *union*
suspiciō *a looking under, suspicion*

Give a derivative if possible and the meaning for these derived nouns and adjectives:

crēdibilis	absentia	solūtiō	perspicāx
incrēdibilis	praesentia	aspectus	suspiciōsus
crēditor	querimōnia	cōnspectus	sepulcrālis
edāx	questus	speculātor	vacuitās

Compounds of *solvere* give us ABSOLVE and DISSOLVE. Some denominative verbs from derived words yield SPECULATION, CONTINUATION, and PERPETUATE. We have EXTOL from a compound of *tollere*. While the verb *esse* has no present participle, there is one, *-sēns,* in the compounds *absēns* and *praesēns,* giving us ABSENT and PRESENT. The compound *adesse* means "be present." The verb *specere* itself is rare, but its compounds and derivatives are numerous. English examples are DESPISE, DESPICABLE, CONSPECTUS, PROSPECTOR, INTROSPECTIVE, SUSPICION, INSPECT, RESPECT, and SPECULATE. Analyze the English word IRREGULARITY, identifying the prefix and suffixes.

A

I. Make *-bulum* or *-culum* nouns that mean:

stable (stāre)   miracle (mīrārī)
race, race course (currere)   oracle (ōrāre)
carriage (vehere)   obstacle (obstāre)

II. Give the derivative and probable meaning of these words:

cōnspicuus	assiduus	perpetuus
vacuus	continuus	

III. Change the italicized infinitive to the proper form of the present and the perfect.

1. Fābula *esse* rīdicula.
2. Puerī *edere* et *bibere*.
3. Fīliī librōs *tollere*.
4. Legiōnēs arma *velle*.
5. Iuvenis mare *cōnspicere*.

6. Hominēs *esse* crēdulī.
7. Vir tōtam rem *crēdere*.
8. Mīles iacula *tollere*.
9. Exercitus multum *edere*.
10. Rēx terram *velle*.

B

1. Specula est cōnspicua.
2. Stabula sunt contigua.
3. Suspiciō fuit continua.
4. Figulī fuērunt assiduī.
5. Legiō est praecipua.
6. Ōrācula sunt mīrācula.
7. Crēditōrēs sunt querulī.
8. Tantum edunt puerī!
9. Servī contrā dominum surrēxērunt.

10. Equō bonō vehī vult.
11. Manibus sublātīs deum ōrant.
12. Cum fēlīcitāte ēst et bibit.
13. Bibulus pater ā mātre dēspicitur.
14. Dē ōrāculīs malīs queruntur.
15. Simulācra in sepulcrō solvī crēdunt.
16. Absentēs amīcōs voluērunt cōnspicere.

C

1. Legiōnēs dē regiōne āridā queruntur.
2. Vōce querulā recitat discipulus in scholā.
3. Dēciduus frūctus in tōtā regiōne solvitur.
4. Crēdulus nūllam suspiciōnem habēre vult.

5. Tēgulae domum et stabulum tegunt.
6. Plūrimīs rēbus sublātīs, suspiciō augētur.
7. In speculō appārent vēra simulācra.
8. Crēdidērunt antīquī mīrācula in terrā gignī.

The Trojan Horse

Graecī magnum equum ligneum (*wooden*) cōnstrūxērunt. In equum virōs armātōs clausērunt. Finxērunt equum esse dōnum deīs (*to the gods*). Equum in campō stitērunt et in nāvibus ēvāsērunt. Hominem, Sinōnem nōmine, cum equō relīquērunt. Trōiānī campōs dēsertōs cōnspexērunt et crēdidērunt Graecōs abesse. Cum Sinōne fātī, crēdidērunt Sinōnem esse dēsertōrem Graecum. Homine ad rēgem ductō, Lāocoōn prophēta, magnopere questus, populum dē Graecīs dōna ferentibus monuit. Duo serpentēs, ē marī surgentēs, Lāocoontem occīdērunt [perfect of occīdere]. Sinōn fābulam mīrābilem nārrāvit, et Priamus putāvit fābulam esse vēram. Trōiānī, equō in urbem trāctō, fēlīciter ēdērunt et bibērunt. Cūrā solūtī dormīvērunt (*slept*). Virī in equō inclūsī exīvērunt [perfect of exīre] et portās (*gates*) aperuērunt. Alterī Graecī revenientēs urbem invāsērunt.

FREQUENTATIVE VERBS

fluere, flūxī, flūxum *flow*	pendere, pependī, pēnsus *pay,*
fundere, fūdī, fūsus *pour,*	*weigh*
rout, shed	premere, pressī, pressus *press*
loquī, locūtus *speak*	scandere, scandī, scānsum *climb*
morī (i), mortuus *die*	volvere, volvī, volūtus *roll,*
pellere, pepulī, pulsus *drive*	*ponder*

A frequentative verb is one whose action is repeated again and again. Often this special meaning disappears, but the type is important for derivation. One method of formation is to add *-itāre* to the present stem: *agitāre* from *agere* and *fluitāre* from *fluere.* A more common way is to add *-āre* to the participial stem: *dictāre* from *dīcere* and *spectāre* "look at" from *specere.* You may even see a double frequentative, as *dictitāre.* Notice also that all the frequentatives belong to the first conjugation. Listed below are some more examples. Note that *fluere* has an alternate participial stem *flūct-* which appears in derived words.

certāre	quassāre	clāmitāre	āctitāre
cursāre	sustentāre	imperitāre	cantitāre
fugitāre	territāre	nōscitāre	cursitāre
lāpsāre	tūtārī	rogitāre	ventitāre
meritāre	vectāre	vocitāre	vīsitāre

Here are some nouns using various methods of formation. Identify the suffix in each:

fluor	ēlocūtiō	ascēnsus	spectātor
cōnfūsiō	ēloquentia	dēscēnsus	spectāculum
locūtiō	pressūra	dictātor	receptāculum

Notice how popular the frequentative verb is for English, even in some cases where the frequentative does not occur in Latin, as SENSATION, from the nonexistent verb *sēnsāre*. Here are a few more derivatives from this new type: FLUCTUATE, PULSATION, COMPENSATION, CANTATA (through Italian), CONVERSATION, DISPENSATION, OSTENTATIOUS, RECEPTACLE, EXPECTATION, HABITATION, VISITATION, and CESSATION. There are occasional shifts in meaning in the frequentative; *certāre* means "struggle," *pulsāre* means "beat," *vīsitāre* means "visit," *cessāre* means "cease," and *habitāre* means "live," as in the derivatives INHABIT, HABITAT. The verbs *cantāre* and *incantāre* give us CHANT and ENCHANT through French.

A

I. Make the following compounds and give the meaning for each and a derivative if you can:

fluere + com, dē, ex, prō
fundere + com, dis, ex, in, per, prō
loquī + ad, com, ex, ob
pellere + com, dē, ex, in, re
pendere + ex, re
premere (prim-) + dē, ex, in, ob, re
scandere (scend-) + ad, dē, trāns
volvere + in, re

II. For the verb in each of these sentences, substitute the same form of the frequentative:

1. Cōnsul dīcit.
2. Fīliae canunt.
3. Marītī vīdērunt.
4. Manūs pellunt.
5. Exercitus currit.
6. Mīles meruit.
7. Servī fugiunt.
8. Pater clāmat.

III. Now give the equivalent form of the root verb:

1. Iuvenis trāctat.
2. Cīvēs gestant.
3. Gēns nōscitat.
4. Hostis pressat.
5. Amīcī dēvōtāvērunt.
6. Deī versant.
7. Senēs ventitant.
8. Prīnceps exercitāvit.

B

1. Aqua pūra in campum flūxit.
2. Dē mortuīs sōlum bonum loquitur.
3. Tēctum altissimum ascendit.
4. Prō librō multum pependērunt.
5. Multī metū moriuntur.
6. Manum hostīlem fūdit prīnceps.
7. Ōrātor magnā vōce loquitur.
8. Multa in mente volvit.
9. Ascēnsus est difficilis, dēscēnsus est facilis.
10. Pressūram levāre vult.
11. Sciunt ēloquentiam esse magnam.
12. Ex urbe inimīcōs pepulērunt.

C

1. Spectātōrēs putant dictātōrem bene loquī.
2. Ex Alpibus in Ītaliam dēscendērunt.
3. Dē spectāculīs recentibus loquuntur.
4. Apprehendit dictātor sevērus hostēs cursantēs.
5. Loquāx spectātor nōn audit virum cantantem.
6. Aqua mollī fluōre per campum lābitur.
7. Ab hostibus pressī, celeriter fugitant.
8. Ōrāculō audītō, Gallī ex urbe pelluntur.

The Fall of Troy

Aenēās, somnō (*sleep*) oppressus, Hectorem mortuum cōnspexit. Hector Aenēam dē urbe moriente monuit. Aenēās, ē somnō excitātus, sonōs terribilēs audīvit. Urbem incēnsam vīdit. Ad palātium prōgressus, cum nōbilibus Trōiānīs morī voluit. Graecīs repulsīs, longum tempus palātium dēfendit. Ad tēctum ascendēns, tōtam urbem dēvāstātam vīdit. Graecī palātium dēstrūxērunt et rēgem Priamum occīdērunt [perfect of occīdere]. Trōiānīs fūsīs, Aenēās ēvāsit et domum revertit. Cum patre et uxōre (*wife*) locūtus, scīvit [perfect of scīre] Trōiam servārī nōn posse. Familiā congregātā, urbem relīquit. Uxor ā viā errāvit, et Aenēās, sine eā (*her*) abīre compulsus, Trōiā nāvigāvit.

Lesson XXXVIII

NOUNS—THE DATIVE SINGULAR AND PLURAL

discere, didicī, — *learn*

docēre, docuī, doctus *teach*

rapere (i), rapuī, raptus *seize*

ruere, ruī, rutum *rush,
fall, tumble*

lacrima, -ae, F *tear*

lingua, -ae, F *tongue,
language*

poena, -ae, F *punishment*

silva, -ae, F *forest*

cōpia, -ae, F *abundance,
supply*, pl. *troops*

The dative, our new case for today, is used for the indirect object of the verb and for various "to" or "for" ideas. The dative singular of first declension nouns ends in -*ae*; the dative plural of all nouns is exactly the same as the ablative plural. Here are a few sentences using the dative:

Fīliae librum dedit. *He gave the book to his daughter.*

Opus amīcae cōnfēcit. *He finished the work for the friend.*

Vir est dominae amīcus. *The man is friendly to the lady.*

Deābus placet. *It is pleasing to the goddesses.*

The -*ina* suffix is used to make a first declension noun from a verb. Sometimes it indicates the action of the verb, or it may indicate the feminine agent or the place of the action. An English example is MEDICINE, and DISCIPLINE comes from *disciplīna*, an -*ina* noun from *discipere*, but the Romans themselves probably related it to *discere*. Here are examples from verbs you know:

doctrīna *teaching, learning*

rapīna *robbery, plunder*

ruīna *fall, ruin*

officīna *workshop*

rēgīna *queen*

Another adjective-forming suffix is -*ticus*. Here are a few adjectives from these and previous words:

silvāticus

viāticus

aquāticus

domesticus

errāticus

viāticum (noun)

127

The *-ticus* suffix is really more common in Greek than in Latin and gives many Greek derivatives, such as PLASTIC, ELASTIC, IDIOTIC, DRASTIC, DEMOCRATIC, AGNOSTIC, CAUSTIC. *Viāticus* gives us VIATIC, and the neuter *viāticum*, meaning "traveling expenses," gives VOYAGE through French. *Silvāticus*, by the same route, gives SAVAGE. Most -age words are French versions of Latin roots, as LANGUAGE (*lingua*), COURAGE (*cor*), and RAVAGE (*rapere*). We add -age to English roots for footage, cottage, and many other words.

Other Latin derivatives from these nouns and verbs:

docilis	rapidus	lacrimāre
doctor	ēruere	lacrimābilis
abripere	cōpiōsus	linguōsus
rapāx	lacrimōsus	poenālis

These English words come from rare Latin words: SYLVAN, LINGUAL, BILINGUAL, MULTILINGUAL. The derivative from *lacrimōsus* is usually spelled LACHRYMOSE. The Latin phrase *sub poenā* becomes an English noun. We get PAIN from *poena* in addition to PENAL and PENALTY. Proper names often come to us from Latin; SYLVIA and SYLVESTER are both sprouts from the forest. Mr. Penn's woods are PENNSYLVANIA. Have you ever seen a CORNUCOPIA?

A

I. Drill on the first declension. Translate these sentences:

1. Rēgīna silvam spectat.
2. Rēgīnam rapiunt.
3. Ā rēgīnā scrībitur.
4. Rēgīnae dōnum dat.
5. Rēgīnae sunt clārae.
6. Rēgīnās sinunt īre.
7. Dē rēgīnīs queruntur.
8. Rēgīnīs placet regere.
9. Dea fundit lacrimās.
10. Deam lacrimae tangunt.
11. Deā vīsā, timet.
12. Deae fortūna est grāta.
13. Deae terram coluērunt.
14. Ad deās cōpia portātur.
15. Prae deābus fīliae stant.
16. Deābus poena nōn placet.

II. Drill on the dative. Translate, noting each dative use:

1. Fāma est fortūnae similis.
2. Placet cōpiīs pugnāre.
3. Lingua est cāra fīliābus.
4. Poena nocet dīvae.

128

5. Rapīna fīliae nocet.
6. Licet amīcae fōrmam ostendere.

7. Officīnae aquae nōn sunt
proximae.
8. Deae libet vincere.

B

1. Lingua Latīna est facilis.
2. Sub poenā serva vēritātem
loquitur.
3. Cōpiōsīs lacrimīs fīliam
recipit.
4. In aliīs terrīs linguam
Latīnam docuērunt.
5. Rēgīnā raptā, dolet rēx
lacrimōsā vōce.
6. Nātūra silvās pulchrās terrae dedit.

7. Glōria nōn est pār fortūnae.
8. Rēgīna opera cōpiōsa fīliae
facit.
9. Maximās poenās ob īram
pependit.
10. Viāticum cōpiōsum fīliae
datur.
11. In silvā malī rapīnam facile
discunt.
12. Rēgīnae libet fābulam vēram
audīre.

C

1. Poēta dē errāticīs deābus
fātur.
2. Opera domestica sunt fīliābus ingrāta.
3. Disciplīna firmat hominēs.
4. Pudor docērī nōn potest,
nāscī potest.

5. Docilis puer multa didicit.
6. Cōpiae Rōmānae fugitīvōs
Gallōs rapuērunt.
7. Doctrīna Graeca est Rōmānīs
grāta.
8. Urbs immēnsa ruīnā maximā
cadit.

At Home in Ithaca

Ithaca, īnsula (*island*) Graeca, est domus Ulixis (*of Ulysses*). Pēnelopē, uxor (*wife*) Ulixis, in Ithacā manet spērāns marītum redīre. Ulixēs abest X annōs, cum cōpiīs Graecīs contendēns. Multī nōbilēs in īnsulā crēdunt Ulixem mortuum esse et volunt rēgīnam in mātrimōnium dūcere. Pēnelopē dē marītō discere vult. Cum lacrimīs Tēlemachum, fīlium Ulixis, ad Menelāum, rēgem Spartānum, mittit. Tēlemachus, Spartam adveniēns, Menelāum dē patre interrogat. Menelāus respondet Ulixem post ruīnam Trōiae (*of Troy*) in marī errāre. Nūllam rem certam dē Ulixe scit, et multum docēre nōn potest. Tēlemachus dolēns ad Ithacam redit.

Lesson XXXIX
NOUNS—THE GENITIVE SINGULAR AND PLURAL

fēmina, -ae, F *woman*	turba, -ae, F *crowd*
flamma, -ae, F *flame*	umbra, -ae, F *shade*
hōra, -ae, F *hour*	unda, -ae, F *wave*
mora, -ae, F *delay*	vīta, -ae, F *life*
patria, -ae, F *native land*	

The genitive case in Latin expresses possession and also nearly every other meaning of the English word "of." First declension nouns have a genitive singular in *-ae*, a genitive plural in *-ārum*. Some phrases using the genitive:

liber fīliae   *the daughter's book*
īra deārum   *the anger of the goddesses*
sonus undārum   *the sound of the waves*
dux cōpiārum   *the leader of the troops*
patria dominae   *the lady's native land*
vīta fēminae   *the woman's life*
umbra silvae   *the shadow of the forest*

The Latin diminutive suffix, used to denote a smaller size of a noun, always contained an *-l-*, but otherwise it was quite variable. Here are the possibilities:

-lus, -la, -lum	-ulus, -ula, -ulum
-olus, -ola, -olum	-culus, -cula, -culum
-illus, -illa, -illum	-cellus, -cella, -cellum
-ellus, -ella, -ellum	

A little shade is an UMBRELLA; a little shape is a FORMULA. A CORPUSCLE is a little body; a PARTICLE is a little part. A little work is an OPUSCULE; something UNDULATES if it goes in little waves. A person who is beset by little fears is METICULOUS. A little mouth, *ōsculum*, became the Latin word for "kiss." Latin *libellus* "little book" became used for a "note." A note could be slanderous, and we get LIBEL from *libellus.* You may even see the diminutive ending on an adjective, as *misellus* or *parvulus* "poor little." The diminutive of *fēmina, fēmella,* gave English FEMALE through confusion with the English word MALE. MALE itself and MASCULINE both come from *māsculus,* another diminutive. Here are some more Latin diminutives. What should they mean?

fīliola	nāvicula	rēgulus	pauculus
fīliolus	ocellus	sigillum	
homunculus	puerulus	versiculus	

Denominative verbs are especially good in this lesson. We have IN-FLAMMATION from *flammāre,* and REPATRIATE and EFFEMINATE come from the denominative forms of *patria* and *fēmina.* The verb *morārī* gives the derivative MORATORIUM. Latin has *turbāre, disturbāre,* and *per-turbāre,* of which the compounds survive in English. There is ADUMBRATE from *umbrāre.* The verb *undāre* gives INUNDATE, and there are ABUN-DANCE and REDUNDANCE from -*ia* nouns. It also gives derivatives in -OUND, as ABOUND, REDOUND, even SURROUND (*superundāre*).

Super often gives SUR-, as in SURCHARGE, SURFACE, SURPASS, SURPLUS, or even SIR-, as in SIRLOIN. There is no truth to the rumor that the king who first met this noble cut of meat dubbed it a knight, Sir Loin. *Sub* plus *umbra* gives us SOMBER, or, with the -*ārius* suffix in Spanish, SOMBRERO. Use your head and find a proper name from *vītālis.* The English word REVITALIZE contains the prefix *re-,* the suffix -*ālis,* and the Greek-derived suffix -ize, used to make a verb out of an adjective or a noun.

A

Here is a series of drills involving many of the first declension nouns you have studied. Translate, being careful of cases:

I

1. Victōria amat cūram.
2. Equa amat aquam.
3. Lingua amat glōriam.
4. Ruīnae ostendunt flammās.
5. Fābulae ostendunt iniūriās.
6. Servae ostendunt officīnās.
7. In scrīptūrā est īra.
8. In turbā est inertia.
9. In scientiā est prūdentia.
10. In terrīs sunt umbrae.
11. In litterīs sunt doctrīnae.
12. In patriīs sunt viae.

II

1. Vītam amīcae dat.
2. Sepultūram fēminae dat.
3. Fāmam fīliae dat.
4. Rēgīnīs fortūnās dant.
5. Dīvīs miseriās dant.
6. Cōpiīs rēgulās dant.

7. Fōrma nātūrae est pulchra.
8. Positūra undae est īnstābilis.
9. Poena morae est mors.
10. Audācia deārum est perfidia.
11. Ruīna silvārum est īnfāmia.
12. Concordia fēminārum est bona.

B

1. Per apertūram undās vīdērunt.
2. Silva umbram grātam terrae offert.
3. Tribus hōrīs libellus scrībitur.
4. Liber linguae Latīnae nōn est difficilis.
5. Parvulus puer lacrimīs turbam vīdit.
6. Fīliola mixtūram cōnstantiae et fallāciae nōscit.

7. Patria fēminārum est pulchra.
8. Fōrma strūctūrārum est grātiōsa.
9. Partem hōrae ante flammās morātur.
10. Ōscula fēminae sunt animae grāta.
11. Sine morā vītam fīliae servāvērunt.
12. Secundā hōrā poenam patiuntur.

C

1. Discipulus sententiās firmās dē cultūrā habet.
2. In nāviculā est abundantia cōpiārum.
3. Silva dēnsa hominēs in terrā iacentēs umbrat.
4. Hērōīnae litterātūrae sunt pulchrae et fortēs.

5. Āthlētae in arēnā victōriam glōriōsam petunt.
6. Pīctūrā dolōrōsā turbātus, plūs vidēre nōn vult.
7. Versiculōs dē amōre scrībit poēta obscūrus.
8. Dulce est prō patriā morī.
9. Ars est longa, vīta brevis.

The Land of Forgetfulness

Ulixēs cum multīs amīcīs Trōiam relinquit. Nāvibus parvīs longum iter ad patriam Ithacam incipit (*begins*). Paucīs diēbus mare est umbrōsum et undōsum. Tempestās magna orītur et nāvēs ad Āfricam agit. Est terra Lōtophagōrum (*of the lotus eaters*). Lōtus est herba mīrifica.

Hominēs lōtum edentēs patriam memōriā nōn tenent. Sociōs nōn recognōscunt. In terrā amābilī manēre volunt. Est vīta grāta, et hominēs sine perturbātiōne vīvere possunt. Ulixēs nōn morātus amīcōs ad nāvēs redūcit. Per undās ad Siciliam eunt.

REVIEW

	Singular	Plural
Nom.	hōra	hōrae
Acc.	hōram	hōrās
Abl.	hōrā	hōrīs
Dat.	hōrae	hōrīs
Gen.	hōrae	hōrārum

Give the immediate and ultimate Latin sources for the italicized words:

1. a *volatile* temper
2. *figment* of imagination
3. shadow of *suspicion*
4. through the *aperture*
5. *copious* tears
6. a rigid *curriculum*
7. *augment* the danger
8. the couple *osculated*
9. eager *spectators*
10. *illicit* traffic
11. a valuable *supplement*
12. *conspicuous* stupidity
13. a *sumptuous* meal
14. *response* to questioning
15. *meticulous* reports
16. an imposing *structure*
17. *fluctuation* of power
18. *aquatic* sports
19. a *credulous* child
20. headed for *ruin*

Give the Latin source and the meaning for these Latin derived words:

1. mōmentum
2. doctrīna
3. querulus
4. imperātor
5. quassāre
6. tēctum
7. domesticus
8. nātālis
9. rēgīna
10. cōpiōsus
11. lāpsus
12. vehiculum
13. ratiō
14. undōsus
15. aquāticus
16. lacrimābilis
17. vōtum
18. ōrāculum
19. pressūra
20. cultor
21. genitor
22. fīliola
23. sepultūra
24. tūtor

For each of these verbs, give the principal parts and one derivative from the infinitive and one from the perfect participle:

complēre	revolvere	solvere
surgere	incendere	pellere
relinquere	movēre	dēlūdere
augēre	fluere	vidēre

Give the third person singular and third plural perfect of the following verbs:

aperīre	tollere	vehere
iacēre	nocēre	tacēre
esse	dare	velle
rapere	pendere	iuvāre

We have already learned that the dative plural for all nouns is the same as the ablative plural. Give the dative plurals for these nouns:

hōra	rēs	diēs
templum	locus	fīlia
labor	opus	puer
cornū	manus	ōs

Now that we have had all five cases for the noun, here is a quick summary of case uses:

Nominative

subject	*Flamma* vidētur.
predicate nominative	Ītalia est *patria*.

Accusative

direct object	*Sonum* audit.
subject of infinitive	Scit *diem* esse longum.
with prepositions	Ad *silvam* venit.

Ablative

with prepositions	Prae *templō* sedet.
absolute	*Vītā servātā*, ēgreditur.
"from"	*Timōre* līberātur.
"by," "with"	*Undīs* terrētur.
	Magnā *dīligentiā* labōrat.
"in," "on," "at"	*Fortitūdine* Rōmānī sunt optimī.
	Secundō *diē* advenit.
	Prīmā *hōrā* frātrem relinquit.

135

Dative

indirect object   Dat vītam *fēminae.*
"to" or "for"   Pater est cārus *fīliae.*
       Diēs est aptus (*suitable*) *pugnae.*

Genitive

possession   Liber *puerī* est magnus.
"of"   Magna cōpia *lacrimārum* funditur.
       Dux *cōpiārum* vincit.

THE SECOND DECLENSION—DATIVE AND GENITIVE

ager, agrī, M *field*
aurum, -ī, N *gold*
caelum, -ī, N *heaven*
castra, -ōrum, N pl. *camp*
cōnsilium, -ī, N *plan, advice*

magister, magistrī, M *teacher, chief*
modus, -ī, M *manner, limit*
mundus, -ī, M *world*
ventus, -ī, M *wind*

The dative singular for second declension nouns ends in *-ō*. What is the dative plural ending? The genitive singular ends in *-ī*; the genitive plural ends in *-ōrum*.

The noun *cōnsilium* comes from a verb with the addition of an *-ium* suffix. There are many other Latin words using *-ium*. Two come from nouns, *ministerium* from *minister* and *servitium* ultimately from *servus*. Name the verbs that are the origins of these nouns:

collēgium *guild, society*
colloquium *conference*
coniugium *marriage*
convīvium *party*
ēloquium *eloquence*
excidium *destruction*
exitium *destruction*
imperium *command, empire*

indicium *charge*
officium *duty*
periūrium *perjury*
praeiūdicium *precedent, prejudice*
praesidium *guard*
studium *eagerness, study*
prīncipium *beginning*

The ending *-a* sometimes makes a first declension masculine agent noun. We have been using *poēta*, which is one borrowed from Greek. The verb *colere* makes the compounds *incola* "inhabitant," *agricola* "farmer," and *caelicola* "god." Three other Latin examples of this suffix are *scrība* "scribe," *convīva* "guest," and *collēga* "colleague." The *-cīda* suffix also belongs in this category.

The *-ātus* suffix (fourth declension) indicates either an office or the holder of it: *senātus* "senate" (body of old men), *prīncipātus* "office of emperor," *cōnsulātus* "office of consul," and *magistrātus* "magistrate" or "office of magistrate." The office holder in the senate is, of course, a *senātor*.

Other Latin derivatives:

aurāre	cōnsiliārī	magistra	officiōsus
aurōsus	cōnsiliātor	magistrāre	imperiōsus
aurārius	cōnsiliārius		studiōsus

The English word AGRARIAN uses the *-ārius* suffix plus *-ānus*, which we have later. A "little field" was an *agellus*, which does not survive in English. Diminutives of *modus* yield MODEL, MODULE, MODULATE, and *modus* gives many other words, such as MODAL, MODE, MOOD (as in indicative mood), MODIFY, MODERN, MODERATE. The French form *mode* meant "style"; we sometimes see LA MODE as the name of a dress shop, and a MODISTE is a dressmaker. If you have pie A LA MODE, you have it in style. A "little wind" was a *ventulus*, which gives the denominative *ventilāre* and English VENTILATE. A *castellum* was a fortress and the source of our word CASTLE.

Note that *cōnsilium* gives COUNSEL in English; there is another Latin word *concilium* which gives COUNCIL. MASTER comes from *magister*, and another spelling of MASTER is MISTER. *Magister* itself comes from *magis*, the comparative adverb. Teachers were originally superior to their students. Similarly, *minister* comes from the comparative adverb *minus*. *Aurum* has derivatives like AUREATE and AURIFEROUS. What does the Latin quotation *Sīc trānsit glōria mundī* mean? From the *-ium* nouns we can have derivatives with other suffixes, as BENEFICIARY, PREJUDICIAL, COLLEGIATE, CONVIVIAL, STUDIOUS, and OFFICIATE. The word ORIFICE comes from the rare Latin word *ōrificium*, from *ōs + facere*.

A

I. The following English words all come from Latin *-ium* nouns. Give the noun and the verb from which it comes:

artificial	incendiary
beneficial	obsequious
initiate	refuge
judiciary	subsidiary

II. Drill on the dative and genitive; translate:

1. Refugium servō dat.
2. Animum populō dat.
3. Subsidium marītō dat.
4. Beneficium deō dat.
5. Iūdicia virīs faciunt.
6. Convīvia filiīs faciunt.
7. Ministeria deīs faciunt.

8. Cōnsilium dominī est bonum.
9. Aurum ministrī est parvum.
10. Imperium mundī est forte.
11. Excidium templī est proximum.
12. Incolae caelōrum sunt dīvīnī.
13. Coniugia dīvōrum sunt sāncta.
14. Officia sociōrum sunt levia.

B

1. Undae cōpiōsae ventō tolluntur.
2. Castra pōnuntur in agellō pulchrō.
3. Ventōs turbidōs silvae in memōriā tenent.
4. Modus poenae est nūntiō ingrātus.
5. Magistrī mōmentum mundī docuērunt.
6. Marītus deae dē caelō dēscendit.

7. Studium linguae Latīnae est facillimum.
8. Incolae mundī cōnsiliīs deōrum reguntur.
9. Verba magistrī somnum puerōrum disturbant.
10. Equī ad magistrātum aurum trahunt.
11. Magna turba incolārum cōnsulātum petit.
12. Magister aurum in agrō agricolae petit.

C

1. Oculī convīvārum ad pulchrās fēminās convertuntur.
2. Philosophia docet dē falsīs indiciīs.
3. Initiō annī Augustus capit prīncipātum.
4. Cōnsilia philosophōrum sunt optima.

5. Nūntiī Rōmānōrum praeiūdicium sociōrum mīrantur.
6. Rōmānī bonō modō pugnae mundum vincunt.
7. Exitium castrōrum est maleficium magistrī.
8. Malō in cōnsiliō fēminae vincunt virōs.

The Cyclops

In Siciliā Ulixēs et sociī nāvēs relīquērunt. Per agrōs errantēs, cavernam

139

immēnsam vīdērunt. Cyclōps Polyphēmus in cavernā habitāvit. Polyphēmus corpus ēnorme et sōlum ūnum oculum habuit. Ovēs (*sheep*) in
cavernā servāvit. Graecōs rapuit et duōs dēvorāvit. Diē sequente duōs
aliōs ēdit. Ulixēs cōnsilium audāx iniit [perfect of inīre]. Polyphēmō
dormiente (*sleeping*) magister Graecus oculum pālō (*stake*) maximō
perforāvit. Ulixēs, nōmen rogātus, dīxit nōmen esse Nēminem [accusa-
tive of nēmō "*nobody*"]. Polyphēmus vidēre nōn potuit [perfect of
posse], et ovēs ē cavernā euntēs manibus tetigit [perfect of tangere]. Hōc
(*this*) modō hostēs capere spērāvit. Ulixēs et sociī sub ovibus ēvāsērunt.
Polyphēmō exclāmante, alterī Cyclōpēs accurrentēs nōmen inimīcī rogāvērunt. Polyphēmus respondit, "Nēmō." Cyclōpibus dīgressīs, Graecī
nāvēs ventīs mandāvērunt.

SECOND DECLENSION NEUTERS

bellum, -ī, N *war*	membrum, -ī, N *limb*
damnum, -ī, N *damage, loss*	perīculum, -ī, N *danger*
ingenium, -ī, N *talent, nature*	rēgnum, -ī, N *kingdom*
	saeculum, -ī, N *age*
iugum, -ī, N *yoke, ridge*	vīnum, -ī, N *wine*

Second declension nouns in *-ius* and *-ium* usually have the *-iī* of the genitive singular contracted to *-ī*, e.g., *fīlī, cōnsilī*. Elsewhere in the declension the *-i-* of the stem is preserved, even in the nominative plural of masculines, *fīliī* or *sociī*.

Like *-ticus*, the *-icus* adjective-forming suffix is better in Greek than in Latin, but it is used in a few Latin words:

bellicus *warlike*	modicus *moderate*
cīvicus *of a citizen, civic*	pudīcus *modest*
dominicus *of the master*	ūnicus *only, single*
immodicus *immoderate*	

We have borrowed the suffix to indicate a special type of chemical compound which is contrasted with an *-ōsus* derivative: FERRIC and FERROUS, AURIC and AUROUS, SULPHURIC and SULPHUROUS, ARGENTIC and ARGENTOUS, MERCURIC and MERCUROUS, among others.

Here we have a number of denominative verbs and *-ōsus* adjectives:

bellāre	iugāre	bellicōsus	perīculōsus
damnāre	rēgnāre	damnōsus	vīnōsus
condemnāre		ingeniōsus	

Some Latin words came into our language during the first few centuries A.D. Words beginning with *v* when borrowed early are spelled with *w*. Thus, from Latin *vīnum* we get both WINE and VINE, but VINE came to us much later than WINE, after the Latin *v* had changed pronunciation.

Other early Latin borrowings appear in place names. Latin *castra* appears as -CASTER or -CHESTER; the long camp is LANCASTER, the west camp is WESTCHESTER. Latin *vallum* "wall" gives WALL and combines for names like CORNWALL. Latin *vīcus* "village" gives -WICH and we have, for example, green village and sand village. The Earl of Sandwich, of course, is credited as the first to like his meat between two pieces of bread.

Perīculum shortens in English to PERIL. A doublet of PERILOUS is PARLOUS. In Britain the *er* sound became pronounced *ar*. This is why we use that sound for the name of the letter *r*, versus *l*, *m*, *n*, etc. The proper name Clark comes from the word clerk. VARSITY is the doublet of UNIVERSITY and PARSON is the doublet of PERSON.

Notice that the stem of *damnum* becomes *demn-* in compounds. *Membrum* gives MEMBER and the denominative verb gives DISMEMBER. Some more *-ōsus* words in English would be BELLICOSE, REBELLIOUS, INGENIOUS. Relate *iugum* to the verb *iungere*. If you CONJUGATE verbs, you are yoking them together. The *-āris* adjective from *saeculum* gives English SECULAR.

A

This drill involves many of the second declension neuter nouns you have studied. Translate, noting the cases:

I

1. Iuga sunt levia.
2. Cōnsilium bellī est grave.
3. Ingenia sunt multa.
4. Membra sunt brevia.
5. Vīnum est dōnum.
6. Signa alta portant.
7. Mīrāculum caelī spectant.
8. Perīcula rēgnōrum timent.
9. Cōnstitūtum bonum habent.
10. Tēcta templōrum faciunt.

II

1. In ōrāculō est fātum.
2. In receptāculō est speculum.
3. In vehiculō est vocābulum.
4. In respōnsīs sunt prōmissa.
5. Arma sunt similia iaculīs.
6. Vōta sunt paria factīs.
7. Īnstitūtum est nōtum saeculō.

B

1. Caelicolae rēgnant per saecula.
2. Equī iugum grave ferre possunt.

3. Amīcīs dē perīculōsō bellō
   nūntiāvit.
4. Pedēs et manūs sunt membra
   hūmāna.
5. Ex rēgnō prīmō saecula
   plūrima numerantur.
6. In perīculō damnōsō positus,
   vult morī.

7. Puer sine ingeniō potest
   linguam Latīnam discere.
8. Bellātōrēs, urbe captā, vīnum
   bibērunt.
9. Sciunt aurum in terrā esse.
10. In vīnō vēritās est.
11. Imperātor bellum annōrum
    duōrum gerit.

C

1. Magister ingeniōsus cōnsilium dignum init.
2. Disiecta membra in iugō
   vīdērunt.
3. Iuga Italiae facile ascendērunt.

4. Damnum membrōrum est perīculōsum virīs.
5. In Italiā vīna excellentia
   nōn sunt pretiōsa.
6. Agricola bellicus agrōs
   fortiter dēfendit.

The Windbag

Ulixēs ad rēgnum Aeolī pervēnit. Aeolus, rēx ventōrum, Ulixem in palātium, in altō iugō positum, invītāvit. Eī (*to him*) vīnum et cibum (*food*) dedit. Ulixēs, domum redīre volēns, subsidium ā rēge petīvit. Aeolus virō Graecō ventōs contrāriōs in saccō inclūsōs dedit. Dē perīculīs maximīs monuit, dīcēns, "Saccus aperiendus nōn est." Ā rēgnō Aeolī bonā fortūnā nāvigantēs, Ithacam vīdērunt. Ulixe dormiente (*sleeping*) sociī, putantēs aurum in saccō esse, saccum aperuērunt. Ventī contrāriī, sine morā ortī, nāvēs ad Aeolum reppulērunt. Aeolus, crēdēns deōs contrā Ulixem esse, subsidī plūs nōn dedit. Ulixēs damnum dolēns Aeolum relīquit.

Lesson XLIII

THE THIRD DECLENSION—DATIVE CASE

arbor, arboris, F *tree*
avis, avis, F *bird*
comes, comitis, M, F *companion*
coniūnx, coniugis, M, F *hus-
band, wife*
flōs, flōris, M *flower*

hospes, hospitis, M *host, guest*
ignis, ignis, M *fire*
quiēs, quiētis, F *quiet, rest*
sanguis, sanguinis, M *blood*
virgō, virginis, F *girl,
virgin*

The dative singular of third declension nouns ends in *-ī*: as *arborī, avī,* etc. What is the dative plural of these nouns?

There is a class of third declension nouns called *i*-stems. Masculine and feminine *i*-stems are: 1. those whose genitive singulars have the same number of syllables as their nominative singulars (*avis, ignis*) 2. those whose stems end in two consonants (*pars, mēns,* stems *part-, ment-*). Exceptions are *pater, māter, frāter.* The *i*-stem nouns sometimes have *-im* in the accusative singular, *-ī* in the ablative singular and *-īs* in the accusative plural. Neuter *i*-stems are those nouns ending in *-e* or *-al* (*mare, animal*). They regularly have *-ī* in the ablative singular and *-ia* in the nominative and accusative plural.

Some Latin verbs are normally followed by a dative. The verbs you have studied which take a dative object are *servīre, licēre, imperāre, cēdere* ("yield"), *crēdere, studēre, nocēre, pārēre, libēre,* and *placēre.* Some compound verbs, especially compounds of *prae,* take a dative, as *praestāre* "excel," *praeesse* "be in charge of," and *praepōnere* "put in charge of," "put in command of," with an accusative and a dative. A Latin phrase which takes the dative is *bellum īnferre* "make war on." *Invidēre* "envy" is followed by the dative.

The suffix *-eus* makes an adjective from a noun. In English, various adjective suffixes give the equivalent, as *aureus* "golden," *sanguineus*

144

"bloody," *virgineus* "girlish," although none of these will work for *arboreus*. Here are the *-eus* adjectives from these words:

arboreus	igneus	cōnsanguineus
flōreus	sanguineus	virgineus

From earlier words there are *aureus, corporeus, fēmineus, flammeus,* and *vīneus.* In three words, *extrāneus, mediterrāneus,* and *subterrāneus,* the *-eus* is added to *-ānus,* which we have in the next lesson. The English derivative adds either *-ālis* or *-ōsus,* as in CORPOREAL and IGNEOUS.

The verb *comitārī* gives English CONCOMITANT. The expression *comes rēgis* in the Middle Ages gave us the title COUNT. Other titles from Latin include EMPEROR (*imperātor*), PRINCE (*prīnceps*), and DUKE and DOGE (*dux*). The name *Caesar* was often used meaning "emperor" and survives as both KAISER and CZAR. Strangely enough, the English word arbor, meaning a bower, does not come from Latin *arbor*. The Latin *arbor* does give us ARBOR DAY, ARBOREAL, ARBORETUM, and ARBOR VITAE. What is an AVIARY? Other -CULTURE words are AVICULTURE, ARBORICULTURE, and FLORICULTURE.

Note that English SANGUINE and SANGUINARY originally meant the same thing, but they don't now. Two state names, VIRGINIA and FLORIDA, come from this vocabulary. There is a denominative *flōrēre* and a diminutive *flōsculus* in addition to the adjective *flōridus. Hospitālis* gives HOSPITAL, but a shorter form is HOSTEL, and HOSTEL shortens further to HOTEL. HOSPITALITY also comes from *hospitālis.* The denominative *hospitārī* gives HOSPITABLE and the noun *hospitium* gives HOSPICE. The denominative *ignīre* gives IGNITION. The diminutive *aureolus* gives us the "little golden bird," ORIOLE.

A

I. Change the dative singular to the dative plural:

1. Hospitī crēdit.	6. Avī est pār.
2. Mātrī nocet.	7. Coniugī imperant.
3. Comitī placet.	8. Ignī cēdit.
4. Virginī libet.	9. Pedī nocent.
5. Flōrī student.	10. Arborī dat aquam.

II. Now change the dative plural to the dative singular:

1. Cīvibus pārent.
2. Ducibus invidet.
3. Cōnsulibus licet.
4. Patribus serviunt.
5. Mīlitibus praeest.

6. Mortibus cēdunt.
7. Prīncipibus praestat.
8. Corporibus nocet.
9. Gentibus bellum īnfert.
10. Nāvibus virum praepōnit.

B

1. Comitēs imperātōrī serviunt.
2. Arborēs in silvā agricolīs placuērunt.
3. Partī bellī comitem dux praepōnit.
4. Coniūnx bona marītō crēdit.
5. Volunt flōrēs aureōs spectāre.
6. Avēs cantantēs audiunt in umbrā arboreā.

7. Virginī licuit ostendere librum hospitī.
8. Comitēs quiētem quaerunt.
9. Sermō flōridus cīvibus nōn placet.
10. Cum timiditāte virginēs per arborēs eunt.
11. Ōra fēminea sunt coniugibus cāra.
12. Est nūlla quiēs malīs.

C

1. Rōmānī Britannīs virtūte praestant.
2. Legiō Rōmāna corpora sanguinea colligit.
3. In Galliā rēx hostī bellum īnfert.
4. Ōs fīliae roseum est pulcherrimum.
5. Silentium aureum est.

6. Ruīnā flammeā dēstruuntur arborēs in silvā.
7. Rōmānī antīquī avibus crēdidērunt dē futūrīs rēbus.
8. Rosae inter arborēs pulchrē flōruērunt.
9. Ignēs ad interiōrem urbem penetrant.
10. Hospes coniugī invidet.

Circe the Enchantress

Terrā aliā vīsā, Ulixēs silvās incognitās explōrāre voluit. In nāve mānsit, comitēs per regiōnem mittēns. Circē, virgō dīvīna arte magicā excellēns, in silvā habitāvit. Graecōs in domum invītāvit. Hospitēs in porcōs celeriter convertit. Ūnus homō, in animal nōn conversus, ad Ulixem vēnit et tōtam rem explicāvit. Ulixēs, validē turbātus, comitēs sine morā servāre voluit. Per arborēs iēns, deum Mercurium in viā stantem vīdit. Mercurius Ulixī cōnsilium bonum et herbam mīrificam dedit. Herba fuit efficāx contrā artem deae. Ulixēs, herbā ūtēns, comitēs līberāvit. Circē, Graecum hospitem admīrāta, coniūnx Ulixis (*of Ulysses*) esse voluit. Ulixēs cum virgine tōtum annum mānsit.

THE THIRD DECLENSION—GENITIVE CASE

caput, capitis, N *head*

eques, equitis, M *horseman,*
    knight

finis, finis, M, F *end, limit,*
    pl. *territory*

laus, laudis, F *praise*

lūx, lūcis, F *light*

mōns, montis, M *mountain*

ops, opis, F *power, aid,*
    pl. *wealth*

orbis, orbis, M *circle,*
    world

soror, sorōris, F *sister*

vīs, F *power, force, strength*

The genitive singular of third declension nouns ends in *-is*, the genitive plural in *-um*: *laudis, laudum, lūcis, lūcum.* All *i*-stem nouns have genitive plurals in *-ium.* Which of the nouns in this lesson are *i*-stems? The noun *vīs* is defective; in the singular it has only nominative *vīs*, accusative *vim*, ablative *vī.* The nominative plural is *vīrēs*, and here it is a regular *i*-stem noun. Third declension adjectives are *i*-stems and have genitive plurals in *-ium.* Comparative adjectives are not *i*-stems and have genitive plurals in *-um.*

While we are having an easy series of lessons on nouns, let us go back and pick up the remaining perfect tenses of the verbs we learned earlier. Here they are for the fourth conjugation:

audīre – audīvī   sentīre – sēnsī   impedīre – impedīvī

scīre – scīvī   venīre – vēnī   fīnīre – fīnīvī

servīre – servīvī   expedīre – expedīvī   custōdīre – custōdīvī

The *-ānus* suffix makes a Latin adjective from a noun or another adjective. English adjectives are in -an or -ane, and there are some adjectives and nouns in -ain, such as MOUNTAIN, CERTAIN, CAPTAIN.

montānus   urbānus   suburbānus   mundānus

The *-lentus* suffix also makes an adjective. All of the following have derivatives, although some are rare in English.

| lūculentus | violentus | sanguinolentus | turbulentus |
| opulentus | vīnolentus | corpulentus | somnolentus |

Still another adjective suffix is -*īvus*. This is often added to the participial stem of the verb, as for the denominatives *laudāre* and *fīnīre*. In addition to the words listed below, many grammatical terms use this suffix; name as many as you can and identify their Latin roots.

| āctīvus | fugitīvus | nātīvus |
| captīvus | laudātīvus | vōtīvus |

Denominatives from this lesson include *fīnīre, laudāre, lūcēre,* and *violāre.* There are derived nouns *opulentia* and *violentia,* and there is another adjective *violēns. Capitālis* gives us CAPITAL, CHATTEL, and CATTLE. *Caput* gives French *chef* (the head cook), which also passes into English as CHIEF. Thus, CAPTAIN and CHIEFTAIN are really the same word. The diminutive *capitulum* came to mean "heading," then "section," "chapter," and gives us CHAPTER through French. If you CAPITULATE, you surrender under the various "headings" of the agreement. If you RECAPITULATE, you go back over the headings. *Fīnis* gives many derivatives, as FINISH, REFINE, CONFINE, DEFINE. *Mōns* has -MOUNT compounds, as AMOUNT, DISMOUNT, PARAMOUNT, TANTAMOUNT. A little mountain would be *monticellus,* Eng. MONTICELLO. Note that *equitāre,* from *eques,* means "ride," not "horse around." The derived noun *equitātus* means "cavalry."

A

I. Put these phrases into the third person plural present and the third singular and plural perfect:

1. Laudem audit.
2. Opus scit.
3. Equitī servit.
4. Dolōrem sentit.
5. Pedibus venit.
6. Captīvōs expedit.
7. Labōrem impedit.
8. Sermōnem finit.

II. Change the genitive singular to the genitive plural:

1. Laudī sorōris studet.
2. Cursum honōris sequitur.
3. Timōrem montis habet.
4. Gravitās iūris ostenditur.
5. Nōbilitās equitis appāret.

6. Pulchritūdinem arboris
admīrātur.

7. Magnitūdō capitis terret.

8. Altitūdō maris impedit.

9. Vī vōcis vincit.

10. Lūx ignis candet.

B

1. Magnā ope rēgum orbis
vincitur.

2. Laudēs equitum et clāmōrēs
audīvērunt.

3. Montem ascendentēs, ad
arborēs vēnērunt.

4. Caput altum tenēns, ōrāti-
ōnem fīnīvit.

5. Urbānae lēgēs ā sorōre
iūdicis laudantur.

6. Orbe factō, cum equitibus
hostium pugnāvērunt.

7. Scīvit altitūdinem montis
esse magnam.

8. Artium magister laudem
orbis accipit.

9. Vī ignium montāna urbs
dēstruitur.

10. Summā cum laude nātīvōs
cursōrēs spectāvērunt.

11. Magnum caput parvam mentem
tenet.

12. Cum facilitāte discunt
sorōrēs linguam Latīnam.

C

1. Caput vīnolentum hominem
violentum facit.

2. In itinere terror impedīvit
corpulentōs senēs.

3. Equitēs veterānī servīvērunt
iuvenī victōrī.

4. Ē servitūte Rōmānī captīvī
dūcuntur.

5. Opulentia Ītaliae turbulentōs
Gallōs attrahit.

6. Sēnsērunt Rōmam esse caput
orbis.

7. Expedīvērunt fugitīvōs ē
fīnibus hostium.

8. Laudābilēs arborēs flōruērunt in fīnibus Germānōrum.

Tiresias and the Lower World

Circē Ulixī cōnsilium dedit: "Rēgnum mortuōrum vīsitandum est.
Rēgnum est in fīne orbis, et iter est longum et difficile. Ops ā Tīresiā,
prophētā magnō, petenda est." Ulixēs ad Mare Atlanticum nāvigāvit.
Rēgnum mortuōrum, in ōrā (*shore*) maris positum, est terra dīra et
inamābilis. Lūcem terrae supernae nōn continet. In terrā habitāvērunt

umbrae hērōum Graecōrum et Trōiānōrum. Ulixēs laudābilēs mīlitēs et equitēs Bellī Trōiānī vīdit. Iūdicēs terrae īnfernae et multa alia horribilia spectāvit. Cum Tīresiā locūtus, Ulixēs cōnsilium bonum dē itinere audīvit. Ad Circam rediēns, domum īre parāvit.

Lesson XLV

ALL DECLENSIONS—DATIVE AND GENITIVE

nihil (nīl) (indeclinable) *nothing*	rūs, rūris, N *country*
nox, noctis, F *night*	sōl, sōlis, M *sun*
ōrdō, ōrdinis, M *order, row*	uxor, uxōris, F *wife*
pāx, pācis, F *peace*	vēr, vēris, N *spring*
prex, precis, F *prayer*	vestis, vestis, F *robe, clothing*

The fourth declension nouns have these endings: dative singular *-uī*, genitive singular *-ūs*, genitive plural *-uum*. Fifth declension nouns have these endings: dative singular *-ēī* or *-eī*, genitive singular *-ēī* or *-eī*, genitive plural *-ērum*. Now we have had all the case endings for the five declensions. Here is a sample noun for each declension:

Dat. sing.	hōrae	agrō	flōrī	manuī	diēī
Gen. sing.	hōrae	agrī	flōris	manūs	diēī
Dat. pl.	hōrīs	agrīs	flōribus	manibus	diēbus
Gen. pl.	hōrārum	agrōrum	flōrum	manuum	diērum

The perfects of four fifth conjugation verbs and two irregular verbs are listed here. Note that three of the fifth conjugations have the same type of perfect.

capere – cēpī	iacere – iēcī	ferre – tulī
facere – fēcī	cupere – cupīvī	posse – potuī

One final adjective-forming suffix is *-ius*, which attaches itself to some of the members of the family and a few other noun and verb roots. The word *nescius* gives the English derivative NICE.

uxōrius *of a wife*	rēgius *of a king, royal*
sorōrius *of a sister*	dēvius *out of the way*
patrius *of a father*	obvius *in the way, meeting*

pervius	*passable*	īnscius	*ignorant*
iniūrius	*injurious*	nescius	*ignorant*
cōnscius	*aware*		

Notice that many adjective suffixes can be used in forming other derived words.

ōrdinālis	pācificus	precātiō	vērnus
ōrdinārius	pācificāre	rūsticus	vestīre
ōrdināre	precārius	rūricola	vestīmentum
pācāre	precārī	sōlāris	vestītus

From *nox* a slightly different adjective *nocturnus* was formed. Then *diēs* borrowed the pattern to make *diurnus* "daily." From *diurnus* we get DIURNAL and, through French, JOURNAL. ADJOURN also comes from *diēs*. We have a number of English words from Latin derived words which were rare or did not exist: ANNIHILATE, NIHILISM, NOCTURNAL, RURAL, SOLARIUM, VERNAL, SORORITY, SORORICIDE, INVEST, VESTRY. If you have to depend on prayer to get you out, you are in a PRECARIOUS situation. An UXORIOUS husband might popularly be called henpecked. What does the English expression ET UX. mean? The English verbs PAY and APPEASE come from *pācāre*.

The -*ius* suffix may also be added to the -*or* agent noun, making an adjective, or (with -*ium*) a neuter noun. The Latin words *senātōrius* and *audītōrium* are the only two prominent enough to rate mention, but just look at a sample of what the suffix does for English:

accessory	declamatory	laudatory	reformatory
auditory	derogatory	moratorium	repository
contradictory	exclamatory	notorious	trajectory
cursory	inflammatory	peremptory	valedictory

A

Review the fourth declension nouns in Lesson XXIII and the fifth declension nouns in Lesson XXIV. Then read these little drills:

I

1. Manus est pulchra.
2. Manum longam habet.
3. Manū frāctā, abit.
4. Manuī quiētem dat.

5. Opus manūs placet.
6. Manūs sunt pulchrae.
7. Manūs longās habet.

8. Manibus frāctīs, abit.
9. Manibus quiētem dat.
10. Opus manuum placet.

II

1. Rēs est parva.
2. Rem miseram habet.
3. Dē rē scit.
4. Reī magnae studet.
5. Nūntius reī bonae venit.

6. Rēs sunt parvae.
7. Rēs miserās habet.
8. Dē rēbus scit.
9. Rēbus magnīs studet.
10. Nūntius rērum bonārum venit.

B

1. Vestis sorōris est brevis.
2. Deī precēs cīvium nocte audīre potuērunt.
3. Tōtum vēr sōlem nōn vīdē-runt.
4. Ōrdine equitum frāctō, impetum nōn fēcērunt.
5. Prīmō vēre sorōrēs rūre fruuntur.
6. Nūntiī rēgiī pācem petere cupīvērunt.
7. Patria auctōritās regit uxōrem et fīliōs.

8. Nihil est facilius linguā Latīnā.
9. Precibus dictīs, equitēs arma iēcērunt.
10. Sōl igneus fīne noctis orītur.
11. Lēx iniūria precibus multīs uxōrum mūtātur.
12. Vestem uxōris cēpit et amīcae dedit.
13. Vēr flōrēs aureōs tulit.
14. Nīl est amōre vēritātis altius.

C

1. Gallī cupīvērunt pācem cum Caesare cōnficere.
2. Uxōrēs precantur deōs prō sorōribus nesciīs.
3. Rūsticus vestis ab agricolīs geritur.
4. Vērnō tempore nihil est grātius sōle.

5. Īnscia soror nocturnum iter fēcit.
6. Togā vestītus, Cicerō senātum pācificāvit.
7. Nātūra hominibus nihil melius brevitāte vītae dedit.
8. Nīl sine magnō vīta labōre dedit mortālibus.

The Song of the Sirens

Sīrēnēs sunt fēminae pulcherrimae. Dulcissimē canunt. Vestēs rūsticās gerunt. Hominēs carmen (*song*) Sīrēnum audientēs ad ruīnam attrahuntur. Ulixēs, carmen audīre volēns, cōnsilium fōrmāvit. Comitēs in aurīs (*their ears*) cēram (*wax*) posuērunt, et ducem ad mālum (*mast*) nāvis ligāvērunt (*tied*). Prope terram Sīrēnum prōgrediēns, Ulixēs carmen clārē audīre potuit. Precibus lacrimābilibus comitēs in ōrdine rogāvit, sed (*but*) precēs nihil valuērunt (*were worth*). Comitēs Ulixem līberāre negāvērunt. Terrā fēminārum post nāvem relictā, ducem līberāvērunt. Vōcibus pulchrīs nōn audītīs, in pāce sine timōre captūrae prōgredī potuērunt, nōn scientēs aliud perīculum maius paucīs diēbus videndum esse.

Lesson XLVI

THIRD DECLENSION NEUTER NOUNS

carmen, carminis, N *song*

decus, decoris, N *beauty, glory*

frīgus, frīgoris, N *cold*

fūnus, fūneris, N *death, funeral*

lūmen, lūminis, N *light*

mūnus, mūneris, N *gift, duty*

pectus, pectoris, N *breast, heart*

sīdus, sīderis, N *star*

vulnus, vulneris, N *wound*

The third conjugation verbs for today include all those which have *-sī* perfects. Note that *c*, *g*, or *h* plus *s* gives *x*, and *t* or *d* before *s* usually drops.

cēdere – cessī

claudere – clausī

dīcere – dīxī

dūcere – dūxī

gerere – gessī

mittere – mīsī

regere – rēxī

scrībere – scrīpsī

trahere – trāxī

vīvere – vīxī

The third declension *-us* noun is rather common in Latin. It is always neuter and it always has a stem in either *-er-* or *-or-*. You have already had *corpus, genus, tempus,* and *opus.* Review these while you are learning the seven new nouns of this type. Note that the English derivative almost always gives you the correct form of the stem: CORPORAL, GENERATE, TEMPORARY, VULNERABLE, REMUNERATE, OPERATE, DECORATE, FUNERAL, FRIGORIFIC, EXPECTORATE, and SIDEREAL. But REFRIGERATE comes from an alternate form of the stem.

Sometimes a Latin word with a stem in *r* will have a related word with a stem in *s*; the adjective from *fūnus* is *fūnestus.* Similarly we have the noun *honestās* and the adjective *honestus* from *honor* and the noun *maiestās* "majesty" from the comparative adjective *maior. Honestus* usually means "honorable" rather than "honest." Another *-tus* adjective is *iūstus* "just."

The *-men* suffix is used to make a noun from a verb. The stems always

156

show *-min-*, and the nouns are always neuter. The two in this lesson are in disguise; *carmen* is from *canere*, and *lūmen* is from *lūcēre*. Here are some more *-men* nouns. Identify the verb.

agmen	*band, column*	regimen	*rule, command*
augmen	*increase*	specimen	*example, pattern*
certāmen	*struggle*	tegmen	*cover*
flūmen	*river*	tūtāmen	*protection*
levāmen	*solace*	volūmen	*roll, volume*

Latin *carmen* gives us CHARM through French. To "star-gaze" in Latin was *cōnsīderāre*, which came to mean "consider." The reverse was *dēsīderāre*, which means "need," "miss," "desire." You will occasionally see the prefix *dē-* with a negative meaning, as in *dēdecus* "disgrace." Other denominative verbs give DECORATE, ILLUMINATE, EXPECTORATE, REFRIGERATE, REMUNERATE, and INVULNERABLE. *Frīgus* has a denominative *frīgēre* and an adjective *frīgidus*. Other adjectives: *fūnereus, lūminōsus, pectorālis*, and *sīdereus*, all with English derivatives.

A

Review of third declension nouns. Read these sentences, noting the cases of the nouns:

1. Cum levitāte loquitur.
2. Cum varietāte scrībit.
3. Cum dignitāte vīvit.
4. Ductor vīsiōnem timet.
5. Scrīptor ratiōnem ostendit.
6. Spectātor ēlocūtiōnem laudat.
7. Cantōrēs ōrātōribus sunt similēs.
8. Doctōrēs āctōribus sunt parēs.
9. Viātōrēs uxōribus sunt cārī.
10. Rēgnātor custōdum est.
11. Adiūtor nātiōnum est.
12. Tūtor fīnium est.
13. Magnitūdinem urbis laudat.
14. Sōlitūdinem itineris amat.
15. Fēlīcitātem regiōnis mīrātur.
16. Dat cupiditātem ēmptōribus.
17. Dat ūnitātem mātribus.
18. Dat respōnsiōnem indicibus.

B

1. Māter multum scrīpsit dē fūnere fīlī.
2. Decus sīderum dīvīnitātem deōrum ostendit.

3. Flūmina frīgida ad mare celeriter flūxērunt.

4. In pectore vulnerātus, fūnus exspectāvit.

5. Agmen lūmine sīderum ad fūnus dūxit.

6. Sanguine fluente, vulnus grave clausit.

7. Mīsērunt specimen carminum ad amīcōs.

8. Senex corpore invalidō dēsīderat fūnus.

9. Trāns flūmen sine tūtāmine prōcessērunt.

10. In caelō sīdereō vīxit genus deōrum.

11. Lūmine sōlis mūnus difficile fēcit.

12. Post fūnus patris mūnera ad fīlium mittuntur.

C

1. Dīxērunt cōnsulem crīmina mortālia facere.

2. Vestīmenta multa ob frīgus gessit.

3. Corpora vulneribus gravāta trāxērunt.

4. Pectus magnō decore aurī adōrnātur.

5. Vir honestus crīmina dictātōris nōn timet.

6. Nōn est via ad sīdera mollis.

7. Sōl sīdera lūmine superat.

Scylla and Charybdis

Inter Ītaliam et Siciliam mare est angustum (*narrow*), flūminī simile. In ūnā parte in cavernā vīvit Scylla. Scylla est mōnstrum horribile multa capita habēns. Capita dē cavernā extendit et rēs in marī rapit. In aliā parte est Charybdis, vortex (*whirlpool*) terribilis. Maximās nāvēs dēvorāre potest. Ulixēs, inter Scyllam et Charybdim nāvigāre compulsus, fūnus dē duābus partibus timuit. Terror frīgidus pectus rapuit. Charybdim ēvītāre (*to avoid*) dēsīderāns, prope Scyllam vēnit. Scylla VI hominēs cēpit et ēdit. Alterī vulnera mortālia magnā cum difficultāte ēvāsērunt. Secundō tempore ad Siciliam vēnērunt.

VERBS FROM ADJECTIVES

citus, -a, -um *quick*

niger, nigra, nigrum *black,*
  dark

novus, -a, -um *new*

pius, -a, -um *devout, loyal*

probus, -a, -um *good*

proprius, -a, -um *one's own,*
  proper

sacer, sacra, sacrum *sacred*

salvus, -a, -um *safe, well*

satis (indeclinable) *enough*

For this lesson we have the third conjugation verbs with perfects in
-vī or *-uī*. The irregular verb *īre* has, in addition to *īvī*, a perfect form *iī*.

cernere – crēvī

nōscere – nōvī

petere – petīvī

pōnere – posuī

quaerere – quaesīvī

īre – īvī (iī)

All the above adjectives are roots of denominative verbs. Give English
derivatives from these:

novāre *make new, renew*

citāre *rouse, summon*

expiāre *appease, propitiate*

probāre *test, approve*

There is a type of verb, called an inceptive verb, which indicates that
an action is just beginning. The suffix is *-scere*, and you have already seen
it in *discere*, *nōscere*, and *nāscī*. It is attached to verbs, adjectives, and
nouns, and it is very frequent in English, e.g., INCANDESCENT, OBSOLESCENT,
REMINISCENT, EFFERVESCENT, ADOLESCENT, FLUORESCENT, and LUMINESCENT.
Here are some Latin examples from words you know:

augēscere *increase*

horrēscere *bristle, shudder*

iuvenēscere *grow, flourish*

quiēscere *rest*

scīscere *inquire*

concupīscere *desire*

This lesson is rich in *-tās* derivatives. How many of them pass into
English?

novitās

pietās

probitās

proprietās

satietās

One's own name is a PROPER name. From *proprius* we also have AP-PROPRIATE, EXPROPRIATE, and the doublets PROPRIETY and PROPERTY. *Satis*, sometimes spelled *sat*, gives us SATE, SATISFY, and SATIATE (from the denominative). From *salvus* we get SAVE, SAVIOR, SALVATION, SALVO, and SALVAGE. Second conjugation denominatives regularly mean "be," not "make": *salvēre* means "be well." Some we have had previously are *lūcēre, flōrēre, frīgēre*. Such words often have *-idus* adjectives and inceptive forms: *lūcidus, flōridus, frīgidus, lūcēscere, flōrēscere, frīgēscere*. The verb *execrāre* (*ex* + *sacrāre*) has a rather negative meaning, "curse," giving us the derivative EXECRABLE. What are the Latin derived words which are the sources of these English words?

excite	impious	probable	consecrate
incite	approbation	probation	sacrifice

A

I. Form Latin first conjugation denominative verbs from the following adjectives. Give English meanings for all and derivatives where possible:

niger	pius	sacer
novus	proprius	salvus

II. Form inceptive verbs (all in *-ēscere*) meaning to "grow bright," "catch fire," "grow sweet," "become black," and "grow old."

B

1. Vēre novō arborēs pulchrae flōrēscunt.
2. Equī nigrī per curriculum novum currunt.
3. Temporibus frīgidīs cum difficultāte lūcēscit sōl.
4. Puer probus Latīnam linguam melius propriā discit.
5. Aurum pendēns, crēditōribus satisfēcit.
6. Propriīs opibus novās vestēs ēmit.
7. Magnā cum probitāte ōrātor pius senēscit.
8. Nocte nigrēscente nōn possunt salvārī.
9. Impius homō sacrificiō nōn excitātur.
10. Nāvēs clārēscunt in nigrō marī.
11. Satis poenae ā servō piō penditur.
12. Piī patrēs novum templum cōnsecrāvērunt.

C

1. Mēns sāna in corpore sānō approbātur.
2. Nāvibus salvīs, pius Aenēās petīvit Ītaliam.
3. Nigram silvam in fīnibus Germāniae quaesīvērunt.
4. Vulneribus retardātus, probus mīles nōn salvātur.

5. Novitās reī probum animum excitat.
6. Fīliōs lēgēs novās et praecepta proba docuērunt.
7. Ignis aurum probat, miseria fortēs virōs.
8. Fīlius nāvēs celerēs per silēns mare lābentēs videt.

Calypso

In Siciliā comitēs Ulixis, duce piō absente, bovēs (*cattle*) sōlis occīdērunt. Deus sōlis, ob maleficium īrātus, tempestātem nigerrimam mīsit. Comitibus mortuīs, Ulixēs salvātus ad īnsulam (*an island*) sōlus vēnit. In īnsulā vīxit nympha Calypsō. Ulixem amāns, eī (*him*) cibum (*food*) et vestem dedit. Voluit Ulixem in īnsulā manēre. Ulixēs, uxōrem et domum propriam dolēns, cum nymphā VII annōs mānsit. Nympha, sciēns Ulixem marītum suum (*her*) esse nōn cupere, nāvem probam cōnstrūxit. Ulixēs novum iter coepit (*began*).

Lesson XLVIII
ADJECTIVES AS NOUNS

dexter, -tra, -trum *right, right hand*	noster, -tra, -trum *our*
dūrus, -a, -um *hard*	plēnus, -a, -um *full*
ferus, -a, -um *fierce, wild*	reliquus, -a, -um *remaining, rest of*
fēstus, -a, -um *festive*	singulī, -ae, -a *one at a time*
medius, -a, -um *middle (of)*	tener, tenera, tenerum *tender*

The third conjugation verbs in this lesson all form their perfects by reduplicating—that is, they prefix the initial consonant plus a vowel, usually *e*. In compound verbs (except for *-dere*) the reduplication falls out: *occidere – occidī, attingere – attigī.*

cadere – cecidī	currere – cucurrī	fallere – fefellī
caedere – cecīdī	-dere – didī	tangere – tetigī
canere – cecinī		

We can use the neuter adjective as a noun or adjective in English, as MEDIUM. A MAGNUM is a big bottle, a big bone, or a big gun. A home remedy is called a NOSTRUM. The "sacred bone" is the SACRUM, which you may know better in the longer word SACROILIAC. In physics, a QUANTUM is an amount of energy. A PLENUM is a fullness, either of air or of people, depending on the usage. A variety of hard wheat is called DURUM. What is a SANCTUM? Have you seen the English phrase SANCTUM SANCTORUM? There are the nouns VACUUM and MODICUM, and the superlatives MAXIMUM, MINIMUM, and OPTIMUM are used as nouns or adjectives. What does the English phrase SUMMUM BONUM mean? There is even one third declension neuter, SIMILE, which becomes an English noun.

Remaining derived words:

dexteritās	ferīnus	medietās
dūrāre *make hard, last*	fēstīvus	plēnitās

dūrēscere	fēstīvitās	singulāris
singulārius	teneritās	tenerēscere

Relate *plēnus* to *plēre* and *reliquus* to *relinquere*, compound of *linquere*. The verb MEDIATE and the adjectives IMMEDIATE and INTERMEDIATE come from the rare Latin denominative *mediāre*. A Latin prefix that works well in compounds is *amb-* meaning "around" and *ambi-* meaning "both." Latin *ambigere* (from *agere*) gave *ambiguus* and the English derivative AMBIGUOUS. A person is AMBIDEXTROUS if he has "both hands right hands." *Ambīre* "go around" gives AMBIENT, or CIRCUMAMBIENT with two prefixes. A person who "went around" for votes had a good supply of *ambitiō*. And while we are on politics, a campaigner had to be sure his toga was freshly cleaned and pressed; therefore he was *candidātus* "dressed in white."

A

To this point you have officially had 75 adjectives in your vocabularies. The *derived* adjectives number over 300. The exercises in this and the next lesson will be an attempt to use a few of the many adjectives you should know.

I

1. Mōns est altus.
2. Sīdus est candidum.
3. Hospes est nōtus.
4. Avis est fōrmōsa.
5. Bellum est perīculōsum.
6. Cōnsilium est inīquum.
7. Perīculum est mortāle.
8. Versūs sunt memorābilēs.
9. Mōtūs sunt rapidī.
10. Uxōrēs sunt mūtābilēs.
11. Capita sunt cōnspicua.
12. Agrī sunt tūtī.
13. Cornua sunt longa.
14. Sīdera sunt aurea.

II

1. Ventum fortem audit.
2. Turbam violentam audit.
3. Precem miserābilem audit.
4. Frūctūs mīrābilēs videt.
5. Lūmina nūlla videt.
6. Flōrēs fragilēs videt.
7. Aquam dulcem portat.
8. Librum ūtilem portat.
9. Vestem mollem portat.
10. Manūs alterās dūcit.
11. Exercitūs nostrōs dūcit.
12. Puerōs nesciōs dūcit.

III

1. In poenā levī fuit.
2. In ignī horridō fuit.
3. In frīgore hostīlī fuit.
4. In parte dextrā fuit.
5. In locō stābilī fuit.

6. Cum comitibus dīversīs eunt.
7. Cum iuvenibus numerōsīs eunt.
8. Cum coniugibus aliīs eunt.
9. Cum sorōribus inertibus eunt.
10. Cum senibus innocentibus eunt.

B

1. Per ferōs hostēs cucurrē-runt.
2. In mediō marī ventīs crē-didērunt.
3. Reddidērunt corpora singula ad sepulcra.
4. Reliquī carmina populāria cecinērunt.
5. Singulī summum tēctum teti-gērunt.
6. Nostrōs sociōs ūnā nocte fefellit.

7. Ē dextrā manū sacra simulā-cra cecidērunt.
8. Fēstīs diēbus templa sunt plēna cīvium.
9. Nostrī multōs hostēs in dūrō bellō cecīdērunt.
10. Tenerae avēs in medium caelum nōn volāvērunt.
11. Rūsticī agricolae sunt ferī et dūrī.
12. Tenerās fīliās in perī-culum dūrum īre nōn sīvit.

C

1. Urna vīnī plēna cecidit dē patris manibus.
2. Scīvērunt aurum esse dūrum et pretiōsum.
3. Reliquīs deābus cōnsecrā-vērunt dōna fēsta.
4. Reliquās persōnās in mediā urbe vīdērunt.

5. Fēstīvum convīvium tōtam noctem celebrāvērunt.
6. Nostra sacra in manū tenēns, custōdēs fefellit.
7. Quālēs frūctūs in mediā Ītaliā vīdērunt?
8. Malā mente templa plēna statuārum dēsecrāvit.

The Princess Nausicaä

Alia tempestās, ob īram Neptūnī coorta, in mediō marī nāvem Ulixis dēstrūxit. Multōs diēs nāns (*swimming*), Ulixēs ad īnsulam (*island*) prope mortem pervēnit. Nausicaa, fīlia rēgis, vestēs lavāre (*wash*) voluit, et servās ad lītus (*shore*) maris dūxit. Vestibus lavātīs, virginēs fēstō modō in lītore lūsērunt. Ulixēs, ē somnō excitātus, vōcēs audīvit et dē arboribus appāruit. Servae ferum hominem timuērunt, sed (*but*) Nausicaa interrita Ulixem interrogāvit. Dē dūrīs labōribus didicit, et pauperem ad palātium dūxit. Rēgī et rēgīnae, parentibus Nausicaae, Ulixēs tōtam fābulam dē errātiōne nārrāvit. Misericordiae plēnī, Ulixī nāvēs et comitēs dedērunt. Post plūrimōs annōs et labōrēs Ulixēs ad Ithacam vēnit.

Lesson XLIX
ADJECTIVES—FINALE

cēterī, -ae, -a *the other*

mīlle (indeclinable)
   thousand

necesse (indeclinable)
   necessary

omnis, -e *all, every*

potēns, potentis *powerful*

sapiēns, sapientis *wise*

trīstis, -e *sad*

vetus, veteris *old*

vigil, vigilis *awake, watchful*

Most of the third conjugation verbs in this lesson lengthen or change their stem vowel in some way, but *ostendere* and *vertere* show the same stem in the perfect as they do in the present. Thus, the third singular present and perfect forms of these two verbs are identical.

fugere – fūgī	agere – ēgī	ostendere – ostendī
legere – lēgī	frangere – frēgī	vertere – vertī
vincere – vīcī		

The word *mīlle* is peculiar. If it refers to one thousand, it is an indeclinable adjective: *mīlle mīlitēs* "a thousand soldiers." If it refers to more than one thousand, it is an *i*-stem neuter plural noun followed by a genitive: *duo mīlia mīlitum* "two thousand soldiers."

One final suffix, *-itia*, makes a noun from an adjective. Here are some *-itia* nouns from adjectives you know:

trīstitia	cāritia	nōtitia
amīcitia	malitia	mollitia
inimīcitia	iūstitia	pueritia *boyhood*
dūritia	pudicitia	

Sometimes this suffix appears in English as -ice, e.g., MALICE, JUSTICE, sometimes, under French influence, as -ess, e.g., DURESS, CARESS. There is even an English word TRISTESSE. Note how many other noun and adjective forming suffixes we can use here:

potentia	necessitās	necessitūdō	necessārius
sapientia	vetustās		veterānus
vigilia			veterīnus
vigilantia			vetulus

Denominative verbs include *tristārī* and *vigilāre*. English POTENTATE comes from a nonexistent denominative. Did you realize that BUS comes from *omnis*? The dative plural is *omnibus*, so that a BUS is something "for everybody." What do OMNISCIENT, OMNIPRESENT, and OMNIPOTENT mean? Take the stem of *vetus*, add the *-īnus* suffix, then the *-ārius* suffix, and finally the *-ānus* suffix, and see what you get! Evidently a VETERI-NARIAN originally dealt with old, worn-out horses. An English phrase from this vocabulary is ET CETERA.

A

Again, we are reviewing some adjectives. Note carefully the agreement in each sentence:

I

1. Imperātor est dignus.
2. Parēns est lacrimōsus.
3. Pugna est fera.
4. Rēx est potēns.
5. Caela sunt lūminōsa.
6. Ōrdinēs sunt rēctī.
7. Flūmina sunt ignōta.
8. Comitēs sunt sapientēs.

9. Mōrī rēgālī invidet.
10. Coniugī dignō invidet.
11. Ingeniō fidēlī invidet.
12. Puerō validō invidet.
13. Virginibus nōbilibus crēdidit.
14. Marītīs audācibus crēdidit.
15. Cīvibus vērācibus crēdidit.
16. Sociīs absentibus crēdidit.

II

1. Est mūnus bellicōsae gentis.
2. Est honor opulentī hominis.
3. Est pulchritūdō grātae domūs.
4. Est somnus virī iūstī.
5. Est pars operis bellicī.
6. Sunt ducēs mīlle mīlitum.
7. Sunt labōrēs omnium ser-vōrum.
8. Sunt laudēs flōridōrum agrōrum.

9. Sunt verba honestōrum ōrātōrum.
10. In positiōne admīrābilī est.
11. In silvā tacitā est.
12. In agrō lātō est.
13. Cum frātribus indignīs sunt.
14. Cum uxōribus pauperibus sunt.
15. Cum deīs falsīs sunt.
16. Cum gentibus montānīs sunt.

B

1. Tria mīlia pedum cadēns, pedem frēgit.
2. Homō sapiēns cor proprium vīcit.
3. Cētera carmina trīstia lēgit.
4. Veterēs mīlitēs potentī ducī sapienter crēdidērunt.
5. In omnibus locīs omnia mūtantur.
6. Mīlle caesīs, cēterī trīstēs fūgērunt.
7. Ā pueritiā sciunt sapientēs Latīnam linguam.
8. Prīncipī vigilī necesse est cum dūritiā vīvere.
9. Omnēs convertērunt oculōs ad veterem imperātōrem.
10. Necessitās est māter inventiōnis.
11. Necesse est potentem esse vigilem.
12. Verbum sapientī sat est.
13. Labor omnia vincit!

C

1. Omnia timēns, iūstitiam spērāvit.
2. Omnēs librōs comitī veterī ostendērunt.
3. Sapientī nūlla rēs est trīstis.
4. Veterānus custōs ob vigiliam dōnum accēpit.
5. Exeunt omnēs.
6. Cum sapientiā vigilāns, potēns omnem trīstitiam ēvāsit.
7. Magnā cum iūstitiā cōnsul vetus cīvēs iūdicāvit.
8. Patī necesse est multa mortālēs mala.
9. Gallia est omnis dīvīsa in partēs trēs.

Homecoming and Happy Ending

Dea Minerva speciem Ulixis sapienter mūtāvit. Vestēs veterēs et pauperēs gerēns, Ulixēs fōrmam trīstis senis ostendit. Duo sōlī, filius Telemachus et fidēlis servus, Ulixem cognōvērunt. Omnibus cēterīs ignōtus ad palātium īvit. Pēnelopē, ā nōbilibus Ithacae in mātrimōnium petīta, experīmentum prōposuit: "Homō quī (*who*) arcum (*bow*) Ulixis tendere valet mē uxōrem habēre potest." Singulī arcum petīvērunt, sed (*but*) tendere nōn potuērunt. Ulixēs arcum quaesīvit. Omnēs rīsērunt, sed Ulixēs arcum facile tetendit. Telemachus et servus, celeriter currentēs, ianuās (*doors*) clausērunt. Arcum contrā iuvenēs impotentēs Ulixēs vertit et omnēs occīdit. Ā Pēnelopā cognitus, vītam in pāce fīnīvit.

Lesson L

REVIEW

NOUN DECLENSIONS

Singular

	II		III	
Nom.	modus	iugum	arbor	caput
Acc.	modum	iugum	arborem	caput
Abl.	modō	iugō	arbore	capite
Dat.	modō	iugō	arborī	capitī
Gen.	modī	iugī	arboris	capitis

Plural

Nom.	modī	iuga	arborēs	capita
Acc.	modōs	iuga	arborēs	capita
Abl.	modīs	iugīs	arboribus	capitibus
Dat.	modīs	iugīs	arboribus	capitibus
Gen.	modōrum	iugōrum	arborum	capitum

Singular

	III *i*-stem		IV	V
Nom.	nāvis	mare	manus	diēs
Acc.	nāvem (im)	mare	manum	diem
Abl.	nāve (ī)	marī	manū	diē
Dat.	nāvī	marī	manuī	diēī
Gen.	nāvis	maris	manūs	diēī

Plural

Nom.	nāvēs	maria	manūs	diēs
Acc.	nāvēs (īs)	maria	manūs	diēs
Abl.	nāvibus	maribus	manibus	diēbus
Dat.	nāvibus	maribus	manibus	diēbus
Gen.	nāvium	marium	manuum	diērum

Give the immediate and the original Latin source of the italicized derivatives:

1. an important *colloquy*
2. a *sanguinary* conflict
3. a *lucid* explanation
4. *funereal* attire
5. *renovate* the house
6. *malice* aforethought
7. an *urbane* speaker
8. the *vernal* equinox
9. a friendly *caress*
10. *subterranean* vaults
11. *festivity* of mood
12. a *modicum* of sense
13. managed an *aviary*
14. a prize *specimen*
15. *duration* of the war
16. *devious* tactics
17. *probability* of error
18. a *quiescent* state
19. of a *secular* nature
20. pursued by *vigilantes*
21. *illuminate* the scene
22. the *corpulent* lady

Included in each of the next series of lessons will be a paragraph on the Latin prefixes and English derivatives as aids to fixing Latin vocabulary in your minds. These are very important to your understanding of Latin and English. Also included in some of the lessons will be paragraphs on the modern application of Latin in various forms. In view of the fact that Latin continues to shed light and sparks, this department will be titled "The Roman Candle." These paragraphs are principally employed for their interest value, but you will find that we have a number of Latin derivatives in English through the Romance languages. Use both types of paragraphs as vocabulary review; that is, be sure you know the basic Latin word involved in every example. The first paragraph in each category is in this lesson.

THE PREFIX *AD-*

Ad- in compounds generally means "to," "toward," or "near." Here are some illustrations:

accēdere   *approach*
accidere   *fall to, happen*
accipere   *take to, receive*
acquīrere   *add to, acquire*
addūcere   *lead to, influence*
adhibēre   *hold to, apply*
adiacēre   *lie next to*

adicere   *put to, add*
admittere   *let go to, admit*
advertere   *turn to, notice*
afficere   *do to, affect*
assentīre   *agree*
assistere   *stand near, aid*
attendere   *turn to, attend*

These other examples should be easy: *addere, adīre, adiungere, advenīre, advocāre, afferre, aggredī, appōnere, assignāre, assimilāre, attingere.*
In the following examples, *ad-* has simply the intensive meaning.

accelerāre	adiuvāre	adorīrī	aspicere
accendere	admīrārī	approbāre	assūmere
acclāmāre	admonēre	ascendere	assurgere

Give as many English derivatives as you can from these compounds.

THE ROMAN CANDLE

Once you have studied Latin, learning Spanish would be extremely easy. You already know several hundred Spanish words. For example, of the first 16 nouns you learned, 14 appear in Spanish unchanged (except for the ending). The following list of Spanish words was compiled mainly from your earliest vocabularies. Tell what each means:

via	ministro	amor	solo	negar
forma	signo	mundo	breve	deber
causa	templo	vino	grave	haber
fama	labor	vario	símil	mover
cura	consul	mísero	par	tener
fortuna	honor	humano	errar	sentir
ira	arte	público	rogar	venir
gloria	parte	puro	dar	poner

Lesson LI

PERSONAL AND REFLEXIVE PRONOUNS

ego *I*

meus, -a, -um *my*

sē *himself, herself, them-*
    selves

suus, -a, -um *his, her, their*

tū *you*

tuus, -a, -um *your* (one person)

vester, vestra, vestrum *your*
        (more than one person)

Ego and *tū* are the personal pronouns of the first and second persons. Their declensions are irregular and must be learned almost as vocabulary. The reflexive pronoun *sē* has a fairly simple declension.

	Sing.	*Pl.*	*Sing.*	*Pl.*	*Sing. and Pl.*
Nom.	ego	nōs	tū	vōs	—
Acc.	mē	nōs	tē	vōs	sē
Abl.	mē	nōbīs	tē	vōbīs	sē
Dat.	mihi	nōbīs	tibi	vōbīs	sibi
Gen.	meī	nostrum	tuī	vestrum	suī

The nominatives of the personal pronouns are not often used and will be avoided for the time being (at least until you are given the first and second persons of the verb).

The reflexive pronoun refers to the subject. For the first and second persons, the reflexive is identical with the personal pronoun. Examples: *mē vīdit* "he saw me," *mē vīdī* "I saw myself." For the third person, the special pronoun *sē* is used. Note that there are no separate plural forms, but this lack will not cause you any problem. As the reflexive always refers to the subject, let the subject tell you the meaning of the pronoun. Examples: *sē vulnerāvit* "he wounded himself," *sē vulnerāvērunt* "they wounded themselves."

You are also given here the possessive adjectives. Notice that they are all formed from the genitive of the personal pronoun. All these adjectives are regularly declined and agree with the nouns which they modify.

We use the word EGO in English and also several compounds, such as EGOISTIC, EGOTISTIC, EGOCENTRIC, and EGOMANIAC. Some of these are from Greek, but the Greek pronoun is the same as the Latin. The form *suī* combines with *caedere* for SUICIDE and is used in the phrase SUI GENERIS, meaning "in a class by oneself," "unique."

THE PREFIX *INTER-*

The prefix *inter-* regularly means "between" or "among" as in the following examples:

Latin	*Meaning*	*Derivative*
intellegere	*see through, understand*	intelligent
intercēdere	*go between*	intercede
intercipere	*catch in the middle, cut off*	intercept
interesse	*be between, be different*	interest
intericere	*put between*	interject
interpōnere	*place between*	interpose
interrēgnum	*period between reigns*	interregnum
interrogāre	*question*	interrogate
interrumpere	*break between, interrupt*	interrupt
intervenīre	*come between, interrupt*	intervene

But *inter-* sometimes has the meaning of "to the end," or even "to death," as in these verbs:

interdīcere	*prohibit, forbid*	interdiction
intermittere	*cease, pause*	intermittent, intermission
intercidere	*fall, perish*	
interīre	*die*	
interficere	*kill*	
interimere	*kill*	

A

Read these sentences first as they are. Then for the forms of *ego* substitute the proper forms of *tū*, then the plural forms of both *ego* and *tū*. Note that some of the *inter-* compounds may take a dative.

1. Mē intercēpērunt.
2. Mihi nocēns, interimitur.
3. Ā mē interficitur.
4. Nūllī mē intellegunt.
5. Omnēs mihi interveniunt.

6. Ā mē interrumpitur.
7. Mē breviter interrogāvit.
8. Mihi interdīxit īre.
9. Prō mē intercessit.
10. Sciunt mē interīre.

B

1. Meus pater tē addūxit.
2. Magister tuus mē docuit.
3. Nōbīs serviunt omnēs.
4. Dē tē nihil agnōvit.
5. Tua māter est similis mihi.
6. Vestra domus nōbīs aperītur.
7. In perīculō sapiēns sē servāvit.
8. Meus ager ā tuīs servīs colitur.

9. Dīxērunt sē ad urbem prīmā lūce accēdere.
10. Mihi licet cum meō dominō adesse.
11. Mē accēpit in suam patriam.
12. Vōbīs nūntiāvit sē vincī nōn posse.
13. Tē advocat vōx populī ad mūnus tuum.
14. Sē et omnēs suās rēs attulērunt.

C

1. Candidātus in suā urbe nōn est nōtus.
2. Suā manū urbem statuīs replēvit.
3. Meus amīcus est alter ego.
4. Tuum carmen mihi magnopere placet.

5. Nōbīs aspectīs, tuus servus arma arripuit et sē interfēcit.
6. Rēge Romulō mortuō, interrēgnum est.
7. Laudat, amat, cantat nostrōs mea Rōma libellōs.

8. Tantum (*as much*) magna suō dēbet Vērōna Catullō quantum (*as*) parva suō Mantua Vergiliō.

Note: Verona was the birthplace of the poet Catullus. Mantua was near the birthplace of Vergil.

The Journey of Aeneas

Aenēās et comitēs, Trōiam relinquentēs, prīmō ad Crētam nāvigāvērunt. Putantēs sē hīc (*here*) manēre dēbēre, domūs cōnstrūxērunt et agrōs coluērunt. Post annum vēnit pestilentia maxima, et Trōiānī ad aliam terram prōgredī dēcrēvērunt. In Siciliā Scyllam et Charybdim horruērunt. In terrā Cyclōpis pauperem hominem vīdērunt. Homō dīxit, "Ulixēs mē hīc relīquit, et Cyclōps mihi nocēre vult." Homine salvātō, Polyphēmum exclāmantem audientēs, territī fūgērunt. Mare Mediter-rāneum intrāvērunt, ad Ītaliam īre parantēs. Dea Iūnō, ob iūdicium Paridis īrāta, tempestātem mīsit. Multīs nāvibus dēstrūctīs, cēterās ad Āfricam ventus ēgit.

DEMONSTRATIVE PRONOUNS

hic, haec, hoc *this*   is, ea, id *this, that*
ille, illa, illud *that*

All the other pronouns you will have are declined in general like first and second declension adjectives, but with the following exceptions: the dative singular (all genders) ends in *-ī* or *-i*, the genitive singular (all genders) ends in *-īus* or *-ius*, and the nominative and accusative singular neuter forms usually end in *-d*. Declensions of *hic, ille,* and *is*:

Singular

	M	F	N	M	F	N
Nom.	hic	haec	hoc	ille	illa	illud
Acc.	hunc	hanc	hoc	illum	illam	illud
Abl.	hōc	hāc	hōc	illō	illā	illō
Dat.	huic	huic	huic	illī	illī	illī
Gen.	huius	huius	huius	illīus	illīus	illīus

	M	F	N	
Nom.	is	ea	id	Plurals hī, hae, haec
Acc.	eum	eam	id	illī, illae, illa
Abl.	eō	eā	eō	eī, eae, ea
Dat.	eī	eī	eī	etc.
Gen.	eius	eius	eius	

The plurals of these pronouns are all declined like the plural of *bonus*, with the exception that *hic* has in its nominative and accusative plural neuter the form *haec*.

Just as any adjective can be used as a noun, so the demonstrative pronouns can be used without a noun to modify. Example: *hunc puerum* "this boy," but *hunc* "this man" or "him." Similarly, *illum* and *eum* can also mean "him." When two persons have been mentioned, *hic* refers to the latter and *ille* to the former.

THE PREFIX *OB-*

The prefix *ob-* can have meanings ranging all the way from "to meet" to "against" to "in the way" to "to destruction." For example, *occurrere* may mean "to meet" in a good sense, although it is also used of "meeting" the enemy, "opposing." *Obstruere* means "pile in the way," in other words, "block." And finally, *obīre* is one of the many Latin words for "die." Notice that one or more of these meanings will apply to all the words listed below.

obicere	*set against*	occidere	*fall, die, set*
oblitterāre	*blot out*	occīdere	*kill*
obsequī	*submit to*	operīre	*cover*
obsidēre	*besiege*	oppōnere	*set against, oppose*
obstāre	*stand against*	opprimere	*press against, check*
obvius	*meeting, against*	oppugnāre	*attack*

English derivatives: OBITUARY, OBJECT, OBLITERATE, OBSEQUIOUS, OB-SESSION, OBSTACLE, OBSTRUCT, OBVIATE, OBVIOUS, OCCIDENT, OCCUR, OPPONENT, OPPRESS, OPPUGN.

A

Read these sentences using various forms of *hic*. Then reread them, substituting first the correct forms of *ille* and then those of *is*:

1. Hanc urbem obsident.
2. Hic vir occīditur.
3. Huic fortūnae pārent.
4. Est liber huius fēminae.
5. Hī hominēs currunt.
6. Hōc modō occidit.
7. Haec perīcula scit.
8. In hīs arboribus vīvunt.

B

1. Est facile hoc addere.
2. Eōrum magnitūdinem mīrātur.
3. Illa castra hōc modō posuērunt.
4. Hoc saeculum sine perīculō vīxit.
5. Illum ducem sequentēs, nōn moriuntur.
6. Eōs dē ferīs animālibus monuit.
7. Huic magistrō omnēs crēdidērunt.
8. Illōs poenam patī sēnsit.
9. Timōre adductus, eī fatētur sē fugere velle.
10. Urbe obsessā, arma nova eīs dantur.

11. Abundantia hārum rērum cum eīs advēnit.

12. Eius ēloquentia illīs est grāta.

13. Trāns hōs agrōs cucurrit.

14. Montem oppugnāns, hostī obvius prōcēdit.

C

1. Ille mōns ab hōc scrīptōre laudātur.

2. Sine hōc aurō nōn potest Rōmam adīre.

3. Ille vir vās hoc cum difficultāte fert.

4. Fīlius nōn vult mātrī suae obsequī.

5. Obiecta arma hōrum Gallōrum frēgērunt.

6. Somnō oppressus, impetum illum nōn vīdit.

7. In opertō vehiculō aggreditur.

8. Sōlis occāsū ascendērunt in nāviculam.

Queen Dido

Aenēās, virīs dē nāvibus frāctīs collēctīs, terram dēsertam illam spectāvit. Dea Venus, māter eius, eī viam ad urbem ostendit. Dīdō, rēgīna huius urbis, Trōiānōs multā cum misericordiā accēpit. Magnum convīvium fēcit, et post convīvium Aenēās multīs cum lacrimīs dē excidiō Trōiae nārrāvit. Dīdō, ignēs amōris sentiēns, hospitem Trōiānum in suā urbe retinēre voluit. Deī Aenēae dīxērunt eum ad Ītaliam prōgredī dēbēre. Nāvibus parātīs, iter facere sine morā cōnstituit. Dīdō, hīs vīsīs, pyram maximam cōnstrūxit. Pyram ascendēns, sē incendit. Aenēās, portum relinquēns, ignem vidēre potuit, sed (*but*) nōn scīvit Dīdōnem mortuam esse.

THE ROMAN CANDLE

Latin short *o*, when accented, became Spanish *ue*, and Latin short *e* or *ae*, when accented, became Spanish *ie*. What do these Spanish words mean?

tierra	cielo	bueno	cuerpo
bien	tiempo	nuevo	pueblo (populus)

If the *e* or *o* is not accented, no change takes place, as in *benigno*, *bondad*, derivatives from *bene* and *bonitās*. This principle explains Spanish "radical changing verbs," where the vowels change in conjunction with the verb accent, e.g., *pierdo* "I lose," *perdemos* "we lose," *cuento* "I count," *contamos* "we count."

OTHER PRONOUNS

īdem, eadem, idem *same*
iste, ista, istud *that of yours*

ipse, ipsa, ipsum *himself, herself, very*

Singular

	M	F	N	M	F	N
Nom.	īdem	eadem	idem	iste	ista	istud
Acc.	eundem	eandem	idem	istum	istam	istud
Abl.	eōdem	eādem	eōdem	istō	istā	istō
Dat.	eīdem	eīdem	eīdem	istī	istī	istī
Gen.	eiusdem	eiusdem	eiusdem	istīus	istīus	istīus

	M	F	N	
Nom.	ipse	ipsa	ipsum	Plurals eīdem, eaedem, eadem
Acc.	ipsum	ipsam	ipsum	istī, istae, ista
Abl.	ipsō	ipsā	ipsō	ipsī, ipsae, ipsa
Dat.	ipsī	ipsī	ipsī	etc.
Gen.	ipsīus	ipsīus	ipsīus	

The declension of *īdem* is that of *is* plus *-dem*. In the accusative singular *eumdem* and *eamdem* became *eundem* and *eandem*, for obvious reasons. Likewise, you will find that the genitive plurals are *eōrundem* and *eārundem*. The remaining plural forms of these pronouns are regular.

Note the fine distinctions Latin can make with pronouns: *hic liber* "this book in my hand or near me," *iste liber* "that book in your hand or near you," *ille liber* "that book not near either of us."

Distinguish carefully between *ipse*, the intensive pronoun, and *sē*, the reflexive pronoun. *Ipse* always modifies a noun or pronoun, e.g., *virum ipsum* "the man himself" or "the very man." It may modify the understood subject of a verb, as *ipse dīxit* "he himself said."

THE PREFIX *SUB-*

Sub- as a prefix usually has the meaning "under" or "from under."

But if something goes "from under" it also goes "up," a meaning *sub-* can have. Related to this are two other meanings of *sub-*, "to aid" and "in place of." Still another meaning of *sub-* is "secretly," "stealthily." Several ideas can be found for a single verb, as *submittere*, which means "send under," "send up," "send secretly," and "substitute." Here are the verbs in which *sub-* carries its normal meaning:

subdūcere *draw from under,*
    withdraw
subiacēre *lie under*
subicere *subject to*
subīre *go under, undergo*
subiugāre *subject*
subiungere *join under*

subtrahere *draw from under,*
    withdraw
subvertere *undermine*
succendere *kindle from under*
suffundere *pour under, suffuse*
supprimere *press down*
suscipere *undertake*

Derivatives: SUBJECT, SUBJUGATE, SUBJUNCTIVE, SUBMIT, SUBTRACT, SUBTRAHEND, SUBVERSION, SUFFUSE, SUPPRESS, SUSCEPTIBLE. From the vocabulary, we have IDENTICAL and IDENTIFY from *īdem*, and we use the phrases IPSE DIXIT and IPSISSIMA VERBA.

A

Replace the form of *ipse* in each sentence with the proper form of *hic, ille,* and *īdem*:

1. Perīculum ipsum subeunt.
2. In umbrā ipsā iacent.
3. Est castellum rēgis ipsīus.
4. Fortūnae ipsī subiciuntur.

5. Sorōrum ipsārum est māter.
6. Opera ipsa suscēpērunt.
7. Virginibus ipsīs dant salūtem.
8. Vīribus ipsīs sustinentur.

B

1. Ipse dīxit nōs dēbēre convenīre.
2. Ipsō factō rēs probātur.
3. Eīsdem causīs vīvere volunt.
4. Deōs ipsōs audet monēre.
5. Eōdem annō hī duo nāscuntur.
6. Iste frāter dē nostrā cīvitāte queritur.

7. Putat eandem bene labōrāre.
8. Ista īra tē dēstrūxit.
9. Eadem mors trēs abstulit.
10. Undae eōrundem marium sunt pessimae.
11. Cum eādem facilitāte omnēs discunt Latīnam linguam.
12. Equitēs reliquī ā dextrō cornū subtrahuntur.

C

1. Ista vestis nōn est ēlegāns.
2. Hic color est multō pulchrior illō.
3. Ista soror suum ingenium ostendit.
4. Audentēs deus ipse iuvat.

5. Eōdem tempore Caesar ipse opus neglegit.
6. Timōre suppressō, mīlitēs opus melius suscipiunt.
7. Peior est bellō timor ipse bellī.

The Sibyl and the Lower World

Aenēās ad Ītaliam pervēnit. In cavernā prope mare Sibylla vīxit. Haec dea futūrās rēs praedīcere potuit. Aenēās patrem mortuum suum in terrā īnfernā vidēre voluit, et Sibylla iuvāre prōmīsit. Dē terrōribus rēgnī īnfernī monuit. Aenēās flūmen Styga (*Styx*) trānsīvit. In Tartarō, parte poenae dēdicātā, Aenēās plūrimōs pauperēs poenās pendentēs vīdit. Tantalus, in flūmine stāns, aquam fugientem bibere nōn potuit. Frūctūs super caput pendentēs (*hanging*) edere nōn potuit. Ixīon, in rotā (*wheel*) ligātus (*tied*), tormentum sēnsit. Sīsyphus saxum (*stone*) ad summum montem continuē volvit. Labōre paene (*almost*) cōnfectō, saxum, ē manibus lāpsum, ad īmum montem cecidit. Danaides (*the daughters of Danaus*) aquam in urnīs perforātīs portāvērunt.

THE ROMAN CANDLE

Latin initial *f* gives Spanish *h*. A few examples:

Latin	Spanish
Latin	*Spanish*
facere	hacer
fīlius	hijo
fōrmōsus	hermoso
fugere	huir
fēmina	hembra
faciēs *appearance*	haz
ferrum *iron*	hierro

Latin *fābulārī* (from *fābula* from *fārī*) became the regular Spanish verb "to speak," *hablar.*

Latin *li* gives Spanish *j*, as in *hijo.* Two other examples: *mejor* "better," *consejo* "advice." Latin *mulier* "woman" gives Spanish *mujer* and *folium* "leaf" gives Spanish *hoja.*

182

INTERROGATIVE AND RELATIVE PRONOUNS

nisi *if not, unless, except*
quī, quae, quod *who, which,*
    that (relative)

quis, quid *who, what*
    (interrogative)
sī *if*

Singular

	M	F	N	M-F	N
Nom.	quī	quae	quod	quis	quid
Acc.	quem	quam	quod	quem	quid
Abl.	quō	quā	quō	quō	quō
Dat.	cui	cui	cui	cui	cui
Gen.	cuius	cuius	cuius	cuius	cuius

Plural

	M	F	N
Nom.	quī	quae	quae
Acc.	quōs	quās	quae
Abl.	quibus	quibus	quibus
Dat.	quibus	quibus	quibus
Gen.	quōrum	quārum	quōrum

The plural declensions of *quī* and *quis* are exactly the same. Note the unusual nominative plural neuter *quae*. Remember that *hic* also was irregular here. In both Latin pronouns which exhibit this oddity, the form is the same as that for the nominative singular feminine (*haec, quae*).

The interrogative *quis* is used in asking a question. Its case depends on the usage in the sentence, as *cuius* "whose," *cui* "to whom," *ā quō* "by whom." The relative *quī* agrees with its antecedent in gender and number, but its case depends on its use in the relative clause. Sometimes *quī* is equal to antecedent and relative combined, "he who" or "those who." The interrogative *adjective* normally has the same forms as the relative *pronoun*: *quī liber* "which book," *quae fēmina* "what woman." Note: if the interrogative pronoun comes after *sī* or *nisi*, it means "any." Some examples: *sī quis* "if anyone," *sī quid* "if anything," *nisi quis* "unless anyone" or "if no one."

SUB- CONTINUED

Here are the compounds of *sub-* illustrating the other meanings:

subsequī	*follow closely*	suggerere	*add, furnish*
subsidium	*aid*	supplēre	*fill up*
substituere	*substitute*	suppōnere	*set under, substitute*
subvenīre	*come to help*	suscitāre	*rouse*
succēdere	*go up, succeed*	suspicere	*suspect*
succurrere	*run to help*	sustinēre	*hold up*
sufficere	*suffice, substitute*		

English derivatives: RESUSCITATE, SUBSEQUENT, SUBSIDIARY, SUBSTITUTE, SUBVENTION, SUCCEED, SUCCOR, SUFFICE, SUGGEST, SUPPLEMENT, SUPPOSITION, SUSPICION, SUSTAIN.

A

I. To these Latin questions, give an answer first with the proper form of *hic vir*, then the form of *ista soror*:

1. Quis est fortis?
2. Cui sucurrunt?
3. Cuius vōx est?
4. Quem subsequuntur?
5. Ā quō vocātur?
6. Quī dēbent īre?
7. Quōrum aurum est?
8. Quibus dant subsidium?
9. Ā quibus sustinentur?
10. Quōs suscitant?

II. Now ask the question by substituting a form of *quis* for the italicized words:

1. *Bellum* est perīculōsum.
2. *Hoc rēgnum* amat.
3. *Eīdem partī* nocent.
4. Dē *monte* loquitur.
5. *Illae fēminae* subveniunt.
6. Est dux *eōrundem*.
7. *Eīs* dant vīnum.
8. *Illōs patrēs* petit.

184

B

1. Vir cui crēdit omnis est
   admīrābilis.
2. Sī quis mihi nocet, est
   inimīcus.
3. Is quī eam videt eam amat.
4. Cuius liber est hic?
5. Rēs quae faciendae sunt
   scit.
6. Dē mortuīs nīl nisi bonum
   loquitur.

7. Quem in monte stantem
   vīdērunt?
8. Quis custōdit custōdēs ipsōs?
9. Cui licet dōna accipere?
10. Vir quī docet mē est bonus
    magister.
11. Quis nōn potest Latīnam
    linguam discere?
12. Quī in urbe manet ignēs
    nōn timet.
13. Sī quid vult, id obtinet.

C

1. Hominēs crēdunt id quod
   volunt.
2. Speculum, speculum in mūrō,
   quis est pulcherrima omnium?
3. Omne quod dulce est citō
   satiat.

4. Malum est cōnsilium quod
   mūtārī nōn potest.
5. Cui dōnat pulchrum novum
   libellum?
6. Nōn suffēcērunt in pugnā
   vīrēs mīlitibus.

7. Thāis habet nigrōs, niveōs (*white*) Laecānia dentēs (*teeth*).
   Quae ratiō est? Ēmptōs haec habet, illa suōs.

The Elysian Fields

Aenēas per campōs lāmentātiōnis īvit. In hīs campīs manent eī quī ob
amōrem moriuntur. Dīdō Aenēae obvia (*to meet*) vēnit. Aenēas recon-
ciliātiōnem quaesīvit, sed (*but*) Dīdō īram suam retinuit. Aenēas cum
trīstitiā eam relīquit. Ad campōs Ēlysiōs īvit. In illīs campīs sunt eī
quī beātī moriuntur. Anchīsēs, pater Aenēae, nātum vīdit et ad eum
accurrit. Cum fīliō fēlīciter loquēns, Anchīsēs eī multa nārrāvit dē futūrā
glōriā et magnificentiā Rōmae. Rēgēs Rōmānōs dēscrīpsit, bella Rōmāna
praedīxit, et duōs Caesarēs, Iūlium et Augustum, laudāvit. Aenēas, patre
relictō, ad terram superiōrem ascendit.

THE ROMAN CANDLE

Latin initial *cl*, *pl*, and *fl* often became Spanish *ll*. In Italian the *l* became *i*.

Latin	Spanish	Italian
clāmāre	llamar	chiamare
plēnus	lleno	pieno
plānus *level*	llano	piano
clāvis *key*	llave	chiave
clārus	(claro)	chiaro
flamma	llama	fiamma
flōs	(flor)	fiore

Lesson LV

COMPOUND PRONOUNS

quīdam, quaedam, quoddam
(quiddam) *a certain*
quisque, quaeque, quodque
(quidque) *each, every*

ūllus, -a, -um *any*
uterque, utraque, utrumque
each, both

The declension of *quīdam* is very much like that of *īdem*. Simply decline the relative pronoun and add to it the suffix *-dam*, changing *m* to *n* in the accusative singular masculine and feminine and in all the genitive plurals. The optional forms are listed for *quīdam* and *quisque* because these pronouns were also used as adjectives; the adjective tended to follow the declension of *quī* while the pronoun followed that of *quis*. There were other options not listed here; if you should run across a form different from these, you have one consolation: the Romans weren't too sure about the pronouns themselves!

Eight Latin adjectives which you have been given, *alius, alter, nūllus, sōlus, tōtus, ūnus, ūllus*, and *uterque* have a special declension. Their dative singular (all genders) ends in *-ī*, and their genitive singular (all genders) ends in *-īus*. This makes their declension very similar to that for the pronouns. Note: the genitive singular of *alius* does not occur; the genitive of *alter* is used instead. The declension of all these adjectives in the plural is completely regular, except for *ūnus*. Why do you suppose that *ūnus* does not conform?

Sometimes you will find *alius* and *alter* used twice in the same sentence. When this occurs, *alius ... alius* means "one ... another," *aliī ... aliī* means "some ... others," and similarly with *alter ... alter, alterī ... alterī*.

THE PREFIX *IN-*

The prefix *in-* almost always has a dependable meaning "in," "on," "into," or "against." Some Latin examples:

impedīre *impede*	ingerere *put in*
implēre *fill in, fill up*	inicere *throw in*
impōnere *put in, impose*	inīre *go into, enter*
imprimere *press into*	innāscī *be born in*
incendere *inflame*	īnsistere *stand on, press on*
incidere *fall into, happen*	īnstāre *stand on, press on*
īnferre *bring in, bring on*	īnstruere *heap on, instruct*
īnficere *dip into, dye*	invehere *carry in, attack*
īnfundere *pour into*	invenīre *come upon, find*

English derivatives: IMPEDE, IMPLEMENT, IMPOSITION, IMPRESS, INCEN-
DIARY, INCIDENT, INFER, INFECT, INFUSE, INGESTION, INITIAL, INJECT, INNATE,
INSIST, INSTANT, INSTRUMENT, INVEIGH, INVENT.

A

I. Combine the following verbs with the prefix *in-* and give a derivative for each:

claudere	gradī	scrībere
citāre	iungere	specere
currere	lūmināre	surgere
dūcere	pellere	vādere
fluere	quaerere	vocāre

II. Read these sentences, observing carefully the cases of the pronouns:

1. Eās urbēs incolunt hī senātōrēs.

2. Quis incendit illa corda
   hōc amōre?

3. In quō pectore inclūditur
   eadem īra?

4. Īdem sōl illūminat mē et
   tē.

5. Hī agricolae illum ipsum
   agrum ineunt.

6. Quīdam iter idem ingrediuntur.

7. Suā inertiā puer ille impedit sē.

8. In eā linguā īnstrūctus,
   quis hunc magistrum timet?

9. Meō vīnō implētus, ille
   vir mē oppugnat.

10. Cāsū eōdem quīdam in hanc
    poenam incidērunt.

11. Haec arbor flūmen ipsum
    umbrat.

12. Eādem cupiditāte impulsī,
    illī hoc aurum abstulērunt.

B

1. Faciunt id quod quisque vult.
2. Secundō quōque annō haec dea colitur.
3. Optimus quisque aurum dēspicit.
4. Uterque dīxit quōsdam querī parum.
5. Sine ūllā cūrā hic potēns vīvit.
6. In utrāque urbe cōnsul est potēns.

7. Quīdam ob meam fāmam īrā rumpitur.
8. Quaedam mīra in hāc silvā cernuntur.
9. Quaedam sīdera sunt clāriōra aliīs.
10. Utraque lacrimās fūdit.
11. Lingua Latīna est nūllī difficilis.
12. Aliī hoc faciunt, aliī illud faciunt.

C

1. "Suum cuique" est lēx nōn scrīpta.
2. Quandam arborem esse antīquissimam scit.
3. Sī quid rēctē prōnūntiat, putat sē bene loquī.
4. Negant ūllum hostem in Syriā esse.

5. Sine ūllō maleficiō iter per prōvinciam faciendum est.
6. In nūllā aliā cīvitāte lībertās ūllam domum habet.
7. Quīdam nōbilēs rēgem negligentem rapuērunt.
8. Maximus quisque dux ā cīvibus laudātur.

King Latinus

Rēx Latīnus prope situm Rōmae rēgnat. Lāvinia, fīlia eius, ā Turnō, rēge proximae cīvitātis, in mātrimōnium petitur. Latīnus ōrāculum rogat, "Quid faciendum est?" Ōrāculum respondet, "Tua fīlia hominī extrāneō danda est." Aenēās ad terram Latīnī advenit. Latīnus, putāns eum esse hominem incognitum, dīcit, "Tibi meam fīliam prōmittō" (*I promise*). Turnus, maximē īrātus, bellum contrā Trōiānōs et populum Latīnī facit. Scūtum (*shield*) Aenēae capitur et novum scūtum ā Vulcānō fabricātur. Sociīs ā duōbus rēgibus vocātīs, pugna multōs diēs dūrat. Aenēās et Turnus sōlī pugnant, et Turnus occīditur. Aenēās Lāvīniam in mātrimōnium dūcit. Trōiānī domōs novās in Ītaliā occupant.

THE ROMAN CANDLE

Latin has a series of sounds which differ in that one is voiceless and the other voiced. They are:

p – b   t – d   c – g   qu – gu

In order to see what we mean, try pronouncing the first of each group of two without any vowel sound, then the second. Therefore, *p* is really the same consonant as *b* except that it is voiceless and *b* voiced; the same is true of the other three sets. In Spanish, a voiceless consonant between vowels will become the corresponding voiced sound.

Latin	*Spanish*		*Latin*	*Spanish*
amīcus	amigo		tōtus	todo
secundus	segundo		pater	padre
aqua	agua		māter	madre
antīquus *old*	antiguo		marītus	marido
lacrima	lágrima		vīta	vida
capere	caber		super	sobre

Lesson LVI

PRONOUN SUMMARY

cūr	*why?*	tālis, tāle	*such*
sed	*but*	tum (tunc)	*then*

This is the last lesson of the series on pronouns and related words. Let us review the general principles we first learned and see how well they applied.

Dative Singular		*Genitive Singular*		*Nominative/Accusative Singular Neuter*
huic	aliī	huius	(alterius)	illud
illī	alterī	illīus	alterius	id
eī	nūllī	eius	nūllīus	idem
eīdem	sōlī	eiusdem	sōlīus	istud
istī	tōtī	istīus	tōtīus	quod
ipsī	ūnī	ipsīus	ūnīus	quoddam
cui	ūllī	cuius	ūllīus	quodque
cuidam	utrīque	cuiusdam	utrīusque	aliud
cuique		cuiusque		

As you can see, the rule for the dative and genitive works for every word, and the *-d* neuter ending is good for most of the pronouns and even one of the adjectives. Give the nominative singular masculine and the meaning for each word in the above lists.

THE NEGATIVE *IN-*

The negative prefix *in-* is quite easy to handle. It is generally attached to adjectives, which may include present and perfect participles. One verb you have learned, *ignōscere*, is misleading. It means "overlook," "pardon," not "be ignorant." Rarely is there a chance for confusion with the other prefix *in-*. Here is a list of the negatives not used in the exercises.

Give the meanings of these Latin words and give English derivatives where possible:

ignōbilis	imprūdēns	inhūmānus
illicitus	impudēns	innocuus
illitterātus	incorruptus	inquiētus
impār	indecēns	intāctus
impotēns	īnfīnītus	inūtilis

A

I. Change each plural word in these sentences to the singular:

1. Hīs aliīs loquitur.
2. Illōs sōlōs videt.
3. Nūlla opera facit.
4. Quibus illa dōna dat?
5. Tōtās eās noctēs vigilat.
6. Alterī haec faciunt.
7. Est virtūs hōrum sōlōrum.
8. Illīs virīs ipsīs invidet.
9. Quīdam aliī eōsdem dūcunt.
10. Rēx illōrum quibusdam nocet.

II. Read this exercise involving more pronouns and some of the derived adjectives:

1. Quis vīvit in illā terrā incognitā?
2. Eius īnspērātō adventū hī omnēs sunt beātī.
3. Ille innocēns stat pedibus immōtīs.
4. Iniūstus īnfāmiam et iniūriam nōn timet.
5. Hī invictī immemorēs illīus perīculī pugnant.
6. Eadem impia māter haec indigna facit.
7. Vir ipse quī īnfirmus est bene labōrat.
8. Incrēdibilī modō iste inīquus frāter fātur.
9. Improbissimus quisque hīs omnibus ingrātus est.
10. Inaudītā celeritāte alterī equī currunt.

B

1. Quis tāle fātum nōn queritur?
2. Dīcunt pācem sōlam petī.
3. Huic sōlī pietātem tum ostendērunt.
4. Vīta satis nūllī dōnat.
5. Sed nūllus ventus per diem orītur.
6. Tāle ingenium ista soror habet!

7. Alter socius manet, alter
   sē movet.
8. Cūr est sōl clārior ūllō
   sīdere?
9. Utrīque licet Latīnam linguam discere.

10. Tālis vir vult nūllī secundus
    esse.
11. Cūr ager incultus est cārus
    tibi?
12. Sed perīculum imprōvīsum
    omnēs terret.

C

1. Ūnī gentī condiciōnēs
   pācis dedit.
2. Crēdit tōtam hūmānam gentem
   ā deīs fingī.
3. Duās avēs ūnō saxō (*stone*)
   interfēcit.
4. Dē rēge īnsānō et iniūriōsō
   populus invalidus queritur.

5. Incrēdibilī modō uterque
   admīrātur huius factum.
6. Deī immortālēs meō frātrī
   īnsciō ignōscunt.
7. Cūr pedibus īnstabilibus
   senex graditur?
8. Murmure minimō queruntur dē
   ferōcitāte utrīusque cōnsulis.

Jason in Thessaly

In Thessaliā sunt duo frātrēs, Peliās et Aesōn. Prīmō Aesōn rēgnum obtinet, sed Peliās, frātre expulsō, rēgnum sūmit. Peliās Iāsonem, nātum Aesonis, occīdere vult, sed amīcī Iāsonis eum ad aliam terram portant. Peliās ōrāculum consulit, quod dīcit, "Cavē (*beware of*) hominem calceum (*shoe*) ūnum gerentem." Post paucōs annōs Iāsōn, iam (*now*) adultus, ad Thessaliam īre cōnstituit. Flūmen transiēns, ūnum calceum āmittit (*loses*) et ad palātium pervenit ūnō pede nūdō. Rēx, iuvenem timēns, opus perīculōsum prōpōnit. In Asiā est rēx Aeētēs, quī rēgnum Colchidis (*of Colchis*) tenet. Aeētēs fāmōsum vellus (*fleece*) aureum habet. Peliās Iāsonem iubet (*orders*) hoc vellus obtinēre, spērāns eum in itinere morī.

193

Lesson LVII

THE PRESENT ACTIVE

aut *or*	neque (nec) *and not, nor*
aut ... aut *either ... or*	neque ... neque *neither ... nor*
-que *and*	et ... et *both ... and*
-que ... -que *both ... and*	semper *always*

Let us review for a moment the present stem of the verb. An example for each conjugation is: *vocā-, vidē-, ag-, audī-,* and *capi-.* The present tense active is formed by adding the active personal endings to the present stem. Here are the active endings:

-ō (or-m)	I	-mus		we
-s	you (sing.)	-tis		you (pl.)
-t	he, she, it	-nt (-unt after i or a consonant)		they

When endings are attached to stems, certain changes take place. A short vowel never lengthens, but a long vowel shortens before final *-r,* final *-m,* final *-t, -nt,* or another vowel. In the third conjugation, when the ending begins with a consonant, a connecting vowel (short *i,* but short *e* before *r*) must be added between stem and ending. In the first conjugation, *a* drops before *-ō.* By applying these simple rules, you will have the following forms for the present. Form the present tense for other verbs of each conjugation.

I	vocō	videō	agō	audiō	capiō
you (sing.)	vocās	vidēs	agis	audīs	capis
he, she, it	vocat	videt	agit	audit	capit
we	vocāmus	vidēmus	agimus	audīmus	capimus
you (pl.)	vocātis	vidētis	agitis	audītis	capitis
they	vocant	vident	agunt	audiunt	capiunt

The word *-que* is attached to the end of a word, but in meaning it comes before the word: *marītus uxorque* "husband and wife." The conjunctions sometimes operate in pairs, as in these examples: *et marītus et uxor* or *marītusque uxorque* "both husband and wife," *aut marītus aut uxor* "either husband or wife," *nec marītus nec uxor* "neither husband nor wife."

THE PREFIX *EX-*

The prefix *ex-* means "from" or "out," but it may also have the intensive meaning. Thus, *efficere* means "do thoroughly," "cause," "bring about." The "from" verbs are very easy to understand:

ēdūcere	ēicere	ēvenīre	exōrāre
efferre	ēligere	ēvocāre	expōnere
effugere	ēloquī	excidere	exprimere
effundere	ēripere	excipere	

The intensive meaning is especially common with the verbs meaning "rise" or "raise"; it almost seems as if *ex-* means "up." Examples:

ēlevāre	exorīrī	exercēre *train*
ērigere	explēre	expugnāre *capture*
excipere	exstruere	
excitāre	extollere	

A

I. Compound *ex-* with the following verbs and give a derivative:

cēdere	gradī	mittere	sistere
clāmāre	īre	pellere	tendere
claudere	labōrāre	pendere	trahere

II. Make all the verbs in these sentences plural:

1. Tē ēvocō.
2. Manūs explēs.
3. Nōs ēdūcit.
4. Signa expōnis.
5. Vōcem audiō.
6. Umbram spectō.
7. In locō manet.
8. Dōnum ēligis.
9. Dolōrem sentiō.
10. Hoc efficis.

III. Change these plural verbs to the singular:

1. Populum excitant.
2. In silvā iacētis.
3. Eōs expellimus.
4. Honōrem cupitis.
5. Illā hōrā ēvenimus.

6. Semper imperant.
7. Illās rēs miscēmus.
8. Captīvum excipitis.
9. Id opus fīnimus.
10. Iacula ēicitis.

B

1. Cōgitās ante cēterōs exīre.
2. Parās aut bellum aut pācem.
3. Tōtam turbam vidētis, sed nōn timētis.
4. Exclāmāmus amīcum nostrum extrahī.
5. Et corda et mentēs ad eum convertimus.
6. Equitēs in monte sistis.
7. Audiō tē legiōnem ēdūcere.

8. Arma virumque canō.
9. Hostibus ēgressīs, ēmittitis nūntiōs ē castrīs.
10. Spērō hoc perīculum esse ultimum.
11. Neque fīliō neque fīliae est lingua Latīna difficilis.
12. Hoc vīnum dulce semper bibimus.
13. Montānī sunt semper līberī.

C

1. Virginibus puerīsque virtūtem eius nārrātis.
2. Rōmānīs cōpiīs vōs iungitis.
3. Et fēlīx et miserum tibi miscēmus.
4. Timeō Graecōs dōna ferentēs.
5. Varium et mūtābile semper est fēmina.

6. Nec stadium nec theātrum spectāmus.
7. Est fidēs crēdere quod nōn vidēs.
8. Discum gravem bene fortiterque iacis.
9. Putās mē ignōbilem esse, sed errās.

The Trip to Colchis

Iāsōn iter facere parat. Nāvis optima, nōmine Argō (nom.), cōnstruitur. Multī hērōes dē tōtā Graeciā conveniunt. Inter eōs sunt Herculēs, Castor, Orpheus, et aliī fortissimī. Post iter longum et perīculōsum ad terram Colchida veniunt. Iāsōn rēgī dīcit, "Vellus (*fleece*) aureum cupiō. Quid faciendum est?" Rēx dīcit, "Prīmō duo taurī (*bulls*) ferissimī iungendī sunt. Secundō ager colendus est. Tertiō dentēs (*teeth*) draconis in terram ponendi sunt." Fīlia rēgis, Mēdēa, Iāsonem amat, et eum iuvāre cōnstituit. Eī dat medicīnam contrā taurōs, quī flammās ex ōre ēmittunt. Hāc medicīnā Iāsōn tōtum corpus tegit. Agrō cultō et dentibus sparsīs (*sown*), virī armātī mīrō modō gignuntur.

THE ROMAN CANDLE

The following principle applies to three Romance languages. Latin *ct* gives Spanish *ch*, Italian *tt*, and French *it*.

Latin	Spanish	Italian	French
noctem	noche	notte	nuit
dictus	dicho	ditto	dit
factus	hecho	fatto	fait
dīrēctus	derecho	diretto	droit
conductus		condotto	conduit
trāctus		tratto	trait

Lesson LVIII

THE PRESENT PASSIVE

atque (ac) *and, and also,*
   and even
iam *now, already*

nimis (adv.) *too much, very*
   (adj. nimius "excessive")
nunc *now*

For the present passive, we use the present stem again. As many passives are deponent verbs, let us list the present stems for five deponents: *mīrā-, fatē-, ūt-, orī-, gradi-*. The passive endings are added to the present stem, and the same changes are made in shortening vowels and adding connecting vowels. Two further notes: short *i* becomes short *e* befcre *r*, and the ending for the first singular is added not to the stem, but to the first singular active. Here are the passive endings:

-r	I	-mur	we
-ris	you (sing.)	-minī	you (pl.)
-tur	he, she, it	-ntur (-untur after i or a consonant)	they

This makes the passive conjugation come out as follows:

I	vocor	videor	agor	audior	capior
you (sing.)	vocāris	vidēris	ageris	audīris	caperis
he, she, it	vocātur	vidētur	agitur	audītur	capitur
we	vocāmur	vidēmur	agimur	audīmur	capimur
you (pl.)	vocāminī	vidēminī	agiminī	audīminī	capiminī
they	vocantur	videntur	aguntur	audiuntur	capiuntur

For additional practice, conjugate the present passive of the five deponents given above. Remember that those passives all have active meanings. Note: *vidēre* in the passive often means "seem."

COM- "TOGETHER"

The prefix *com-* has two favorite meanings, "together" and "very,"

198

"thoroughly" (intensive force). Sometimes both meanings will be prominent with the same verb; *cōnferre* can mean "bring together" or just an emphatic "bring." The following verbs all carry the "together" meaning:

coīre	concidere	congerere
colligere	concurrere	conicere
committere	condere	cōnscrībere
compellere	condūcere	cōnsonāre
competere	cōnfundere	cōnstruere

English derivatives: COLLECT, COMMIT, COMPEL, COMPETE, CONCUR, CONDUCE, CONFER, CONFUSE, CONGESTION, CONJECTURE, CONSCRIPTION, CONSONANT, CONSTRUE.

A

I. Give the Latin compound verb, with its meaning, from which these words are derived:

conclusion	congress	component	contract
confer	conjunction	consensus	convene
confluence	colloquial	continent	convocation

II. Make a sentence by using the proper form of the present passive to agree with the subject pronoun:

1. Nōs – congredī
2. Illī – continēre
3. Tū – condūcere
4. Hic – colloquī
5. Vōs – rērī
6. Ego – mīrārī
7. Nōs – capere
8. Tū – tuērī
9. Hī – nāscī
10. Vōs – committere
11. Nōs – cōnfitērī
12. Ille – fārī
13. Ego – monēre
14. Illī – contrahere
15. Hic – orīrī
16. Quis – audīre
17. Vōs – colloquī
18. Nōs – coniungere

B

1. Carmina eōrum nimis mīrāmur.
2. Nunc omnibus vīribus ūtor.
3. Amīcī ac inimīcī iam congrediuntur.

4. Quid mihi fatēris?

5. Iam orītur sōl igneus.

6. Tē ad castra tūta sequimur.

7. Nimiā cum sapientiā loqueris.

8. Prō patriā nunc morimur.

9. Omnēs in hāc urbe nāscimur.

10. Nōn iam vōs dominor.

11. Hoc mihi optimum vidētur.

12. Dīceris bonum animum habēre.

13. Ā magistrīs aequīs doceor.

14. Sepulcrō cōnstrūctō, corpora
    compōnimus.

C

1. In sōle atque umbrā operāmur.

2. Dē premente perīculō iam
   monēminī.

3. Ad fūnus nunc mittimur.

4. Clamōribus cōnsonantibus,
   vōs omnēs concurritis.

5. Colligunt arma ac conveniunt
   in ūnum locum.

6. Scrībere mē quereris, Vēlox, epigrammata (*epigrams*) longa;
   ipse nihil scrībis. Tū breviōra scrībis.

7. Sexte, nihil dēbēs, nīl dēbēs, Sexte, fatēmur.
   Dēbet enim (*for*), sī quis solvere, Sexte, potest.

Note: all the couplets you will be reading after the sentences (as 6 and 7 above) are from the Roman poet Martial.

Winning the Fleece

Nunc virī armātī occīdendī sunt. Iāsōn in mediōs virōs saxum (*rock*) iacit, et virī inter sē pugnant. Multīs mortuīs, reliquī ā Iāsone nūllā difficultāte occīduntur. Vellus (*fleece*) est in silvā, ā dracōne terribilī custōdītum. Aliā medicīnā Mēdēae ūtēns, Iāsōn somnum dracōnī fert et eum occīdit. Vellere (abl.) raptō, Iāsōn et Mēdēa fugiunt. Rēge celeriter sequente, Mēdēa frātrem suum īnfantem in multās partēs scindit (*chops*) et membra eius in mare iacit. Rēx Aeētēs nāvem sistit et ea membra colligit. Iāsōn et fēmina malitiōsa tūtī ad Thessaliam veniunt.

Lesson LIX

IRREGULAR VERBS

aiō *I say*

inquam *I say*

fierī, factus *be made, become, happen*

quod *because, that*

The verbs for today are all rather unusual specimens. *Aiō* and *inquam* have four forms of the present tense and little else. Their conjugations are:

aiō	inquam	*I say*
ais	inquis	*you say*
ait	inquit	*he, she, it says*
aiunt	inquiunt	*they say*

Fierī, despite its passive infinitive, has an active conjugation in the present tense. It is regular fourth conjugation here, *fīō, fīs, fit, fīmus, fītis, fiunt. Fierī* in the present serves as the passive of *facere*.

The present tenses of other irregular verbs show such different patterns that it is best just to learn each separately. Notice that the endings are always regular; it is only the stem which fluctuates. Often the variation from regular consists in the omission of the connecting vowel. *Sum, possum,* and *inquam* are the only forms which use *-m* for the first person singular in the present. The conjugation of *posse* is just *pot-* + the forms of *esse*; whenever the *t* precedes *s*, it becomes *s*.

Active Only				*Active*	*Passive*
sum	possum	eō	volō	ferō	feror
es	potes	īs	vīs	fers	ferris
est	potest	it	vult	fert	fertur
sumus	possumus	īmus	volumus	ferimus	ferimur
estis	potestis	ītis	vultis	fertis	feriminī
sunt	possunt	eunt	volunt	ferunt	feruntur

201

COM- INTENSIVE

The following *com-* compounds have the intensive force. Note that a few appeared also in the previous lesson.

comedere	conclūdere	cōnsistere	contingere
commendāre	concupīscere	cōnsonāre	conversāre
commorārī	cōnfringere	cōnspicere	coorīrī
concēdere	conicere	cōnstāre	corrigere
concipere	cōnsequī	cōnstituere	corrumpere

English derivatives: COMESTIBLE, COMMEND, CONCEDE, CONCEIVE, CON-CLUDE, CONCUPISCENT, CONJECTURE, CONSEQUENT, CONSIST, CONSONANT, CONSPICUOUS, CONSTANT, CONSTITUTE, CONTACT, CONVERSATION, CORRECT, CORRUPT.

A

I. Make *com-* compounds with the following verbs and give derivatives:

damnāre	locāre	plēre	sūmere
facere	movēre	putāre	tendere
firmāre	mūtāre	sacrāre	vertere
fatērī	pellere	servāre	vincere

II. For these regular verbs, use the equivalent irregulars in the following sentences:

For cōnficere – fierī
For valēre – posse
For gradī – īre

For cupere – velle
For portāre – ferre

1. Opus cōnficitur.
2. Īre celeriter valēs.
3. Omnēs domum gradiuntur.
4. Cupimus ōrātōrem audīre.
5. Portās flōrēs pulchrōs.
6. Labōrēs cōnficiuntur.
7. Valeō hoc comedere.
8. Celeriter gradiminī.
9. Quis cupit cōnsequī?
10. Aquam portat.

III. Drill on compound verbs:

1. Errōrem hunc corrigimus.
2. Vīrēs cōnservāre potest.
3. Hoc factum cōnfitēris.
4. Ab oculīs eōrum concēdimus.
5. Magna tempestās coorītur.

6. Locum mīlitibus complent.
7. Bonī nōn possunt corrumpī.
8. Cōnstituis ē silvā cōnfugere.
9. Eōs cōnspicere volumus.
10. Morte eius commōtus, abeō.

B

1. Quid ais dē tuō frātre?
2. Hoc idem potest fierī.
3. Quod est validus, ante lūcem surgere vult.
4. "Ego volō," inquit, "eadem quae tū vīs."
5. Possumus facere id quod crēdimus nōs posse.
6. Vestem dē suā uxōre raptam fert.

7. Aiunt sē īre velle.
8. Ē perīculō tūtus tē refers.
9. Vultis in pugnā fortēs fierī.
10. Illud secundō diē fit.
11. Quod es multō melior aliīs ducibus, tē sequimur.
12. "Nōn possumus," inquam, "adversitātem ferre."
13. Aiō vōs omnēs posse linguam Latīnam facile discere.

C

1. "Ō tempora, ō mōrēs!" inquit Cicerō.
2. Effugere nōn potes necessitātēs, potes vincere.
3. Quod nimis miserī volunt hoc facile crēdunt.

4. Nōn omnia possumus omnēs facere.
5. Brevis ipsa vīta est sed malīs fit longior.
6. Integritās et simplicitās fīunt mōrēs optimī.

7. Nōn amō tē, Sabidī, nec possum dīcere quārē (*why*); hoc tantum (*only*) possum dīcere, nōn amō tē.

8. Sunt bona, sunt quaedam mediōcria, sunt mala plūra quae legis hīc (*here*). Aliter (*otherwise*) nōn fit, Avīte, liber.

Revenge on Pelias

Peliās adhūc (*still*) rēgnat, et Mēdēa eum dēstruere vult. Partēs arietis (*ram* [genitive]) veteris in urnam pōnit. Aquam et herbās magicās addit. Ignem suppōnit. Carmen barbaricum cantat. Fortis est potentia artis et ariēs iuvenis ex urnā veniēns per agrōs currit. Fīliae rēgis, hoc mīrāculum spectantēs, patrem suum in iuventūtem redūcere volunt. Partēs patris in urnam pōnuntur. Aqua et herbae adduntur, sed nihil accidit. Peliās in partibus manet. Iāsōn et Mēdēa, ē Thessaliā expulsī, ad urbem Corinthum veniunt. In hāc urbe Iāsōn filiam rēgis amat. Mēdēa, furōre replēta, filiōs suōs īnfantēs occīdit et fugit.

Lesson LX
REVIEW

Pronouns are very important for reading Latin, and for some reason they tend to be neglected by students. Review carefully the forms and meanings of all these pronouns and similar words:

ego	īdem	quīdam	alter
tū	iste	quisque	nūllus
sē	ipse	ūllus	sōlus
hic	quī	uterque	tōtus
ille	quis	alius	ūnus
is			

We do not ordinarily think of the Latin pronouns as sources for English derivatives, but they are not entirely barren. We have already seen the English use of EGO and the Latin phrase QUOD ERAT DEMONSTRANDUM in English. QUORUM is a perfectly good genitive plural. IDENTICAL and IDENTIFY come from *īdem*, and I.E. stands for *id est*. The phrases IPSISSIMA VERBA, IPSE DIXIT, and QUID PRO QUO may all be used as nouns in English. Use an English dictionary if we are out of your depth here. What is meant by the sentence, the QUIDNUNC was IPSO FACTO a woman? Or this one, the boy carried a VADE MECUM? Incidentally, when *cum* is used with some of the pronouns, it is attached to them: *mēcum, tēcum, sēcum, nōbīscum, quōcum, quibuscum.*

You know that the Latin negative prefixes are *in-* and sometimes *dis-*. In addition to these, there is the prefix *ne-* or just *n-*. *Nescīre* means "not know" and you have seen *nescius* meaning "ignorant." Having had *ūllus* "any" and *nūllus* "not any," you will probably not be surprised when you meet *umquam* "ever" and *numquam* "never," *usquam* "anywhere" and *nusquam* "nowhere." Another pair like these is *-que* and *neque*. *Nefandus* means "not to be spoken about," therefore "wicked," "impious." You learned that *uterque* means "both"; *neuter* means "neither." The word *nēmō* "nobody," which you will have soon, comes from *ne homō*. Finally, you have had the pair *sī* "if" and *nisi* "if not," "unless." In English we have the pairs *or* and *nor*, *ever* and *never*, *either* and *neither*, and (in older English) *aught* and *naught*.

The *-ter* suffix, which you have seen in some adjectives, is used in Latin to refer to something involving two. Consider the examples you have had: *alter* "the other," *dexter* "right hand," and *uterque* "both." Three other Latin examples are *sinister* "left hand," *neuter* "neither one," and *uter* "which one of two." In English the same suffix exists as -ther; examples are *either*, *neither*, and *other*.

THE PREFIX *PER-*

Per- means "through," and an extension of this meaning is "thoroughly," "very," the intensive force. Latin can have adjectives like *perbonus*, *perfacilis*, *perdūrus*, *pergrātus*, *permultus*, all meaning "very" plus the adjective. English has a few adjectives like PERDURABLE and PERFERVID. Here are the Latin verbs which carry these two meanings:

percipere	*seize, perceive*	permittere	*send through, permit*
percutere	*beat through*	perpendere	*weigh thoroughly*
perdūcere	*lead through*	persequī	*follow steadfastly*
perficere	*complete*	perspicere	*see through*
perfundere	*pour over*	perturbāre	*disturb thoroughly*
permanēre	*remain through*	pervādere	*go through*
permiscēre	*mix thoroughly*	pervenīre	*come through, arrive*

But *per-* can sometimes mean "to the bad" or "to death," as in the following:

perdere	*destroy, lose*	perīre	*die*
perfidia	*breach of faith*	periūrium	*breaking of oath*
perimere	*destroy, kill*	pervertere	*destroy, ruin*

English derivatives: PERCEIVE, PERCUSSION, PERFECT, PERMANENT, PERMISSION, PERPENDICULAR, PERSECUTE, PERSPICUOUS, PERTURB, PERVADE, PERDITION, PERFIDY, PEREMPTORY, PERISH, PERJURY, PERVERT.

THE ROMAN CANDLE

English has a number of Latin words that have arrived here via

Spanish. We have already seen a few of these, such as VAQUERO (and BUCKAROO), CABALLERO, SOMBRERO, and HACIENDA. *Armāta,* from *armāre,* gives Spanish *armada,* and also French *armée* and English ARMY. The "little armored animal" is the ARMADILLO. Latin *vādere* gives Spanish *vamos* "let's go" and English VAMOOSE. Latin *iūdicātus* "condemned" becomes Spanish *juzgado* and English HOOSEGOW. PARADE and RENEGADE are ultimately from *parāre* and *negāre.* The DOMINO was so named because the priest (*dominus*) wore black. The short forms of *dominus* and *domina* are Spanish *don* and *doña.* Latin *pedō* "foot soldier" gave Spanish *peón. Adiós* is from *ad deus.* The rest of these Spanish words, listed with the Latin originals, are also good English.

Spanish	Latin	Spanish	Latin
amigo	amīcus	peso	pendere
bonanza	bonus	presidio	praesidium
corral	currere	pronto	prōmptus
desperado	spēs	pronunciamento	nūntiāre
fiesta	fēstus	pueblo	populus
hombre	homō	santo	sānctus
negro	niger	señor	senior
padre	pater	vigilante	vigilāre

Lesson LXI

THE VOCATIVE AND THE IMPERATIVE

igitur *therefore*   sīc *thus, so*
mulier, mulieris, F *woman*   tamen *nevertheless*

Latin has another case, called the vocative, which is used for direct address. In almost all instances, the vocative is exactly like the nominative, but there are two places where it is not. The vocative singular of *-us* nouns of the second declension ends in *-e*, and for *filius* and proper names in *-ius* it ends in *-ī*. Examples: *serve, amīce, fīlī, Tiberī* (from *Tiberius*). The vocative plural is always the same as the nominative plural. The nominative and vocative plural of *deus* are often spelled *dī*.

The form of the verb used to give a command is called the imperative. The active imperative singular is formed by removing the *-re* from the present active infinitive. Four important verbs have special short singular imperatives: *dīc, dūc, fac,* and *fer*. The plural adds *-te* to the present stem. Examples:

vocā	vidē	age	audī	cape	es	ī	fer
vocāte	vidēte	agite	audīte	capite	este	īte	ferte

Latin uses the imperative forms of *salvēre* for "hello" and those of *valēre* for "good-bye."

The passive imperative singular is exactly like the present active infinitive. This causes no confusion, as the passive imperative is found normally only in deponent verbs. The plural is the same as the second plural indicative. Examples:

mīrāre	fatēre	ūtere	orīre	gradere
mīrāminī	fatēminī	ūtiminī	orīminī	gradiminī

The negative command is often expressed by *nōlī* and *nōlīte* (imperatives of *nōlle* "be unwilling") plus the infinitive. Example: *nōlī vocāre* "don't call." The verb *nōlle* (a compound of *nōn* and *velle*) is conjugated in the present as follows:

nōlō	nōlumus
nōn vīs	nōn vultis
nōn vult	nōlunt

SĒ- AND *AB-*

The preposition *sine* is used as a prefix in the form *sē-*, meaning "apart," "away." *Sēditiō* means "departure," then "rebellion" and gives SEDITION. Find derivatives from five of these:

sēcēdere	sēclūdere	sēparāre
sēcernere	sēdūcere	sēpōnere

Ab-, also spelled *abs-* and *au-*, regularly means "off" or "away." Give meanings for all and derivatives for most of these:

abdūcere	abscēdere	abundāre
aberrāre	absolvere	āmovēre
abhorrēre	abstinēre	auferre
abicere	abstrahere	aufugere
abrumpere	absūmere	āvertere

A

I. Give the two active imperatives for:

portāre, monēre, dūcere, fīnīre, iacere, esse, īre, ferre

Give the two passive imperatives for:

fārī, tuērī, sequī, orīrī, patī

II. Change these positive commands to the negative:

1. Fer hoc ad rēgem.
2. Ūtiminī illīs armīs.
3. Parā eam vestem.
4. Abdūcite illās cōpiās.
5. Cōnfitēre tuum factum.
6. Bibite aquam pūram.
7. Audī mea verba.
8. Ruite per silvam.

B

1. Serve, ad mē fer aquam.
2. Amīce, venī celeriter.
3. Sed dīc mihi tuum nōmen, mulier.
4. Dux, dūc nōs in pugnam.
5. Abī, soror, atque alloquere mulierēs.
6. Sequiminī mē, fortissimī.
7. Dī immortālēs, nōlīte spem nostram auferre.
8. Magister, nōs docē litterās Latīnās.
9. Tamen mihi crēde, māter.
10. Abscēdite ē meō cōnspectū!
11. Igitur prō patriā sīc pugnāte, mīlitēs.

C

1. Igitur nōbīs fac carmen, poēta.
2. Nōlī dūcere nōs in temptātiōnem, sed līberā nōs ā malō.
3. Sed nōlīte abesse tōtum diem, sociī.
4. Et tū, Brūte, mē vulnerās.
5. Tamen nōlī incipere (*begin*) quod fīnīre nōn potes.
6. Sīc semper tyrannīs!
7. Dūcunt volentem fāta, nōlentem trahunt.

8. Mēnsās (*tables*), Ōle, bonās pōnis, sed pōnis opertās (*covered*).

Rīdiculum est; possum sīc ego habēre bonās.

9. Habet Āfricānus mīliēns (*a million*), tamen captat (*hunts legacies*).

Fortūna multīs dat nimis, satis nūllī.

The Contrary Wife

Quaedam mala mulier est ita contrāria virō suō quod semper adversātur eī et contrāria mandātīs eius facit; et quotiēns (*as often as*) marītus eius hominēs ad prandium (*dinner*) invītat et rogat eam, "Vultū (*face*) laetō (*happy*) recipe hospitēs," illa contrārium facit, et virum suum validē afflīgit (*afflicts*).

Quādam diē, cum (*when*) homō ille quōsdam ad prandium invītāvit, pōnit mēnsam (*table*) in hortō (*garden*) prope aquam. Illa ex parte (*side*) flūminis sedēns, trīstī vultū hominēs invītātōs tuētur, et removet sē ā mēnsā. Eī marītus ait, "Ostende vultum laetum hospitibus nostrīs, et accēde propius ad mēnsam." Hōc audītō, illa magis sē removet ā mēnsā, et it ad rīpam (*bank*) flūminis quod post eam est. Hoc attendēns (*noticing*), marītus eius validē īrātus ait, "Accēde ad mēnsam!" Illa volēns contrārium facere cum magnō impetū tantum sē ā mēnsā ēlongat quod in flūmen cadit, et suffōcāta nōn appāret.

Sed ille, trīstitiam simulāns, intrat in nāvim, et nāvigāns contrā impetum (*current*) flūminis cum magnā perticā (*pole*) quaerit uxōrem suam in aquīs. Cumque amīcī eius quaerunt cūr in parte superiōre quaerit eam, cum dēbet eam quaerere in parte īnferiōre, respondet, "Nōnne nōvistis (*don't you know*) uxōrem meam, quae semper contrārium facit, et numquam (*never*) rēctā viā incēdit? Crēdō prō certō quod contrā impetum flūminis ascendit, et nōn dēscendit, ut (*as*) aliī faciunt."

Lesson LXII

THE PRESENT SUBJUNCTIVE

cūnctus, -a, -um *whole, all*

dīves, dīvitis *rich* (derived noun dīvitiae, pl.)

nē *not* (with subj.)

vērō *indeed, but*

All the conjugated verb forms you have had so far (except the commands) have been in the indicative mood. Latin has another mood of the verb, called the subjunctive, which is used to express various ideas. To form the present subjunctive, every verb conjugation adds -*ā*- to the present stem except the first conjugation, which changes its *ā* to *ē*. The ending for the first singular active is -*m*.

vocem	videam	dūcam	audiam	capiam
vocēs	videās	dūcās	audiās	capiās
vocet	videat	dūcat	audiat	capiat
vocēmus	videāmus	dūcāmus	audiāmus	capiāmus
vocētis	videātis	dūcātis	audiātis	capiātis
vocent	videant	dūcant	audiant	capiant

The passives are *vocer, videar, dūcar, audiar, capiar*.

English once had a complete subjunctive, but now it survives in only a few stock phrases, as so *be* it, if I *were* you, until death *do* us part, and long *live* the king. The Latin present subjunctive may be used to express a command in the first person or third person. Examples: *vocēmus* "let us call," *videat* "let him see," *capiant* "let them take." The second person command is generally the imperative, but you may even see the subjunctive used here. The subjunctive may also express a wish, as *vīvat rēx* "may the king live." Occasionally you may see the subjunctive in a rhetorical question, where no answer is really expected, such as *quid agāmus*? "what are we to do?"

The negative for these subjunctives is *nē*: *nē dūcat* "let him not lead," *nē audiāmus* "let us not hear."

212

THE PREFIX *DIS-*

The prefix *dis-* can also be spelled *dī-* or *dif-*. As a negative, it has oc-
curred only in the words *dispār, displicēre, difficilis* and its noun *diffi-
cultās,* and *dissimilis* and its verb *dissimulāre.* It is far more common in
the meaning "apart," "in different directions."

dīdūcere	dīripere	disicere	distāre
diffugere	discēdere	disiungere	distendere
dīmittere	discurrere	dispōnere	distrahere

A

I. Give the root word and a derivative from each of these Latin words:

differre	disrumpere	dispēnsāre
diffundere	discernere	disputāre
dīgredī	discordia	dissentīre
dīligere	discutere	dissolvere
dīrigere	dispellere	dīvertere

II. Make the following statements commands or wishes by changing
the verb to the present subjunctive:

1. Rēx vīvit diū.
2. Vītā fruimur.
3. Dux mātrem sepelit.
4. Servī nōs iuvant.
5. Nūntiī nōn dīmittuntur.

6. Hostis arma dēpōnit.
7. In senātū nōn tacēmus.
8. Prō patriā labōrāmus.
9. Nihil malum rentur.
10. Diffugiunt omnēs.

B

1. Patriam amēmus.
2. Nē dissentiāmus.
3. Dīvitiās obtineant.
4. Istō bonō ūtāris.
5. Sine difficultāte vīvātis.
6. Nē discordiam habeant.
7. Amīcitiam nē dissolvant.
8. Quid nunc faciam?

9. Dīvitem patrem habeās.
10. Discēdant vērō cūnctī malī
    ex urbe nostrā.
11. Nē dīvitēs vērō aurum tantum
    cupiant.
12. Ratiō dūcat cūnctōs, nōn
    fortūna.
13. Requiēscat in pāce.

213

C

1. Arma togae cēdant.
2. Rapiāmus, amīcī, occāsiōnem dē diē.
3. Moriāmur et in media arma ruāmus.
4. Omnia vincit amor, et nōs cēdāmus amōrī.

5. Tibi istam mentem dī immortālēs dent.
6. Quis fallere potest amantem?
7. Quī vērō dēsīderat pācem praeparet bellum.
8. Dē inimīcō nōn loquāris male sed cōgitēs.

The Boy and the Dolphin

Nārrat Valerius quod est quīdam puer quīnque (*five*) annōrum quī singulīs diēbus (*every day*) ad lītus (*shore*) maris it; hoc vidēns quīdam delphīnus incipit (*begins*) cum puerō lūdere et eum super dorsō (*back*) portāre. Puer vērō singulīs diēbus pānem (*bread*) ad delphīnum portat et sīc delphīnum per V aut X annōs sustentat. Accidit ūnō diē quod puer ad lītus maris it portāns sēcum pānem ut (*as*) solet (*he is accustomed*), et delphīnus nōn venit. Intereā (*meanwhile*) mare puerum tegit et puer submergitur. Cum (*when*) mare sē retrahit, delphīnus venit et cum puerum mortuum invenit nimiō dolōre iūxtā (*next to*) puerum cadit et moritur.

Chow Line

Iuvenis senem interrogāvit, "Cum invītor ad prandium (*dinner*), quid faciam? Parum aut nimis comedam?" Senex ait, "Nimis. Sī amīcus tuus est quī tē invītāvit, multum gaudēbit (*he will rejoice*); sed sī inimīcus, dolēbit (*he will grieve*)."

THE ROMAN CANDLE

Latin long *e* and short *i* both became French *oi*. Examples:

Latin	French	English from French
rēx	roi	royal
lēx	loi	loyal
fidēs	foi	
viāticum	voyage	voyage

Latin	*French*	*English from French*
vidēre	voir	voir dire
sērum *evening*	soir	soirée
pēnsus	pois (Old French)	poise

In Spanish, the short *i* became *e* just as did the long *e*: *minus* gives *menos*, *niger* gives *negro*, *fidēs* gives *fé*. Similarly, short *u* and long *o* both gave Spanish *o*: *correr* "run," *romper* "break," *joven* "young man." The change from *u* to *o* can also be seen in the endings of second and fourth declension nouns.

Lesson LXIII

PURPOSE CLAUSES

adhūc *still, up to now*

cum (conj.) *when, since, although*

ergō *therefore, then*

ut (with indic.) *as, when*

  (with subj.) *that, in order that, so that*

Of the irregular verbs, *esse, posse, velle,* and *nōlle* all have an *-i-* subjunctive. They are conjugated like this:

sim	possim	velim	nōlim
sīs	possīs	velīs	nōlīs
sit	possit	velit	nōlit
sīmus	possīmus	velīmus	nōlīmus
sītis	possītis	velītis	nōlītis
sint	possint	velint	nōlint

The rest of the irregulars have present subjunctives with *-a-*: *eam* (*īre*), *feram, fiam.* The third person singular subjunctive of *fierī* even gives us a derivative (not the make of automobile!).

To express a purpose, Latin often uses a subjunctive clause introduced by *ut* for the positive or by *nē* for the negative. The usual translation in English is "in order that," but if the subject of the subjunctive is the same as the subject of the main verb, often "in order to," or simply "to" will do very nicely. Examples:

Venīmus ut nōs videant.   *We come in order that they may see us.*

Venīmus ut eōs videāmus.   *We come in order that we may see them.* or
                                 We come in order to see them. or
                                 We come to see them.

The word *cum* which you know as a preposition can also be a conjunction followed by the subjunctive. Of the three meanings given, usually one will give the best sense in the sentence to be read. One sure sign: if there is a *tamen* in the main clause, *cum* has to mean "although."

216

Cum may also be found occasionally with the indicative, in which case it regularly means "when."

THE PREFIX *PRAE-*

Prae-, when compounded with adjectives, means "very": some examples are *praealtus, praeclārus, praedulcis, praedūrus, praegravis,* and *praepotēns.* Even in a verb we can occasionally see this force, as *praevalēre,* and it appears in English derivatives from participles, as PREVALENT, PREDOMINANT, and PREEMINENT. But *prae-* with verbs normally means "before" or "ahead"; the first verbs should be obvious:

praecurrere	praeripere	praecipere *order*
praefārī	praerumpere	praeficere *put in charge*
praeīre	praestruere	praepōnere *put in charge*
praemittere	praevertere	praestāre *excel*
		praeesse *be in charge*

A

I. Give an English derivative from each of these compounds:

praecēdere	praedīcere	praeparāre	praesūmere
praecīdere	praeferre	praescrībere	praetendere
praeclūdere	praemonēre	praesidēre	praevenīre

II. Change these infinitives to subjunctives, as in this example. Currit ut *audīre.*   Currit ut audiat.

1. Praevenit ut *contendere.*
2. Praemittuntur ut *vidēre.*
3. Labōrāmus ut *vīvere.*
4. Moriuntur ut *vincere.*
5. Fātur ut *imperāre.*

6. Praeīte ut *monēre.*
7. Tacent ut *audīre.*
8. Praecurrunt ut *discere.*
9. Excēdimus ut *lūdere.*
10. Spectat ut *rīdēre.*

B

1. Cum adhūc līberī sīmus, vītā fruāmur.
2. Pugnāmus nē superēmur.

3. Cum hostem videt, fugit nē interficiātur.
4. Id vērō ut audīvit, ad urbem īvit.

5. Ergō ex urbe discēde nē
metū et armīs opprimar.
6. Edimus ut vīvāmus, nōn
vīvimus ut edāmus.
7. Ut amēris, amā.
8. Ergō, ut voluērunt, ad colloquium vēnērunt.

9. Omnēs servī sumus ut līberī
esse possīmus.
10. Haec discimus ut linguam
Latīnam nūllā cum difficultāte legāmus.
11. Cum tacent, clāmant.
12. Cum adhūc legiōnī praesit,
mīlitēs victōriam praedīcunt.

C

1. Fēminae ad Circum veniunt
ut videant—et ut ipsae
spectentur.
2. Haec rēs fit, ut nōbilēs
in cīvitātem restituantur.

3. Nāvēs vērō comparat ut
Ītaliam petat.
4. Cum mihi id dīcās, tamen
nōn crēdō nisi id propriīs
oculīs videō.

5. Omnēs quās habuit, Fabiāne, Lycōris amīcās
extulit (*buried*). Uxōrī fīat amīca meae.
6. Cūr nōn mittō meōs tibi, Pontiliāne, libellōs?
Nē mihi tū mittās, Pontiliāne, tuōs.

Two Wives?

Haec est fābula dē quōdam iuvene, quī rogat patrem suum, "Dā mihi
duās uxōrēs." Cumque insistit dat eī pater ūnam, prōmittēns quod in fīne
annī det alteram. Illa vērō prīmō annō marītum sīc afflīgit (*afflicts*) quod
nōn possit sustinēre sed mālit (*prefers*) morī quam (*rather than*) vīvere.
Cumque pater fīnītō annō dīcit fīliō, "Vīs habēre secundam uxōrem?"
respondet ille, "Sī ūna mē afflīgit ad mortem, quōmodo duās ferre
possim?" Accidit in cīvitāte illā ut capiātur maleficus pessimus, quī
multōs dē cīvitāte illā spoliāvit (*robbed*) et occīdit. Cumque cīvēs conveniunt et quaerit iūdex ā singulīs ut quīlibet (*anyone*) cōnsilium suum
det quōmodo maleficus ille maximē torquērī (*to be punished*) valeat,
cum pervenit iūdex ad illum quī malam habet uxōrem, respondet, "Date
illī uxōrem meam; nōn videō quōmodo illum magis afflīgere valeātis."

Most of the selections you are now reading are from Medieval Latin.
There are only slight differences between it and Classical Latin. A few

words carry different meanings from the ones you learned. Three words are used referring to nobility: *dux* means "duke," *comes* means "count," and *mīles* means "knight." *Cīvitās* regularly means "city" rather than "state." Noteworthy is the use of *quod* meaning "that" with either indicative or subjunctive. Some words were used much more commonly in Medieval Latin than they were earlier, for example, *dīligere* (compound of *legere*) meaning "love," *valdē* (short form of *validē* "strongly") meaning "very" or "very much," and *vērō*, which is so weakened in later Latin that it often means little more than "and." *Quōmodo* "how?" (from *quō modō*) is a very popular Medieval word. The two vocatives *cārissime* and *domine* are simply polite terms of address, equaling perhaps English "Sir."

These first stories have been rewritten with their verbs in the present tense. Later, when the other tenses are used, you will find that Medieval Latin does not show the tense precision of Classical Latin. Pronouns, too, have lost some of the fine distinctions in meaning seen in earlier times. *Ūnus* and *quīdam* can both be found used as the equivalent of an indefinite article. Finally, prepositions begin taking over functions formerly expressed by the cases alone. *Dē* with the ablative replacing a genitive is the forerunner of the Romance language usage of this preposition.

Lesson LXIV

RESULT CLAUSES

ita *so* (with verbs)	tam *so* (with adjectives and
simul *at the same time*	adverbs)
	vix *barely, scarcely*

Three words from previous lessons, *sīc* "so," *tālis* "such," and *tantus* "so great," should be reviewed here. Clauses with *ut* can express a result, and there is usually some word meaning "so" or "such" in the main clause to show you that a result clause is coming. If the result clause is negative, the introductory word is still *ut* and a *nōn* appears further on in the clause. Examples:

Ita pugnat ut vincat. *He fights in such a way that he conquers.*
Tam fortis est ut nōn vincātur. *He is so brave that he is not conquered.*

A result clause is also used after *fit, accidit, ēvenit,* and *contingit,* all of which mean "it happens." Examples:

Accidit ut rēx hoc sciat. *It happens that the king knows this.*
Contingit ut dīvitiae nōn sint bonae. *It happens that riches are not good.*

THE PREFIX *PRŌ-*

The prefix *prō-* almost always means "forward" or "forth." With a few nouns it means "in place of": a *prōcōnsul* literally served in place of a *cōnsul.* Rarely with verbs it means "to the good," as *prōdesse* "to benefit," *prōficere* "to make good." In these examples *prō-* carries its usual meaning:

prōcidere	prōdīre	profugere
prōcurrere	prōferre	prōlābī

| prōnūntiāre | prōruere | prōvehere |
| prōpōnere | prōtendere | prōvocāre |

A

I. Here are some English nouns employing various suffixes. Name the compound verb from which each is derived:

process	professor	promotion	protector
proclamation	profusion	propellant	protractor
productivity	progress	prosecutor	provenience
proficiency	project	prospector	proviso

II. Replace the infinitive with the proper form of the present subjunctive:

1. Est tam fortis ut *pugnāre* bene.
2. Hoc ita faciunt ut *laudārī*.
3. Cōnsulēs populō *imperāre*.
4. Tam miserī sumus ut mortem *petere*.
5. Sunt tālēs ut fāmam *nōlle*.
6. Rēgēs *prōtegere* rem pūblicam.
7. Tam fidēlis es ut *sequī* sine morā.
8. Contingit ut pauperēs *vīvere* male.

B

1. Tantus timor mortis omnēs custōdēs capit ut armīs nōn ūtantur.
2. Ita timent ut ducem relinquant et profugiant.
3. Nihil tam malum est ut peius esse nōn possit.
4. Tantum est perīculum ut vix prōcēdāmus.
5. Ita perturbor ut omnia simul timeam.
6. Virtūs eius tanta est ut nōn vincātur.
7. Tam bene sunt urbēs parātae ut vix capī possint.
8. Sīc vigilat ut nūllī urbem relinquant.
9. Sunt tālēs ut nūlla urbs eōs accipere velit.
10. Tam facilis est Latīna lingua ut puerī eam celeriter discant.
11. Multī prōcurrunt simul ut cōnsilia prōpōnant.
12. Castra sīc pōnuntur ut vix cernantur.

C

1. Bellum sīc suscipiātur ut pāx celeriter quaerātur.
2. Tanta est vīs bonitātis ut eam etiam (*even*) in hoste amēmus.
3. Quae lēx tam mala est ut hās poenās impōnat?
4. Tanta tempestās simul coorītur ut nūlla nāvium cursum teneat.
5. Mōns altissimus sīc stat, ut nōn trānsīre possīmus.
6. Nihil tam difficile est ut nōn possit studiō invēstīgārī.
7. Cum sītis similēs parēsque vītā, uxor pessima, pessimus marītus, mīror nōn bene convenīre (*suit*) vōbīs.
8. Tam saepe (*often*) nostrum dēcipī Fabullīnum mīrāris, Aule? Semper homō bonus tīrō (*naïve*) est.

The Return of Spring

Ecce (*behold*) grātum
et optātum (*desired*)
vēr redūcit gaudia (*joys*),
purpurātum
flōret prātum (*meadow*),
sōl serēnat (*lights*) omnia,
iam iam cēdant trīstia.
Aestās (*summer*) redit,
nunc recēdit
hiemis (*of winter*) saevitia (*cruelty*).

The Joys of Spring

Vēr redit optātum
cum gaudiō,
flōre decorātum
purpureō.
Avēs ēdunt cantūs
quam (*how*) dulciter,
revirēscit (*grows green*) nemus (*grove*),
cantus est amoenus (*pleasant*)
tōtāliter.

Iuvenēs ut flōrēs
accipiant
et sē per odōrēs
reficiant (*refresh*),
virginēs assūmant
alacriter (*gaily*)
et eant in prāta
flōribus ōrnāta (*adorned*)
commūniter (*together*).

THE ROMAN CANDLE

When Latin words beginning with *s* plus consonant entered the Romance languages, an initial *e* was prefixed; then in French the *s* was dropped and an acute accent placed on the *e*.

Latin	Spanish	French	English from French
status	estado	état	coup d'état
studiāre	estudiar	étudier	étude
scrībere	escribir	écrire	
stella *star*	estrella	étoile	
stāre	estar *be*		
spērāre	esperar		
spatha *sword*	espada	épée	épée
spatula *shoulder blade*	espalda	épaule	épaulet
schola *leisure, school*	escuela	école	

The prefixed *e* is what gives us such doublets as STATE and ESTATE, SPECIAL and ESPECIAL, SPIRIT and ESPRIT, SPOUSE and ESPOUSE (Latin *spōnsus*) and SQUIRE and ESQUIRE (Latin *scūtum* "shield"). The dropping of the *s* in French takes place with other vowels and in the interior of a word. Latin *hospitālis* (from *hospes*) gives HOSPITAL, then shortens to HOSTEL, and finally the French form HOTEL. Latin *costa* "side" gives English COAST and French *côte*; *fēsta* gives Spanish *fiesta* and French *fête*.

Lesson LXV
THE IMPERFECT TENSE

autem *but, moreover*   iterum *again*
flēre, flēvī, flētus *weep*   solēre, solitus *be accustomed*

The imperfect is the Latin tense used to express continued, customary, or repeated past action. It is usually translated into English by "was going," "used to go," or sometimes simply "went." Remember that for a single act in past time Latin uses the perfect tense. For the first and second conjugations, the imperfect is formed by adding to the present stem the tense sign -*bā*- and the personal endings (active or passive); for the third, fourth, and fifth conjugations, the tense sign is -*ēbā*-. The actives would then be *vocābam, vidēbam, agēbam, audiēbam,* and *capiēbam* and the passives *mīrābar, fatēbar, ūtēbar, oriēbar,* and *gradiēbar.* The irregular verbs all have regular imperfects except for *esse* and *posse,* which have *eram, erās,* etc., and *poteram, poterās,* etc. Note that the -*m* ending is always used for the first person singular active in the imperfect.

Iterum has a derived verb *iterāre* "repeat" which gives the English derivative REITERATE. A -*bilis* adjective is *flēbilis* and a fourth declension noun is *flētus.*

THE PREFIX *DĒ*-

Dē- divides its time between "down" and "from" as meanings. Sometimes both meanings prevail in the same verb, as *dēferre,* and occasionally one meaning will be prominent in English and another in Latin, as in *dēmovēre,* which means "move away," not "demote." Both meanings illustrated:

Down		*Away, Out*	
dēcēdere	dēmittere	dēcēdere	dēpōnere
dēcidere	dēpōnere	dēfugere	dēportāre
dēfluere	dēprimere	dēligere	dētinēre
dēicere	dēscendere	dēpellere	dētrahere

Dē- can have an intensive force, as in these verbs: *dēcernere, dēclāmāre, dēclārāre, dēcurrere, dēflēre, dēmorārī, dēputāre, dēsignāre.* The "down" and "away" ideas sometimes can convey a more drastic tone to the verb, as in the following:

dēcipere *deceive*

dēficere *fail*

dēlinquere *fail*

dērīdēre *deride*

dēspicere *despise*

dēspērāre *give up hope*

dēstituere *abandon*

dēstruere *destroy*

List as many English derivatives from these verbs as you can find.

A

I. Identify the following indicative verb forms; give their person, number, tense, and voice:

faciēbat	dēbēmus	dant	merēminī
audītur	serviēbant	nāsciminī	scīs
ūtēbāris	poterās	placēbat	ferris
audent	franguntur	surgēbam	gradiēbātur
sequēbāminī	poterat	loquimur	estis
erās	videō	potestis	mīrābāmur

II. Put the verbs in the following sentences into the imperfect:

1. Arma dēicimus.
2. Flūmina dēfluunt.
3. Ē patriā dēportātur.
4. Amīcōs tuōs dērīdeō.
5. Nāvem iterum dēstituis.
6. Ab eō dēcipior.
7. Hostēs dēpelluntur.
8. Ad mare dēmittiminī.
9. Hoc modō dēferris.
10. Quid dēcernitis?
11. In urbe dēmorāmur.
12. Dē montibus dēscendit.

B

1. In ulteriōre urbe permanēbam.
2. Multās hōrās loquēbātur.
3. In agrīs dēsertīs iacēbāmus.
4. Tōtam noctem somnus interrumpēbātur.
5. Iterum iterumque tē vocābam.
6. Poteram hōc modō hostem repellere.
7. Custōdēs autem dēserere nōn solēbant.
8. Veterēs domūs pauperēs cōnstruēbant.

9. Virī fortēs ob timōrem flēre nōn solent.

10. Iterum dīcimus Latīnam linguam esse facilem.

11. Imperātor dēspicit mīlitem flentem.

12. Nūllus autem servus dēcēdere poterat.

C

1. Librum minōrem habēre dē-sīderābās.

2. Castra Britannōrum ā nostrā manū capiēbantur.

3. Imperātōrem grātā mente sequēbātur.

4. Stābat māter dolōrōsa fūnere fīlī.

5. Rōmānī solēbant iūstōs cōn-sulēs dēligere.

6. Ob fīliam mortuam flēbat.

7. Erat equus dīversī colōris.

8. Carmina Paulus emit, recitat sua carmina Paulus.
Nam (*for*) quod emās possīs iūre vocāre tuum.

9. Parva rogās magnōs; sed nōn dant haec quoque (*even*) magnī.
Ut pudeat levius tē, Matho, magna rogā.

The Devil's Wife

Quīdam daemon in speciē hominis cuidam dīvitī hominī serviēbat et, quod servitium eius et industria multum placēbant hominī, dedit eī fīliam suam in (*as*) uxōrem et dīvitiās multās. Illa autem omnī diē et nocte lītigābat (*quarreled*) cum marītō suō nec eum quiēscere permittē-bat.

In fīne autem annī dīxit patrī uxōris suae, "Volō recēdere et in patriam meam redīre." Eī pater uxōris ait, "Nōnne dedī (*didn't I give*) multa tibi ita quod nihil dēsit (*is lacking*) tibi? Cūr vīs recēdere?" Dīxit ille, "Modīs omnibus volō repatriāre." Eī pater uxōris ait, "Ubi (*where*) est patria tua?" Ait ille, "Dīcō tibi et vēritātem nōn cēlō (*conceal*); patria mea est īnfernus, ubi numquam (*never*) tantam discordiam et molestiam susti-nuī (*I have sustained*) quantam hōc annō sustinuī ā lītigiōsā uxōre meā. Mālō (*I prefer*) esse in īnfernō quam (*rather than*) plūs cum eā com-morārī." Et hōc dictō ab oculīs eōrum ēvānuit (*vanished*).

The Hanging Tree

Homō habēbat arborem in hortō (*garden*) suō, in quā duae eius uxōrēs suspendērunt sē. Cui eius amīcus ait, "Valdē fortūnāta est arbor illa et bonum ōmen habet. Habeō autem uxōrem pessimam; rogō tē, dā mihi surculum (*shoot*) ex eā, ut plantem in hortō meō."

THE ROMAN CANDLE

We learned earlier that Latin *al* tended to become *au*, and *au* tended to become *o* in the Romance languages. Let us review the words we studied and add a few new ones.

Latin	*Spanish*	*French*	*English from French*
Gallia		Gaule	Gaul
pauper	pobre	pauvre	poor
claudere		clore	close
causa	cosa *thing*	chose *thing*	
altus		haut	haughty, oboe
alter	otro	autre	
paucī	poco		
salvāre		sauver	save

THE FUTURE TENSE

ibi *there*   mox *soon*
praeter (adv. and prep. with acc.)   ubi *where, when* (relative)
  beyond, past, except   *where?* (interrog.)

The Latin future tense has the same meaning as does the English future. It is formed in two very different ways. The first and second conjugations add to the present stem the tense sign *-b-* and the personal endings (active or passive). The other three conjugations use a tense sign *-ē-* added to the present stem. But that's not all! The first person singular has the tense sign *-a-* and, for the active, the personal ending *-m*. This form was borrowed from the present subjunctive. An example of one active and one passive of each type of future is given here.

vocābō	vidēbor	agam	audiar
vocābis	vidēberis	agēs	audiēris
vocābit	vidēbitur	aget	audiētur
vocābimus	vidēbimur	agēmus	audiēmur
vocābitis	vidēbiminī	agētis	audiēminī
vocābunt	vidēbuntur	agent	audientur

Watch especially the second singular future passive in the third conjugation. There is only a long mark's difference between it and the present passive. The future of *esse* is *erō, eris, erit, erimus, eritis, erunt.* The future of *posse* is *poterō, poteris,* etc.

Praeter can be used as a prefix, especially with *mittere* (in the sense of *omittere*) and *īre,* "go past." *Praeterīre* gives English PRETERITE, which means the past tense of a verb. We also have from *praeter* the English derivative PRETERNATURAL.

THE PREFIX *RE-*

The prefix *re-* (sometimes spelled *red-*) generally means "back," but it sometimes has an intensive force, as in *remanēre* "remain," *replēre* "fill." Occasionally the two meanings are present in the same verb, as *recipere* "take back," "receive." There are two verbs in which *re-* has a negative force, *reclūdere* "disclose" and *retegere* "uncover." A few verbs show the "again" meaning, as *renovāre* "make new again." Here are some "back" compounds:

recēdere	redūcere	remittere	rescrībere
recidere	referre	rependere	resonāre
reddere	refugere	repōnere	resūmere
redimere	regredī	reprimere	revehere
redīre	relābī	requīrere	revolvere

A

I. Form Latin verbs that mean the following and give a derivative:

throw back	drive back	be born again
fight back	carry back	establish again
run back	draw back	prepare again
move back	call back	rise again
look back	turn back	seek again

II. Here are a few verb forms to identify. Notice that you must often be sure of the conjugation to which a verb belongs before you can distinguish a present from a future.

sciet	rescrībit	fīniēmus	relinquēris
dolet	redūcēris	iacētis	capiar
ageris	stābunt	reicientur	sequeris
fatentur	tangēmus	pudet	erit
replētis	condam	patiētur	retinēbō

III. Change these present verbs into the future:

1. Ā magistrō revocāmur.
2. Vīnum sōlum bibitis.
3. Cum clāritāte loquor.
4. Nūlla rēs rependitur.
5. Novōs flōrēs indicat.
6. Magistrī puerōs tuentur.
7. Scīmus senem caedī.
8. Urbs tōta timet.
9. Es dignus iuvenis.
10. Vītā beātā fruiminī.
11. Opibus sapienter ūteris.
12. Requīrunt pācem īnfīnītam.

B

1. Tōtum vēr ibi remanēbis.
2. Ubi aquam dulcem inveniēmus?
3. Vōbīs bene ac fidēliter serviet.
4. Hōc factō, mox praeter fīnēs regrediēmur.
5. Rēgnum glōriōsum ibi solvētur.
6. Tribus diēbus difficile opus fīniet.
7. Mox victōriam nōbīs nūntiābit.
8. Poterunt ibi cernere pulchrās avēs.
9. Ad aliam terram ignōtam mox mittēris.
10. Nōlī nōs vocāre; tē vocābimus.
11. Ubi sē armābit manus nostra?
12. Nihil est facile praeter linguam Latīnam.

C

1. Ubi eris captīvus, lībertātem amābis.
2. Fatēminī vōs nōn posse fēlīciōrēs esse.
3. Ōrdine mūtātō, ultimī erunt prīmī.
4. Mediō tūtissimus ībis.
5. Mox cōnstituet sē satis scīre.
6. Quis est quī poterit reprimere nōs?
7. Hostī recipere castra nōn permittēmus.
8. Mē reportā ad veterem Virgīniam.
9. Semper pauper eris, sī pauper es, Aemiliāne. Dantur opēs nūllīs nunc nisi dīvitibus.

Mutual Assistance

Rēx erat, quī magnum convīvium fēcit; tum per tōtum rēgnum nūntiōs mīsit quī dīxērunt, "Omnēs ad convīvium veniant et nōn sōlum convīvium bonum habēbunt, sed etiam (*also*) dīvitiās īnfīnitās obtinēbunt." Erant tunc duo hominēs in ūnā cīvitāte manentēs; ūnus fuit fortis et rōbustus, sed tamen caecus (*blind*), alter claudus (*lame*) et dēbilis, sed optimē vidēbat.

Dīxit caecus claudō, "Cārissime, rēx tālī tempore optimum convīvium tenēbit, ad quod nōn sōlum quisque habēbit cibum (*food*) prō suā voluntāte (*wish*), sed dīvitiās magnās recipiet. Tū vērō es claudus, ego vērō caecus, et ergō ad illud convīvium nōn poterimus accēdere." Ait claudus, "Sī cōnsilium meum facis, ambō (*both*) veniēmus, et dīvitiās et convīvium sīcut (*as*) cēterī obtinēbimus." Respondit caecus, "Omne cōnsilium quod est nōbīs ūtile sum parātus adimplēre."

Ait claudus, "Tū es fortis et rōbustus in corpore, ego vērō dēbilis et claudus; mē super dorsum (*back*) tuum portābis, ego vērō tibi viam ostendam, quod satis clārē videō, et sīc ambō ad convīvium veniēmus, et dōna sīcut cēterī obtinēbimus." Ait caecus, "Āmēn dīcō tibi, optimum cōnsilium est; ascende meum dorsum." Et sīc factum est; claudus viam eī ostendit et ipse eum portāvit, et sīc ambō ad convīvium vēnērunt et dīvitiās inter aliōs recēpērunt.

Lesson LXVII

THE PERFECT TENSE

coepī, coeptus (perfect tense
    only) *began*
saepe *often*
umquam *ever* (negative num-
    quam)

-ne sign of a question
    (attached to the first
    word in a sentence)

For the perfect active two things are all you need to know: the second
principal part of the verb and a special set of personal endings. This will
work for all the conjugations and even for the irregular verbs. The endings are given in the left hand column and four verbs, two regular and
two irregular, are conjugated in full as samples.

-ī	vocāvī	ēgī	fuī	tulī
-istī	vocāvistī	ēgistī	fuistī	tulistī
-it	vocāvit	ēgit	fuit	tulit
-imus	vocāvimus	ēgimus	fuimus	tulimus
-istis	vocāvistis	ēgistis	fuistis	tulistis
-ērunt	vocāvērunt	ēgērunt	fuērunt	tulērunt

For the perfect passive two things are all you need to know: the third
principal part of the verb and the present tense of *esse*. These combine to
make the perfect passive. The participle is still an adjective and it agrees
with the subject in gender and number. The perfect passive is translated
"I have been called" or "I was called."

vocātus, -a sum	vocātī, -ae sumus
vocātus, -a es	vocātī, -ae estis
vocātus, -a, -um est	vocātī, -ae, -a sunt

Two verbs you have had, *audēre* and *solēre*, are called semideponents.
They are active verbs in their present, imperfect, and future, but deponent
in the rest of the tenses. Example: *audeō* "I dare," *audēbō* "I will dare,"
ausus sum "I dared" or "I have dared."

MITTERE AND CAPERE

We have pointed out before that the English derivative is often a good meaning for the Latin word. This is true of compound verbs, particularly compounds of *mittere*. In addition to "send," *mittere* can mean "let go"; *permittere* means "let go through" or "permit." One compound of *mittere* in which a derivative does not help is *āmittere*, which regularly means "lose" and not "send away." In these other compounds of *mittere*, note that the derivative gives a correct meaning.

admittere	*let in, admit*	omittere	*leave out, omit*
committere	*bring together,*	prōmittere	*promise*
	commit	remittere	*return, remit*

The derivative is also very helpful with compounds of *capere*. The following list of verbs, meanings, and derivatives tells the story:

Verb	*Meaning*	*Derivative*
accipere	*accept, receive*	accept
concipere	*receive, conceive*	conceive
dēcipere	*trick, deceive*	deceive
incipere	*begin*	incipient
intercipere	*cut off*	intercept
percipere	*grasp, perceive*	perceive
praecipere	*order, instruct*	precept
recipere	*take back, receive*	receive

A

Change the perfect actives to perfect passives and make necessary changes in the pronouns. Study the examples first.

Tē vocāvī.	Ā mē vocātus es.
Eum monuistī.	Ā tē monitus est.
Nōs admīsit.	Ab eō admissī sumus.
Vōs accēpimus.	Ā nōbīs acceptī estis.
Eōs audīvistis.	Ā vōbīs audītī sunt.
Mē tulērunt.	Ab eīs lātus sum.

1. Mē servāvērunt.
2. Nōs tenuistis.
3. Tē mīsimus.
4. Vōs terruit.
5. Eum vīcistī.
6. Eōs accūsāvī.

7. Mē armāvistī.
8. Tē vīdit.
9. Eum dēseruimus.
10. Nōs mōvistis.
11. Vōs cōnspexērunt.
12. Eōs iūvī.

B

1. Coepimus lūcem vidēre.
2. Vīdistīne umquam equum nigrum?
3. Opus saepe prōmīsimus incipere.
4. Nōnne percipitur facile lingua Latīna?
5. Vēnī, vīdī, vīcī.
6. Legiōnem cūnctam nāvibus coepērunt impōnere.
7. Numquam solitus sum haec omittere.

8. Vīsne vestem mollem tangere?
9. Cūr trēs diēs ac noctēs eum secūtus es?
10. Prō bonō pūblicō numquam ēgistis.
11. Cūr sorōrēs saepe librōs domum portāvērunt?
12. Amet quī numquam amāvit.
13. Iūs summum saepe summa est malitia.
14. Armīs āmissīs, incipiet fugere dux.

C

1. Omnia flūmina maxima Ītaliae cōnspexistis.
2. Fugācēs annī virtūtem meam abstulērunt.
3. Sine armīs proximus pugnae saepe manēre ausus est.

4. Estne victus saepe Caesar in pugnā?
5. Ēdistī satis, bibistī satis, atque lūsistī satis.
6. Inīqua numquam rēgna perpetuō manent.

7. Dās numquam, semper prōmittis, Galla, rogantī.
   Sī semper fallis, iam rogō, Galla, negā.
8. Omnia prōmittis cum tōtā nocte bibistī.
   Māne (*in the morning*) nihil praestās (*you furnish*).
   Pollio, māne bibe.

234

9. Sī quandō (*ever*) leporem (*rabbit*) mittis mihi, Gellia, dīcis,
   "Fōrmōsus septem (*seven*), Marce, diēbus eris."
   Sī non dērīdēs, sī vērum, lūx mea, nārrās,
   ēdistī numquam, Gellia, tū leporem.

The Teacher Peter Abelard

Audīvī quod rēx Franciae valdē commōtus erat et īrātus contrā prae-cipuum (*outstanding*) magistrum Petrum Abelardum, quī Parīsius (*at Paris*) legēbat (*lectured*), et prohibuit eum legere in terrā suā. Ille vērō ascendit super arborem altam prope cīvitātem Parīsiēnsem, et omnēs scholārēs Parīsiēnsēs secūtī sunt eum audientēs sub arbore magistrī suī lēctiōnēs.

Cum autem rēx quādam diē dē palātiō suō vidēbat multitūdinem scholārium sub arbore sedentium, quaesīvit causam, et dictum est eī quod clēricī (*priests*) erant, quī magistrum Petrum audiēbant. Ille vērō valdē īrātus iussit (*ordered*) eum ad sē venīre et dīxit eī, "Quōmodo tam audāx fuistī quod contrā prohibitiōnem meam in terrā meā lēgistī?" Cui ille, "Domine, nōn lēgī post prohibitiōnem tuam in terrā tuā, at (*but*) tamen lēgī in āere (*air*)." Tunc rēx prohibuit eum in terrā suā vel (*or*) in āere suō docēre. Sed ille intrāvit in nāviculam et dē nāviculā docēbat turbās discipulōrum.

Cumque rēx quādam diē vidēbat scholārēs in rīpā (*bank*) flūminis sedentēs, quaesīvit causam, et dictum est eī quod magister Petrus in locō illō scholās regēbat, et cum magnā indignātiōne iussit eum vocārī et dīxit eī, "Nōnne tē prohibuī legere in terrā meā vel in āere?" Et illō respon-dente, "Nec in terrā tuā nec in āere lēgī, sed in aquā tuā," rēx rīsit. In mollitūdinem īram convertēns, ait, "Vīcistī mē; ubicumque (*wherever*) cupis, in terrā meā, aut in āere aut in aquā lege."

THE ROMAN CANDLE

We have seen before that Latin *c* before *a* gives French *ch*. This is very important and the source of many derivatives in English. We have had some of these examples and some are new.

Latin	*French*	*English*
campus	champ	champion
caput	chef	chef, chief
cantāre	chanter	chant, enchant
cāritās	charité	charity
carmen	charme	charm
cadere	chute	chute, parachute
cathedra *chair*	chaire, chaise	chair, chaise
candēla *candle*	chandelle	chandelier
castus *chaste*	chaste	chaste, chastize
camera *room*	chambre	chamber
caballus *horse*	cheval	chevalier, chivalry

Lesson LXVIII
THE PLUPERFECT TENSE

aetās, aetātis, F *age*

puella, puellae, F *girl*

laetus, -a, -um *happy*

saevus, -a, -um *cruel*

The pluperfect (or past perfect) active is the same as the corresponding English tense, "I had called," "you had called," etc. The Latin tense is formed for all verbs by adding the tense sign *-erā-* to the perfect stem. The perfect stem is simply the second principal part minus the *-ī*.

vocāveram	vocāverāmus	fueram	fuerāmus
vocāverās	vocāverātis	fuerās	fuerātis
vocāverat	vocāverant	fuerat	fuerant

The pluperfect passive, "I had been called," etc., is the perfect passive participle plus the imperfect of *esse*.

vocātus, -a eram	vocātī, -ae erāmus
vocātus, -a erās	vocātī, -ae erātis
vocātus, -a, -um erat	vocātī, -ae, -a erant

Derived vocabulary:

aeternus	laetārī	saevitia
aeternālis	laetitia	saevīre
aeternitās	puellāris	

FERRE

The verb *ferre* offers all sorts of interesting possibilities in its compounds. The simple verb means "carry" and "bear," in all the senses of the English verb "bear," such as "suffer," "endure." We usually get two derivatives from each compound, one from the infinitive and one from the participle. These two English words are not thought of as related, and they normally have a totally different sense. English derivatives are very helpful, and the following table lists verb, meaning, and both derivatives.

afferre	*bring to, report*	afferent, —
auferre	*carry away*	—, ablative
circumferre	*carry around*	circumference, —
cōnferre	*carry, collect*	confer, collate
dēferre	*bring*	defer, —
differre	*disperse, delay*	differ, dilate
efferre	*carry out, lift up*	efferent, elate
īnferre	*bring in, bring on*	infer, —
offerre	*bring, offer*	offer, oblate
praeferre	*carry before, prefer*	prefer, prelate
referre	*carry back, bring back*	refer, relate
sufferre	*bear, endure*	suffer, —
trānsferre	*carry across*	transfer, translate

The meaning of one of the above derivatives doesn't fit at all. DEFER, meaning "postpone," was taken from *dēferre* but borrowed the meaning from *differre*. You won't see many like this!

A

Make new sentences by changing the perfect to the pluperfect:

1. Sōl ortus est.
2. Multī occidērunt.
3. Saepe clāmāvimus.
4. Flōrēs abstulī.
5. Pedibus ūsus sum.
6. Urbēs incēnsae sunt.
7. Deīs dōna vōvistī.
8. In urbe nātī estis.
9. Manūs extendistis.
10. Vīnum relātum est.
11. Dē puellīs locūtī sumus.
12. Avēs volāvērunt.

B

1. Parvō vehiculō lātī erant.
2. Omnī aurō laetī ūsī erāmus.
3. In longā aetāte laeta multa vīderāmus.
4. Puellae ā patribus saevīs nōn honōrātae erant.
5. Latīnam linguam facillimam esse didicerāmus.
6. Post bellum longum brevius incēperātis.
7. Ōrātōrēs ēloquentēs ā cīvibus laudātī erant.

8. Eum esse amīcum fidēlem cognōveram.
9. Vēritās nūntī nōs perīculō servāverat.
10. Fugitīvī ā mīlitibus saevīs captī erant.
11. Cum meīs comitibus iterum līberātus eram.
12. Puellae dētulērunt aurum ad mātrēs suās.

C

1. Puella Ēchō (*nom.*) iterat verba puerī Narcissī.
2. Ponderōsa arma in mare coniēcerāmus.
3. Dignitāte nūllī secundus esse voluerat.
4. Nūntius attulit Gallōs esse saevōs.
5. Puella Alicia fuerat in terrā mīrābilī.
6. Ad alium locum signa trāns-ferrī nōn potuērunt.

7. Nūper (*recently*) erat medicus, nunc est vispillo (*undertaker*) Diaulus;
   Quod vispillo facit, fēcerat et medicus.
8. Bella (*pretty*) es, nōvimus, et puella, vērum est,
   et dīves, quis enim (*for*) potest negāre?
   Sed cum tē nimium, Fabulla, laudās,
   nec dīves neque bella nec puella es.

Robbing Him Blind

Quīdam nōbilis quandam vaccam (*cow*) candidam habuit, quam multum dīlēxit propter (*because of*) duo: prīmum quod candida erat, secundō quod in dandō (*giving*) lacte (*milk*) abundāvit. Nōbilis ille duo cornua vaccae aurō operuit; et inter sē cōgitāvit, "Quis potest vaccam custōdīre?" Erat tunc quīdam homō, nōmine Argus, quī vērāx in omni-bus erat et centum (*a hundred*) oculōs habēbat. Nōbilis ille nūntium ad Argum mīsit dīcentem, "Venī sine morā ad mē."

Cum vēnerat, ait eī, "Vaccam meam cum cornibus aureīs tuae custōdiae committō, et sī bene custōdīs, tē ad magnās dīvitiās prōmovēbō; sī vērō cornua auferuntur, moriēris." Argus vērō vaccam cum cornibus recēpit et sēcum dūxit; et singulīs diēbus (*every day*) cum eā ad pāscua (*pas-ture*) īvit et eam dīligenter custōdīvit et nocte eam domum redūxit. Erat

239

quīdam homō cupidus, nōmine Mercurius, clārus valdē in arte mūsicālī, qui mīrō modō vaccam habēre cupiēbat; et saepe ad Argum vēnit, ut prece vel (*or*) pretiō (*bribe*) cornua ab eō obtinēret (*he might obtain*).

Argus vērō, tenēns in manibus baculum (*staff*) pāstōrālem, ante sē in terram fīxit (*planted*), et ait baculō in persōnā dominī suī, "Tū es dominus meus; nocte hāc ad domum tuam veniam. Tū dīcis mihi, 'Ubi est vacca cum cornibus?' Ego respondeō, 'Hīc (*here*) est vacca sine cornibus; mē enim dormiente (*sleeping*) latrō (*robber*) quīdam cornua abstulit.' Tū dīcis, 'Ō miser, nōnne centum oculōs habēs? Quōmodo erat, quod omnēs dormiēbant (*were sleeping*) et latrō cornua abstulit?' Sī dīcam, 'Vēndidī' (*I sold them*), īnfidēlis erō dominō meō." Deinde ait Mercuriō, "Vāde viam tuam, quod nihil obtinēbis."

Mercurius recessit, et alterā diē cum arte mūsicālī et suō īnstrūmentō vēnit. Cum vēnerat, incēpit cum Argō fābulās dīcere et saepe cantāre, dum (*until*) duo oculī Argī incēpērunt dormīre; post cantum illīus duo aliī oculī dormitāvērunt, etc., dum oculī omnēs somnum capiēbant. Hoc cernēns Mercurius caput Argī amputāvit et vaccam cum cornibus aureīs rapuit.

Lesson LXIX
THE FUTURE PERFECT TENSE

nēmō, nēminis, M, F *no one,*
    nobody
quia *because, that*

quoniam *since*
suēscere, suēvī, suētus *become*
    accustomed

In Latin, as in English, the future perfect is rare. Just think how often you use expressions like "he will have come." Latin uses the future perfect with about the same frequency. The future perfect active is formed by adding the tense sign *-er-* and the endings to the perfect stem. But the third person plural has *-int* rather than *-unt*. The future perfect passive uses the perfect passive participle plus the future of *esse*. The participle agrees with the subject as in the other compound tenses.

vocāverō	vocātus, -a erō
vocāveris	vocātus, -a eris
vocāverit	vocātus, -a, -um erit
vocāverimus	vocātī, -ae erimus
vocāveritis	vocātī, -ae eritis
vocāverint	vocātī, -ae, -a erunt

Derived vocabulary: *assuēscere, cōnsuēscere, īnsuēscere, cōnsuētūdō.* *Cōnsuētūdō* gives us both CUSTOM and COSTUME. Notice that *suēscere* is another verb with the inceptive suffix.

HABĒRE, QUAERERE, TENĒRE

In three compounds of *habēre*, the derivative points the way to the correct meaning.

exhibēre	*present, show*	exhibit
inhibēre	*restrain, hinder*	inhibit
prohibēre	*forbid, prevent*	prohibit

English also neatly defines three compounds of *quaerere*.

acquīrere	*obtain, add*	acquire
inquīrere	*search, examine*	inquire
requīrere	*seek, want, need*	require

For *tenēre*, it is not necessary to give any meaning other than the derivative. Notice that in some cases we have a verb in -TAIN and an adjective in -TINENT (from the present participle).

abstinēre	*abstain*	abstinent
continēre	*contain*	continent
dētinēre	*detain*	
obtinēre	*obtain*	
pertinēre	*pertain*	pertinent
retinēre	*retain*	
sustinēre	*sustain*	sustenance (noun through French)

A

Drill on the perfect tenses. Identify the following forms:

fēcerās	stetērunt	ūsī sumus	mīrātī erātis
tulistī	vectī erunt	fūgimus	voluerimus
potueris	biberint	iūveram	tentae sunt
aperuit	mortuus est	portātum erat	cōnfessus erit

B

1. Posterō diē trēs servōs novōs acquīsīverō.
2. Quoniam es mihi cārus, dōna accipiēs.
3. Nēmō in hōc rēgnō ūnum annum mānserit.
4. Quī prior ad mē cucurrerit aurum accipiet.
5. Nōn facile uxōrem ā malō prohibuerit.
6. Quia vīrēs sustinēbat, victōriam tenēbat.
7. Ob eam causam expulsus est quod ferior erat.
8. Sōlus erō quia tē vidēre nōn licuerit.
9. Eum nēmō armīs superāre suēvit.
10. Ūnō annō tōtam linguam Latīnam didiceris.

242

C

1. Nihil satis est, quoniam homō plūs semper vult.
2. Cicerō erat īnfēlīx quia somnum capere nōn poterat.
3. Quia nātūra mūtārī nōn potest, amīcitiae sunt aeternae.
4. Nēmine iuvante, grave impedī- mentum portāvit.
5. Suētus abstinēre iniūriā, exemplum glōriae exhibuit.
6. Per aetātēs omnēs Rōmānī hanc cōnsuētūdinem retinu- ērunt.
7. Versiculōs in (*against*) mē nārrātur scrībere Cinna. Nōn scrībit, cuius carmina nēmō legit.
8. Hērēdem (*heir*) tibi mē, Catulle, dīcis. Nōn crēdam, nisi lēgerō (i.e., *in your will*), Catulle.

The Golden Apple

Erat quīdam rēx, quī fīlium sōlum ūnicum habēbat, quem multum dīlēxit. Rēx ille ūnum pōmum (*apple*) aureum fierī iussit sūmptibus magnīs; pōmō fabricātō rēx ad mortem īnfirmābātur, vocāvit fīlium suum et ait, "Cārissime, nōn poterō dē hāc īnfirmitāte ēvādere; sub benedictiōne meā post meum dēcessum vāde per rēgna et pōmum aureum quod fēcī tolle tēcum, et quem magis stultum (*foolish*) invēneris, pō- mum istud ex parte meā dabis."

Fīlius vērō fidēliter adimplēre prōmīsit, rēx vērō vertēbat sē ad parie- tem (*wall*) et ēmīsit spīritum; fīlius vērō satis honōrificē eum trādidit sepultūrae. Post sepultūram pōmum accēpit et per dīversa rēgna īvit, multōs stultōs vīdit, tamen nūllī eōrum pōmum dedit. Deinde īvit ad quoddam rēgnum et ad cīvitātem prīncipālem illīus rēgnī accessit. Per medium cīvitātis rēgem equitantem cum magnō apparātū vīdit, condi- ciōnēs illīus rēgnī ā quibusdam cīvibus quaesīvit. At illī dīxērunt eī, "Cōnsuētūdō illīus rēgnī est tālis quod numquam rēx inter nōs rēgnābit nisi ūnō annō; fīnītō annō in exilium pōnētur, ubi malā morte fīniētur."

Fīlius rēgis haec audiēns cōgitābat, "Iam invēnī quem quaesīvī"; ac- cessit ad rēgem et eum salūtāvit et ait, "Salvē, rēx, pater meus mortuus est et istud pōmum aureum in testāmentō (*will*) tibi lēgāvit (*left*)." Rēx vērō pōmum accēpit et ait eī, "Cārissime, quōmodo potest hoc esse? Rēx numquam mē vīdit et nihil bonī patrī tuō fēcī; cūr ergō tam pretiōsam rem mihi dedit?" Ait ille, "Domine mī rēx, pater meus nōn plūs tibi quam alterī pōmum lēgāvit, sed sub benedictiōne suā mihi praecēpit stultissimō dare quem poterō invenīre, et circuīvī multa rēgna et nōn invēnī tam magnum stultum quam tū; itaque ex praeceptō patris meī tibi pōmum dedī."

Ait rēx, "Rogō ut mihi dīcās cūr mē tam stultum reputās." Sed ille, "Domine, ostendam tibi clārē. Est cōnsuētūdō illīus rēgnī sōlum per annum rēgnāre et in fīne annī omnī honōre et dīvitiīs prīvārī (*be deprived*) et in exilium pōnī, ubi malā morte moritur. Vērē dīcō tibi, conclūdō ex dictīs meīs quod in tōtō mundō nōn est tantus stultus sīcut (*as*) tū, quod tam breve tempus rēgnāre dēbētis et post hoc tam miserābiliter vītam fīnīre."

Respondit rēx, "Omnia vēra sunt, quae mihi dīxistī, itaque dum adhūc fuerō in meā potestāte, in praesentī annō bona īnfīnīta mittam ante mē in exilium, ut cum ibi vēnerō, dē bonīs illīs vīvam quamdiū (*as long as*) vīxerō." Et sīc factum est; in fīne annī rēgnō est prīvātus et in exilium positus, ibi per multōs annōs dē bonīs illīs vīxit et vītam in pāce fīnīvit.

THE ROMAN CANDLE

Italian, of course, is modern Latin in the place that has been the Roman homeland for centuries. The Latin basis for Italian is so obvious that we will spend our time only on the Latin-Italian influence on English. One area in which this is especially prominent is music. PIANO, for instance, is the Latin adjective *plānus* "flat," "level," and PIANISSIMO is the superlative; another superlative is FORTISSIMO. CELLO, short for VIOLONCELLO, is nothing but the diminutive suffix *-cellus*. Here are some more Italian terms in English from words you know, with their original Latin ancestors (before prefixes and suffixes) beside them.

Italian	Latin	Italian	Latin
alto	altus	grave	gravis
animato	animus	molto	multus
cadenza	cadere	opera	opus
cantabile	canere	operetta	opus
cantata	canere	solo	sōlus
canto	canere	soprano	super
diminuendo	minus	vivo	vīvus

REVIEW

THE VERB SYNOPSIS

Now that we have learned all six tenses of the verb, a good way to double check our knowledge is through the verb synopsis, which means giving one person and number of the verb through all the tenses. Some examples:

	portāre	*facere*	*tenēre*	*sequī*
	1st sing. act.	3rd sing. act.	1st pl. pass.	3rd pl. pass.
Pres.	portō	facit	tenēmur	sequuntur
Imp.	portābam	faciēbat	tenēbāmur	sequēbantur
Fut.	portābō	faciet	tenēbimur	sequentur
Perf.	portāvī	fēcit	tentī sumus	secūtī sunt
Pluperf.	portāveram	fēcerat	tentī erāmus	secūtī erant
Fut. Perf.	portāverō	fēcerit	tentī erimus	secūtī erunt

This becomes even more exciting when we do it with some irregular verbs:

	esse	*posse*	*ferre*
	2nd sing.	2nd pl.	3rd sing. act.
Pres.	es	potestis	fert
Imp.	erās	poterātis	ferēbat
Fut.	eris	poteritis	feret
Perf.	fuistī	potuistis	tulit
Pluperf.	fuerās	potuerātis	tulerat
Fut. Perf.	fueris	potueritis	tulerit

Now it is your turn. Using the pattern shown above, give the following synopses:

agere	3rd sing. act.	fatērī	1st sing.
capere	3rd pl. act.	parāre	1st pl. pass.
esse	3rd pl.	dīcere	2nd sing. pass.

vincere	3rd sing. pass.	timēre	2nd sing. act.
rogāre	1st sing. act.	patī	3rd sing.
sedēre	2nd sing. act.	ferre	2nd pl. act.
audīre	2nd pl. pass.	velle	3rd sing. act.
īre	3rd sing.	ūtī	3rd pl.
posse	3rd pl.	mīrārī	2nd sing.
cupere	1st pl. act.	gerere	3rd pl. act.

ĪRE AND *VENĪRE*

Īre is somewhat irregular in forms, but its meanings are rather straight-forward. Except for the four compounds that mean "die," the rest are understandable from the force of the prefix.

abīre	*go away*	inīre	*go into*
adīre	*approach*	interīre	*die*
ambīre	*go around*	obīre	*die*
anteīre	*go before*	perīre	*die*
circumīre	*go around*	praeīre	*go before*
coīre	*go together*	redīre	*return*
dēperīre	*die*	subīre	*go under, undergo*
exīre	*go out*	trānsīre	*go across*

Derivatives: AMBIENT, AMBITION, CIRCUIT, EXIT, INITIAL, OBITUARY, PERISH, TRANSIT.

Venīre is also quite reliable; these compounds should be obvious:

advenīre	intervenīre	prōvenīre
circumvenīre	pervenīre	subvenīre
ēvenīre	praevenīre	supervenīre

But *invenīre* means "come upon," "find," and *convenīre* means "suit," "fit," in addition to "come together." Derivatives: ADVENT, CIRCUMVENT, CONVENE, CONVENIENT, EVENT, INTERVENE, INVENT, PREVENT, PROVENIENCE, SUBVENTION.

THE ROMAN CANDLE

The Italian influence on English has been rather large in words not related to music. These derivatives fall into two groups, in the first of which the word is definitely felt to be Italian. Latin *influentia*, "flowing in," gives INFLUENCE, but the influence of the planets was thought to cause disease—in other words, INFLUENZA. STANZA comes from Latin *stantia* and MEZZANINE from Latin *medius*. Italian gives us TERRAZZO from *terra*, and we get it again as TERRACE from French. Remember that TERRA COTTA is also Italian. A NUNCIO (Latin *nūntius*) is a messenger from the Pope. Here are some more Italian words in English with their Latin origins:

Italian	Latin	Italian	Latin
confetti	cōnfectus	ditto	dictus
signor	senior	maestro	magister
falsetto	falsus	studio	studium
generalissimo	generālis	umbrella	umbra
inferno	īnfernus	madonna	domina
virtuoso	virtūs	vista	vidēre
finale	fīnis	viva!	vīvere

Lesson LXXI

PARTICIPLES AND INFINITIVES

at *but*   quoque *also, even*
diū *for a long time*

You have been given the present active and perfect passive participles, the present active and present passive infinitives. Latin has other participles and infinitives with which you should become acquainted. The perfect active infinitive is the perfect stem plus *-isse*. The perfect passive infinitive is composed of the perfect passive participle plus *esse*. The future active participle is the participial stem plus *-ūr-* plus the endings of *bonus*. The future active infinitive adds *esse* to the participle. The forms are the same for all conjugations and the irregular verbs. Examples:

vocāvisse *to have called*
vocātus esse *to have been called*
vocātūrus *about to call, going to call*
vocātūrus esse *to be about to call*

Some of the translations sound ridiculous in English. You will find, however, that the perfect and future infinitives are normally used in indirect discourse, where the verb is best put into a clause in English and not translated literally. The participles that combine with *esse* to make infinitives are still adjectives and they always agree with the subject of the infinitive. In an indirect statement, the infinitive expresses the time of the original direct statement. In English, some changes need to be made.

Sciō eum venīre. *I know that he is coming.*
Sciō eum vēnisse. *I know that he came.*
Sciō eum ventūrum esse. *I know that he will come.*
Scīvī eum venīre. *I knew that he was coming.*
Scīvī eum vēnisse. *I knew that he had come.*
Scīvī eum ventūrum esse. *I knew that he would come.*

DERIVATIVES AND MEANINGS

Now for some miscellaneous examples of the handy derivative. *Augēre* means "increase," and the derivative AUGMENT is the key. The agent noun *auctor* means "originator," "founder," as does the English word AUTHOR used loosely. Finally, *auctōritās* means regularly "AUTHORITY."*Arcēre* means "keep away," but the compound *exercēre* means "train," as in the derivative EXERCISE. A "group of trained men" is *exercitus* "army." *Concēdere*, going along with the derivative, means "yield," "concede." *Excēdere* means literally "go out" and also "go beyond," "exceed." *Dēcēdere* means "go away," then "go away to death," as in the derivative DECEASE.

Fundere has a wide range of meanings, such as "pour," "spout," "spread," "gush," "jumble." *Cōnfundere* gives both CONFOUND and CONFUSE. An EFFUSIVE person is one who "gushes," a meaning for *effundere*. One whose face is spread with red is SUFFUSED. *Petere* means "seek," but COMPETE and COMPETENT help explain *competere*, which means "to meet" and "to be fit." REPEAT does well as a meaning for *repetere*. *Obsequī* means "submit," "yield to," as in the derivative OBSEQUIOUS. *Invidēre* gives as derivatives the adjective INVIDIOUS and the verb ENVY, which is the best meaning for *invidēre*. There is also the derived noun *invidia*. *Invenīre* regularly means "find," not "come in."

A

Give the perfect active, perfect passive, and future active infinitives for *monēre*, *dūcere*, *finīre*, and *facere*.

B

1. Putat exercitum victum esse.
2. At bonum librum nōn scrīptūrus es.
3. Dīxī librum missum esse.
4. Nūntiāvērunt illōs hostēs quoque victōs esse.
5. Iuvenis spērat sē diū victūrum esse.
6. Senex potest dīcere sē diū vīxisse.
7. At scīvit legiōnēs ventūrās esse.
8. Cōnsulem in senātū locūtūrum vīdī.
9. Sacrificium factūrus, nūntiat sē deōs ōrāvisse.

10. At dīxērunt sē castra mōtū-
    rōs esse.
11. Sciō magistrum vestrum
    doctūrum esse brevissimō
    tempore linguam Latīnam.

12. Sciō exercitum nostrum
    numquam concessūrum esse.
13. Neque animō neque linguā
    competēns, dux auctōritātem
    āmīsit.

C

1. Cicerō dīxit deōs semper
   huic invictō populō cōnsilium lātūrōs esse.
2. Caesar quoque negāvit nōs
   armīs bene ūsōs esse.
3. Scit Gallōs tribus diēbus
   pācem petītūrōs esse.

4. Olympus aliōs montēs altitūdine excessit.
5. Audentēs Fortūna iuvat.
6. Ars prīma rēgnī est posse
   invidiam patī.
7. Male facere quī vult semper
   causam invenit.

8. Cui lēgisse satis nōn est epigrammata centum (*100*),
   nīl illī satis est, Caediciāne, malī. (*nīl malī* = no evil)
9. Difficilis facilis, iūcundus (*nice*) acerbus (*harsh*)
   es īdem.
   Nec tēcum possum vīvere nec sine tē.

Unbreakable *G*lass

Tiberius rēgnāvit, quī populum Rōmānum graviter afflīxit. Huic quīdam artifex vitrum (*glass*) ductile sē posse fabricāre dīxit, quod Tiberius
ad parietem (*wall*) prōiciēns nōn frāctum sustulit, sed curvātum, et artifex malleum (*hammer*) prōferēns et sīcut (*as*) cuprum (*copper*) fabri-
cāns corrēxit. Interrogante autem Tiberiō ab eō, quōmodo hoc posset
(*could*) fierī, ille dīxit nēminem alium hanc artem scīre super terram.
Quem Tiberius interficī iussit dīcēns, "Sī haec ars venit in cōnsuētūdinem, prō nihilō aurum et argentum (*silver*) reputābitur."

*M*onkey *T*ricks

Duo sociī dēbuērunt per dēsertum trānsīre. Dīxit alter, "Firmābō (*bet*)
tēcum quod plūs lūcrābor (*gain*) per falsitātem quam tū per vēritātem."
Respondit alter, "Et ego firmābō."
Cōnstitūtā firmātiōne, incidit mendāx (*liar*) in quandam congregā-

tiōnem sīmiārum (*apes*), et dīxērunt sīmiae, "Quid tibi vidētur dē nōbīs?" Dīxit mendāx, "Vōs estis pulcherrimae inter omnia animantia super terram, et hominēs assimilantur vōbīs; numquam vīdī tam pulchram congregātiōnem." Et multum commendāvit eās.

Vēnit alter vēridicus, et quaerēbant sīmiae quid eī vidētur dē illā congregātiōne; quī respondit dīcēns, "Numquam vīdī tam foedam (*ugly*) congregātiōnem." Et īrātae sīmiae verberāvērunt (*beat*) eum fortiter, sīc quod vix ēvāsit manūs eārum.

THE ROMAN CANDLE

Italian is responsible for the derivation of other English words which have undergone some other change in passing into English. A good example is words in -ade, such as TIRADE, ARCADE, most of which are Italian words which entered English via French. CAVALCADE comes from *caballus* "horse," COLONNADE from *columna* "column," CANNONADE from *canna* "reed," and ESPLANADE from *plānus* "level." ALARM is an old Italian cry *all' arme!* (to arms!). CITADEL is from the Italian diminutive *cittadella* (*cittá* "city" from *cīvitās*). A few other words in whose history Italian has figured:

English	Latin		English	Latin
cavalier	caballus		figurine	figūra
corridor	currere		manage	manus
costume	cōnsuētūdō		model	modus
duel	duo		scamper	excampāre
façade	faciēs *appearance*		sonnet	sonus

Lesson LXXII

REVIEW OF PARTICIPLES AND INFINITIVES

apud (prep. with acc.) *with,*
   near, at the house of
potis, -e *able, possible*
   (comparative potius "rather,"
   noun potestās "power")

propter (prep. with acc.)
   because of
vultus, -ūs, M *expression,*
   face

Let us review now the formation of all the participles and infinitives. The form you were given as the gerundive is also called the future passive participle. It will be listed here, and more directions for its use will be given in Lesson LXXIII.

PARTICIPLES

Present Active	*Perfect Passive*	*Future Active*	*Future Passive*
vocāns	vocātus	vocātūrus	vocandus
vidēns	vīsus	vīsūrus	videndus
agēns	āctus	āctūrus	agendus
audiēns	audītus	audītūrus	audiendus
capiēns	captus	captūrus	capiendus

INFINITIVES

Pres. Act.	*Pres. Pass.*	*Perf. Act.*	*Perf. Pass.*	*Fut. Act.*
vocāre	vocārī	vocāvisse	vocātus esse	vocātūrus esse
vidēre	vidērī	vīdisse	vīsus esse	vīsūrus esse
agere	agī	ēgisse	āctus esse	āctūrus esse
audīre	audīrī	audīvisse	audītus esse	audītūrus esse
capere	capī	cēpisse	captus esse	captūrus esse

Deponent verbs have a present active participle, a future active participle, and a future active infinitive. The verb *īre* has a present participle with a stem *eunt-*, but the nominative singular is *iēns*. The gerundive is *eundus*.

252

FACERE

Facere deserves a special lesson all its own. It makes compounds with nearly all the prefixes, and, while the basic meanings of "make" and "do" generally hold good, the ideas expressed by *facere* are almost countless. Here again, the derivative can be used as a learning tool. With your knowledge of *facere*, you should never confuse English EFFECT and AFFECT. Notice in the following list that the perfect participle virtually always gives a derivative, the present participle part of the time.

afficere	*do to, affect*	—, affect
cōnficere	*do thoroughly, complete*	—, confection
dēficere	*fail*	deficient, defect
efficere	*cause, bring about*	efficient, effect
īnficere	*stain, dye*	—, infect
interficere	*kill*	—, —
perficere	*carry out, complete*	—, perfect
praeficere	*put in charge*	—, prefect
prōficere	*accomplish, benefit*	proficient, profit
reficere	*renew, restore*	—, refectory
sufficere	*supply, suffice*	sufficient, —

A

Change the infinitive in these sentences first to the future, then to the perfect. Note how the English translation changes when the introductory verb is perfect rather than present. Remember that the perfect passive and future active infinitives contain a participle, which must agree with the subject of the infinitive.

1. Dīcit nōs urbem vidēre.
2. Dīcimus eum virōs laudāre.
3. Dīxit mīlitēs venīre.
4. Dīcit nūntiōs sequī.
5. Dīcunt multōs canere.
6. Dīcō vōs loquī.
7. Dīxī eum dominārī.
8. Dīcit sē sedēre.
9. Dīcunt nōs fatērī.
10. Dīxērunt mē lūdere.

B

1. Nēmō praeter hominem illum indicat vultum īrātum.
2. Urbem ab hostibus captam vīdērunt.

3. Ope negātā, vīrēs mīlitum
   dēfēcērunt.
4. Virōs victōs propter virtūtem laudābimus.
5. Mīlitēs ferentēs suum ducem
   interfectum veniunt.
6. Rēx nātiōnem bene regere
   quaerēns laudātus est.

7. Pāce factā, nōn dēbētis
   diūtius pugnāre.
8. Nōn licet vōbīs apud eum
   loquī.
9. Quid pote celerius efficī
   est?
10. Nōn est vīvere, sed valēre
    vīta est.

C

1. Hāc ōrātiōne adductī propter
   timōrem Caesarem sequuntur.
2. Flūmina fugientia Tantalus
   tangere cupiēbat.
3. Scīmus hunc mōrem apud
   Germānōs esse.

4. Nec tumultum nec mortem
   violentem timēbō, Augustō
   terrās tenente.
5. Moritūrī tē salūtant.
6. Labōre perfectō, amīcum
   Caesar castrīs praefēcit.

7. Īnscrīpsit tumulō (*tomb*) septem (*seven*) scelerāta
   (*wicked*) virōrum
   sē fēcisse Chloē. Quid pote simplicius (*simpler*)?
8. Saepe salūtātus (*greeted*) numquam prior ipse
   salūtās.
   Sīc eris aeternum, Pontiliāne, valē.

The Farmer's Vow

Rūsticus quīdam, dūcēns vaccam (*cow*) et vitulum (*calf*) ad montem
Sānctī Michāēlis, dē perīculō maris timēns, quia flūctus (*wave*) eum
invāsit, exclāmāns dīxit, "Ō Sāncte Michāēl, adiuvā mē et līberā mē, et
dabō tibi vaccam et vitulum."

Sīc līberātus, dīxit, "Fatuus (*foolish*) erat Sānctus Michāēl, quī crēdēbat
mē sibi datūrum esse vaccam meam et vitulum meum!" Et iterum invāsit
flūctus eum, et iterum exclāmāvit et dīxit, "Ō bone Michāēl, adiuvā mē
et līberā mē, et dabō tibi vaccam et vitulum." Et sīc līberātus, iterum
dīxit, "Ō Sāncte Michāēl, nec vaccam nec vitulum habēbis." Cum autem
sīc quasi (*as if*) sēcūrus incēderet, iterum flūctus vēnit, involvēns eum et
suffōcāns eum, et vaccam et vitulum cum eō suffōcāvit.

THE ROMAN CANDLE

Doublets are two words which come from exactly the same word. One way in which doublets appear in English is for us to borrow a word twice, once early and once late, sometimes with a different meaning. Take the Latin word *discus*, which we borrowed recently for the athletic instrument. We took it from Latin earlier in the form DISC, and we even have it from still earlier times, as the English word DISH. A good general rule is that the more an English word resembles the Latin original, the later it was borrowed. Here are some more examples of doublets:

amicable – amiable	faction – fashion	piety – pity
chef – chief	fragile – frail	redemption – ransom
compute – count	legal – loyal	regal – royal
concept – conceit	major – mayor	secure – sure
defect – defeat	particle – parcel	senior – sir
dignity – dainty	pauper – poor	tradition – treason

Another way in which doublets can enter English is through two different Romance languages, as ARMADA through Spanish and ARMY through French. Latin *platēa* "city square" became Italian *piazza*, Spanish *plaza*, French *place*, and English from all three. Since we are now dealing in triplets, here are some more triplet sets which have come to English in various ways:

corpus – corpse – corps	master – mister – maestro
fact – fait – feat	reason – ration – ratio
feast – fête – fiesta	state – estate – status
hospital – hostel – hotel	tract – trait – treat

255

Lesson LXXIII

MORE ON THE GERUNDIVE

enim (conj.) *for*
etiam *also, even*
nam (conj.) *for*

parere (i), peperī, partus
bear, produce, gain
(compounds comperīre and
reperīre "find out")

The Latin gerundive is a very handy form. When used with a form of *esse*, it means "must be." If an agent is expressed with this passive, the agent is put into the dative. Example: *liber mihi legendus est,* "the book must be read by me" or "I must read the book." In other functions of the gerundive, it may be used modifying a noun or, like any other Latin adjective, it may be used without a noun, thus in effect becoming a noun itself. We can have an ablative gerundive, e.g., *librīs legendīs* "by reading books" or *legendō* "by reading." When the gerundive becomes a noun, or gerund, it is always neuter.

There are several ways of expressing purpose with the gerundive. The accusative is used with *ad* and the genitive with *causā* or *grātiā*. Examples:

ad legendum
legendī causā *in order to read, to read*
legendī grātiā

ad librōs legendōs
librōrum legendōrum causā *in order to read books, to read books*
librōrum legendōrum grātiā

AGERE

Agere is a good all-purpose Latin verb which figures in dozens of idioms. Your best bet is to learn the two meanings "drive" and "do" and then expand these English meanings to fit your needs. When a Roman met another on the street, he might ask *Quid agis?*, which means "how

256

are you?" A common idiom is *grātiās agere*, meaning "give thanks." *Agere* can mean "spend time" (in English we may speak of "doing time"). The poet Martial has a poem in which he uses *agere* in several senses, from *agis mūlās* "you drive mules" to the final command *agās animam*, "drop dead!" The English verb COAGULATE is related to *cōgere*, and such verbs as NAVIGATE, FUMIGATE, CASTIGATE come ultimately from *agere*. In the compounds of *agere*, make full use of both prefix and derivative.

ambigere	*go around, be in doubt*	ambiguous
cōgere	*collect, compel*	cogent
dēgere	*spend, live*	
exigere	*drive out, demand*	exigent, exact
peragere	*drive through, finish*	
redigere	*drive back, render, reduce*	redaction, reaction
subigere	*subdue, compel*	
trānsigere	*pierce, accomplish*	intransigent, transact

A

Give the gerundives for *amāre, tenēre, pōnere, scīre, iacere.*

B

1. Nam mīlitēs pugnandī finem fēcērunt.
2. Ad pācem petendam omnēs diēs vēnērunt.
3. Mihi enim omnia erant agenda.
4. Hī etiam ad eās rēs cōnficiendās dēliguntur.
5. Cupidī bellandī nōs etiam nōn sumus.
6. Multī enim metū moriendī moriuntur.
7. Fāma vīrēs acquīrit eundō.
8. Facilitās Latīnae linguae legendae est maxima.
9. Nam scrībendō maximam sibi laudem peperērunt.
10. Multī cōgendī erant in ūnum parvum locum.
11. Necessitāte coāctī in paupertāte vītam dēgunt.
12. Rēs labōre partae quaerendae sunt eius filiīs.

C

1. Nēmō silēns placet, multī brevitāte loquendī.
2. In hīs locīs nāvium reparandārum causā manet.

3. Ūnus homō resistendō resti-
tuit rem pūblicam.

4. Prohibenda autem maximē est
īra in pūblicō.

5. Nōlīte igitur in cōnservandīs
aliīs virīs vītās āmittere.

6. Longiōrēs litterās exspectābō; potius exigam.

7. Hīc (*here*) est quem legis ille, quem requīris,
tōtō nōtus in orbe Martiālis
argūtīs (*witty*) epigrammatōn (*of epigrams*) libellīs;
cui, lēctor studiōse, quod dedistī
vīventī decus atque sentientī
rārī post cinerēs (*ashes*, "*death*") habent poētae.

8. Nīl mihi dās vīvus; dīcis post fāta (*death*) datūrum.
Sī nōn es stultus (*stupid*), scīs, Maro, quid cupiam.

The Storyteller's Trick

Rēx quīdam habuit fābulātōrem suum, quī singulīs noctibus (*every night*) quīnque (*five*) sibi nārrāre fābulās cōnsuēverat. Contigit quādam nocte quod rēx, cūrīs multīs sollicitus (*troubled*), nōn poterat dormīre (*sleep*), plūrēsque quaesīvit audīre fābulās. Ille autem trēs aliās nārrāvit, sed parvās. Quaesīvit rēx etiam plūrēs. Ille vērō nōluit. Dīxerat enim iam, sīcut (*as*) iussum fuerat sibi, multās. Ad haec rēx, "Plūrimās iam nārrā-vistī, sed brevissimās; volō vērō tē aliquam (*some*) rem nārrāre, quae multīs prōdūcātur verbīs, et sīc tē dormīre permittam." Concessit fābu-lātor; et sīc incēpit:

"Erat quīdam rūsticus, quī mīlle solidōs (*coins*) habuit. Hic autem ēmit bis (*twice*) mīlle ovēs (*sheep*). Accidit, eō redeunte, quod erat magna inundātiō aquārum. Quī cum neque per vadum (*ford*) neque per pontem (*bridge*) trānsīre poterat, abiit sollicitus, quaerēns ubi cum ovibus suīs trānsvehī poterat. Invēnit nāviculam, et necessitāte coāctus duās ovēs impōnēns aquam trānsiit."

Hīs dictīs, fābulātor obdormīvit. Rēx illum excitāns commonuit eum, "Fīnī fābulam quam coepistī." Fābulātor ad haec, "Flūmen illud mag-num est, nāvicula autem parva, et ovēs innumerābilēs. Permitte ergō rūsticum suās trānsferre ovēs, et quam incēpī fābulam ad fīnem perdū-cam."

THE ROMAN CANDLE

Portuguese is another of the Romance languages, and with your Latin training you can easily recognize Portuguese words. The Latin-Portuguese influence on English is very slight, and sometimes it is difficult to tell whether Portuguese or another Romance language gave a word to English. ALBINO (Latin *albus* "white") and PARASOL (something for the sun) are sometimes credited to Portuguese. Some definite Portuguese contributions are MOLASSES (Latin *mel* "honey"), PORT wine (Latin *portus* "harbor"), and COMPRADOR, a word used for a native agent for a business house in the Orient (Latin *comparātor*). The Greek word *parabolē* "story" gave the Latin *parabolāre* "speak," which in turn gave Spanish *palabra* "word." Our slang term PALAVER comes from the Portuguese form. The words PARLEY, PARLOR, and PARLIAMENT come from the same word through French.

Lesson LXXIV

THE IMPERFECT SUBJUNCTIVE

aciēs, aciēī, F *edge, battle line, eye* unde *from where*
inde *from there*   usque *continuously, all the way*

The imperfect subjunctive is the easiest Latin tense. For all verbs, regular or irregular, take the present active infinitive and add the personal endings, active or passive. First some active examples:

vocārem	agerem	essem	vellem	ferrem
vocārēs	agerēs	essēs	vellēs	ferrēs
vocāret	ageret	esset	vellet	ferret
vocārēmus	agerēmus	essēmus	vellēmus	ferrēmus
vocārētis	agerētis	essētis	vellētis	ferrētis
vocārent	agerent	essent	vellent	ferrent

This rule sounds impossible for deponent verbs, which have no present active infinitive. Just decide what the present active infinitive would be if the verb had one, and use that. The imperfect subjunctives of some deponents are *mirārer, fatērer, ūterer, orīrer, graderer,* etc.

You will recall that Latin indirect statements use the infinitive. Indirect questions are normally put into the subjunctive. Examples:

Rogō cūr hīc sit. *I ask why he is here.*
Rogāvī cūr hīc esset. *I asked why he was here.*
Scit quis hoc faciat. *He knows who is doing this.*
Scīvit quis hoc faceret. *He knew who was doing this.*

Latin has one more case, called the locative, which is used to mean "at" or "in." It is found only with names of cities, *domus, rūs,* and a few other words. In form it is the same as the genitive in the singular of first and second declension nouns; for all others it is the same as the ablative. A few examples:

260

Rōmae	at Rome	Athēnīs (from *Athēnae*, a nominative
domī	at home	plural) *at Athens*
rūre	in the country	

ADVERB RELATIVES

We have seen many derived nouns, adjectives, and verbs, but here are some adverbs related to one another and to the pronouns. Let the family resemblance help you remember these words:

hic	*this*	ille	*that*
hīc	*here*	illīc	*there*
hinc	*from this place*	illinc	*from that place*
hūc	*to this place*	illūc	*to that place*
ibi	*there*	eō	*there, to that place*
ubi	*where*	eōdem	*to the same place*
inde	*from there*	quō	*where, to what place*
unde	*from where*	aliō	*to another place*

A

When the main verb in a subjunctive sentence changes from present to a past tense, the subjunctive verb will change from present to imperfect. Use the necessary form of the imperfect subjunctive to complete the sentence.

1. Rogat cūr ad montem currāmus.   Rogāvit cūr ad montem . . . .
2. Quaerunt quis hinc eat.   Quaesīvērunt quis hinc . . . .
3. Hūc prōgrediuntur ut doceantur.   Hūc prōgressī sunt ut . . . .
4. Contingit ut hoc nōn sināmus.   Contigit ut hoc nōn . . . .
5. Sciunt unde veniant amīcī.   Scīvērunt unde . . . amīcī.
6. Rogāmus ubi aciēs sit.   Rogāvimus ubi aciēs . . . .
7. Est tam ferus ut omnēs querantur.   Erat tam ferus ut omnēs . . . .
8. Ad flūmen currunt ut bibant.   Ad flūmen cucurrērunt ut . . . .

B

1. Quaesīvit quis librum habēret.

2. Dīc mihi ubi sīs, quid faciās.

261

3. Usque rogitās quō modō hoc feram.
4. Rogāvērunt quid domī faceret.
5. Nunc sciō quid sit amor.
6. Nescīmus quis sīs.
7. Rogāvit quid vellent.

8. Inde venientēs rogāvērunt ubi aciēs esset.
9. Petīvērunt quī essēmus et unde venīrēmus.
10. Nesciō cūr usque ad fīnem Rōmae maneās.

C

1. Quaerēs ā nōbīs cūr hic homō nōbīs placeat.
2. Quaerēbant unde venīret.
3. Saepe autem nōn ūtile est scīre quid futūrum sit.

4. Aciēs lanceae sīc mē vulnerāvit ut dolērem.
5. Usque quaerēbat quae esset causa metūs.
6. Quō vādis, Domine?

7. Quid mihi reddat ager quaeris, Line, Nōmentānus (*at Nomentum*)?
   Hoc mihi reddit ager: tē, Line, nōn videō.
8. Quod convīvāris (*you entertain*) sine mē tam saepe, Luperce,
   invēnī noceam quā ratiōne (*way*) tibi.
   Īrāscor; licet (*although*) usque vocēs mittāsque rogēsque—
   "Quid faciēs?" inquis. Quid faciam? Veniam!

Pompey and Caesar

Legitur in gestīs Rōmānōrum quod erat quīdam prīnceps Rōmānōrum nōmine Pompeius. Hic dūxerat (*had married*) fīliam cuiusdam nōbilis, quī Caesar vocābātur. Hī duo convēnērunt (*agreed*) inter sē quod tōtīus orbis dominium suō imperiō subiugārent. Accidit quod Pompeius mitteret Caesarem ad expugnandum dīversās cīvitātēs, quia iuvenis erat et illum decuit labōrāre, ipse autem cīvitātem Rōmānam custōdīret, praefixitque (*he set*) sibi tempus redeundī sub spatiō quīnque (*five*) annōrum; quod sī nōn faceret, iūre suō perpetuō prīvārētur (*be deprived*).

Caesar autem collēgit exercitum et ad illās partēs īvit. Et inveniēns hominēs bellicōsōs, quōs nōn poterat in hōc tempore superāre, mālēns (*preferring*) Pompeium offendere quam bellum dīmittere (*lose*), aliēnāvit (*kept away*) sē aliīs quīnque annīs. Pompeius interdīxit eī cīvitātem Rōmānam ita quod nōn audēret ad eum venīre.

Caesar vērō finītō bellō iter arripuit versus (*towards*) Rōmam, vēnit per quandam aquam, quae aqua vocābātur Rubicō, et ibi appāruit eī quaedam imāgō magna stāns in mediō aquae et loquēbātur eī dīcēns, "Caesar, sī venīs prō pāce Rōmānā, licet tibi usque hūc venīre, sīn autem (*but if not*), nōn praesūmās intrāre." Cui Caesar respondit, "Semper mīlitāvī et parātus sum omnēs labōrēs sustinēre prō honōre cīvitātis Rōmānae ampliandō (*increasing*), et semper hoc volō, deīs meīs testibus (*witnesses*), quōs adōrō." Hīs dictīs, imāgō dispāruit. At tamen post haec Caesar flūmen trānsīvit, et ab illō diē nōn cessāvit Pompeium persequī et, quantum potuit, dēstruere.

THE ROMAN CANDLE

Thus far we have dealt with only English and the Romance languages in showing Latin's dominance. German has also borrowed heavily from Latin. Especially is this true in the specialized and technical vocabularies, which are almost entirely Latin and Greek. But there are also hundreds of everyday Latin words in German, of which we give you a few. Note 1: German verbs end in -*en*. Note 2: German capitalizes all nouns. Note 3: don't try to pronounce these words.

Direktor	Literatur	Qualität
Doktor	Minister	regieren
Flamme	Nation	Republik
Frucht	Natur	Respekt
Instrument	Nummer	spezifisch
konjugieren	Officier	Staat
Kontinent	Präsident	studieren
koordinieren	Prinz	Universität

Lesson LXXV

INDIRECT COMMANDS

iubēre, iussī, iussus *order*   vel *or*
proelium, -ī, N *battle*   -ve *or*
   (denom. verb proeliārī)

Here is a list of verbs expressing ideas which are related to one another. Make sure you know their principal parts and meanings: *rogāre, petere, quaerere, velle, monēre, exigere, imperāre, ōrāre.* Note: *imperāre* is followed by the dative, *rogāre, ōrāre,* and *monēre* by the accusative, and *petere* and *quaerere* by the ablative.

All of these verbs are followed by the subjunctive in an indirect command. The introductory words are *ut* (positive) and *nē* (negative). Occasionally the *ut* is omitted in a positive command. English usually expresses the idea best with an infinitive.

Mē rogat ut eam. *He asks me to go.*
Voluī ut venīret. *I wanted him to come.*

As with *sī* and *nisi,* the interrogative pronoun *quis, quid* is used after *nē* as an indefinite, meaning "anyone," "anything." Examples: *nē quis* "that no one," *nē quid* "that nothing."

Now you have observed that there are three ways of saying something indirectly in Latin. The verb of an indirect statement is the infinitive, but indirect questions and commands use the subjunctive. The new verb *iubēre* is normally used with an infinitive rather than the subjunctive: *mē īre iubet* "he orders me to go." You may also see some of the other verbs with an infinitive.

ESSE

The verb *esse* is the most important Latin verb. In addition to its usage as a linking verb between subject and predicate and as the second member of the perfect passive tenses, it is also popular in compounds. In the following list of compounds, make the prefix aid you as much as possible in determining the meaning.

abesse	*be away*	obesse	*hinder, hurt*
adesse	*be present*	praeesse	*be in charge of*
deesse	*fail, be lacking*	prōdesse	*be profitable*
inesse	*be in*	subesse	*be near, be hidden*
interesse	*differ, concern*	superesse	*be left over, survive*

The verb *posse*, which is really a compound of *esse*, gives us the derivative POSSIBLE. The future participle of *esse*, *futūrus*, gives FUTURE, FUTURISTIC, and such ad-writers' concoctions as FUTURAMA and FUTURMATIC. The English word INTEREST is just the third person singular of *interesse*. The present participles *absēns* and *praesēns* give us ABSENT and PRESENT. The denominative verbs *praesentāre* and *repraesentāre* yield the English verbs PRESENT and REPRESENT. Medieval Latin made up a participle for *esse*, *essēns*, and from this we have ESSENCE and ESSENTIAL.

A

Make these commands indirect by supplying the correct form of the subjunctive. Remember that the imperfect is used if the introductory verb is a past tense. Be careful to notice the subject of the subjunctive.

1. Fac hoc, amīce. Rogat amīcum ut hoc ....
2. Fer opem, fīlī. Ōrat fīlium ut opem ....
3. Nōlī abesse. Monuit mē nē ....
4. Magnā vōce loquere. Imperat tibi ut magnā vōce ....
5. Mea verba audīte. Rogāvit vōs ut sua verba ....
6. Patiminī poenam. Voluit ut illī poenam ....
7. Ēdūc equōs, serve. Imperat servō ut equōs ....
8. Iacēte hīc. Rogat eōs ut hīc ....
9. Nōlīte illud cōgitāre. Monuit nōs nē illud ....
10. Adeste, fidēlēs. Petit ut fidēlēs ....

B

1. In proeliō aciēs firma stetit.

2. Rogāvit nē quid dē sē sine causā crēderent.

3. Iussit eōs venīre.
4. Rēx captīvum monuit ut poenam mortemve exspectāret.
5. Mīlitēs rogāvit nē in proeliō deessent.
6. Tē iubet ā patriā discēdere.
7. Ōrat ut exercituī praesīs.

8. Quaesīvērunt nē quis aciem relinqueret.
9. Ōrāvit ut deī vel deae opem ferrent.
10. Volumus ut verba Latīna bene legātis.
11. In proeliō supererant multī.

C

1. Petō ā vōbīs ut patiāminī mē dē studiīs hūmānitātis vel litterārum loquī.
2. Vōs doceō amīcitiam omnibus rēbus hūmānīs antepōnere.

3. Usque petit ut sibi dē itinere scrībam.
4. Rogāvērunt ut hoc facerēmus.
5. Quaerit ut sequāmur usque ad urbem.

6. Ut recitem tibi nostra rogās epigrammata. Nōlō.
   Nōn audīre, Celer, sed recitāre cupis.
7. Exigis ut nostrōs dōnem tibi, Tucca, libellōs.
   Nōn faciam, nam vīs vēndere (*to sell*), nōn legere.

A Noble King

Cosdras imperātor Athēniēnsium contrā Dorēnsēs (*the Dorians*) pugnātūrus congregāvit exercitum, et dē ēventū bellī cōnsuluit Apollinem. Cui respōnsum est quod aliter (*otherwise*) nōn vinceret, nisi ipse gladiō (*sword*) interīret hostīlī. Dorēnsēs hōc audītō dīxērunt nē quis nocēret corporī rēgis Cosdrī.

Quod postquam (*after*) Cosdras cognōvit, mūtātō rēgis habitū arma accēpit et exercitum hostīlem penetrāvit. Quod vidēns ūnus mīlitum cum lanceā eum usque ad cor penetrāvit, et sīc per mortem suam populum suum de manibus inimīcōrum suōrum līberāvit. Dē morte eius facta est lāmentātiō magna ex utrāque populī parte.

The Hole Trouble

In mediō Rōmae in quōdam locō aperta est semel (*once*) terra et vorāgō (*chasm*) īnfrā aperta est. Super hoc deī sunt interrogātī; respondērunt, "Nōn claudētur haec vorāgō, nisi aliquis (someone) voluntāriē sē in eam iaciat."

Sed cum hoc nēminī persuādēre possent, dīxit Marcus Anilius, "Sī per annum in Rōmā prō libitū meō mē vīvere sinitis, annō ēlāpsō libenter et voluntāriē mē in eam iaciam." Rōmānī hoc audientēs gāvīsī sunt (*rejoiced*), concorditer cōnsēnsērunt et nihil eī negāvērunt. Rēbus et uxōribus līberē ūtēns annō lāpsō cum nōbilī equō sē immersit et statim (*immediately*) terra sē clausit.

THE ROMAN CANDLE

Latin has also exerted a great influence on Russian, with French and German serving as the carriers. You will notice immediately that some of the words are spelled in unusual fashion, and if these words could only pronounce themselves, you could see a much greater difference between Russian and Latin. These are only a few of the Russian words derived from your vocabulary.

aktrisa	inspektor	professor
appetit	institut	publika
avtoritet	kompositor	sekret
direktor	koridor	spektakl
doktor	kultura	struktura
dokument	laboratoriya	student
facultet	observatoriya	universitet
frukt	patsient	vino
gospital	prezident	zhournalist

Lesson LXXVI

THE PERFECT SUBJUNCTIVE

an *or, whether*	gaudēre, gāvīsus (semi-deponent)
quam *how, as, than*	(derived noun gaudium "joy")
	rejoice

The perfect active subjunctive adds the tense sign *-erī-* to the perfect stem. As this is very close to what we had for the future perfect indicative, let us conjugate *vocāre* in each of these tenses.

Future Perfect Indicative	*Perfect Subjunctive*
vocāverō	vocāverim
vocāveris	vocāverīs
vocāverit	vocāverit
vocāverimus	vocāverīmus
vocāveritis	vocāverītis
vocāverint	vocāverint

The perfect passive subjunctive adds the present subjunctive of *esse* to the perfect passive participle, *vocātus sim*, etc.

If the infinitive in an indirect statement has a verb dependent upon it, that verb is generally put into the subjunctive. Example: He said that the man whom he saw was brave, *dīxit virum quem vidēret fortem esse.*

Here is a pretty series of related words:

Preposition		*Adverb*		*Conjunction*	
ante	*before*	anteā	*beforehand*	antequam	*before*
post	*after*	posteā	*afterwards*	postquam	*after*
inter	*among*	intereā	*meanwhile*		
praeter	*beyond*	practereā	*besides*		
propter	*because of*	proptereā	*therefore*		

PŌNERE

Pōnere seems to give many derivatives in -POSE. These really come from *pausāre,* which in turn comes from a Greek verb meaning "to stop." But *pausāre* in the Middle Ages became confused with *pōnere,* so that we now have COMPOSE, COMPOSITION, IMPOSE, IMPOSITION, et cetera, as if they come from the same Latin verb. The true present stem derivatives from *pōnere* are those in -PONENT.

appōnere	*place by, add*	—, appositive
compōnere	*join, compose*	component, composition
dēpōnere	*put aside*	deponent, deposit
dispōnere	*distribute, arrange*	—, disposition
expōnere	*set forth*	exponent, exposition
impōnere	*put on, impose*	—, imposition
oppōnere	*set against, oppose*	opponent, opposition
praepōnere	*put before, put in charge*	—, preposition
prōpōnere	*set forth*	proponent, proposition
repōnere	*put back*	—, repository
suppōnere	*set under, substitute*	—, supposition

Other derivatives are POST, COMPOST, DEPOT, and IMPOST. Derivatives from rather rare Latin words are JUXTAPOSITION, PREDISPOSITION, PRESUPPOSITION, POSTPONE, and SUPERIMPOSITION.

A

Fill out these sentences with the required subjunctive verb:

1. Rogō cūr soror (expōnere – perfect) hoc.
2. Rogāvī cūr puerī (prōpōnere – imperfect) hoc.
3. Rogat quid nōs (tenēre – present).
4. Rogāvit quid ego (tenēre – imperfect).
5. Rogant ubi frāter (esse – present).
6. Rogant ubi uxōrēs (esse – perfect).
7. Rogāmus quōmodo ducēs (loquī – present).
8. Rogāvimus quōmodo socius (loquī – imperfect).
9. Rogās cūr fēminae (mīrārī – present).
10. Rogās cūr puella (mīrārī – perfect).

B

1. Scrībit sē librōs legere quōs composuerīs.
2. Dīc mihi ubi fuerīs, quid fēcerīs.

3. Dīxit sē gaudēre quod
   vīverēs fēlīciter.
4. Amīca mē nōvit tam bene
   quam puella nōvit mātrem.
5. Gaudeāmus igitur tē domum
   advenīre.
6. Nihil est pulchrius quam
   gaudium eōrum.

7. Rogāsne quam celeriter equī
   cucurrerint?
8. Nōnne scīs an haec supposita
   sint?
9. Cupiō potius dīves esse quam
   trīstis.
10. Quam laetē et quam fēlīciter
    tē videō!

C

1. Lingua Latīna est facilior
   quam lingua Britannica.
2. Quaerēbat an Gallī trāns
   flūmen incolerent.

3. Tacita fēmina est semper
   melior quam loquēns.
4. Melior tūtiorque est certa
   pāx quam spērāta victōria.

5. Septima (*seventh*) iam, Phileros, tibi conditur uxor in agrō.
   Plūs nūllī, Phileros, quam tibi reddit (*returns*) ager.
6. Mīrāris veterēs, Vacerra, sōlōs
   nec laudās nisi mortuōs poētās.
   Ignōscās petimus, Vacerra; tantī (*worth so much*)
   nōn est, ut placeam tibi, perīre.

Vacation

Bene est mihi, quia tibi bene est. Habēs uxōrem tēcum, habēs fīlium; frueris marī, fontibus, agrō, villā (*farmhouse*) pulcherrimā. Ego in villā meā et vēnor (*hunt*) et studeō (*study*), quae interdum (*sometimes*) alternīs, interdum simul faciō, nec tamen possum prōnūntiāre utrum (*whether*) sit difficilius capere aliquid (*something*) an scrībere. Valē.

Please Write!

Diū mihi nūllās epistulās mittis. "Nihil est," inquis, "quod scrībam." At hoc ipsum scrībe, nihil esse quod scrībās, vel sōlum illud unde incipere priōrēs solēbant: "sī valēs, bene est; ego valeō." Hoc mihi sufficit; est enim maximum. Lūdere mē putās? Sēriō petō. Fac ut sciam quid agās, quod sine sollicitūdine (*worry*) summā nescīre nōn possum. Valē.

Note: these two brief letters are from Pliny, Roman writer of the first century A.D.

THE ROMAN CANDLE

You saw that Latin *castra*, *vallum*, and *vīcus* were used in English place names, and that VIRGINIA and FLORIDA have good Latin predecessors. Other Latin words are prominent in place names. *Silva* gives TRANSYL-VANIA in addition to PENNSYLVANIA. MONTEVIDEO means "I see the mountain"; *mōns* also figures in the "black mountain" MONTENEGRO, the "green mountain" VERMONT (Latin *viridis*), and the "foot of the mountain" PIEDMONT, not to mention MONTANA. We sometimes use Latin suffixes on non-Latin words, as in Carolina and Indiana. MEDITERRANEAN, SUPERIOR, FORMOSA, and PACIFIC are just Latin adjectives in modern dress. Latin *sānctus* appears in SANTA FE, SANTO DOMINGO (Latin *dominicus*), and in the short form SAN with several saints, such as Diego, Francisco, and SALVADOR (Latin *salvātor*). ECUADOR is Latin *aequātor*, or "equator," which passes through that country. LABRADOR is the Portuguese word for "worker" (Latin *labōrātor*), apparently once a source for slaves. CORPUS CHRISTI and SACRAMENTO need no explanation. LIBERIA is the adjective *līber* with a suffix, and the same suffix is applied to *Rōmānus* for RUMANIA.

THE PLUPERFECT SUBJUNCTIVE

aliquis, aliqua, aliquid
  (aliquod) *some, someone,*
  something
deinde (dein) *then, next*

quidem *indeed*
nē... quidem *not even*
quisquam, quaequam, quidquam
  any, anyone, anything

You will recall that the imperfect subjunctive was formed by adding endings to the present active infinitive. The pluperfect active subjunctive adds endings to the perfect active infinitive, *vocāvissem, vocāvissēs,* et cetera. The pluperfect passive subjunctive uses the perfect passive participle plus the imperfect subjunctive of *esse.* Or if you wish, add endings to the perfect passive infinitive. It will come out to the same, *vocātus essem,* etc.

The four tenses you were given are all Latin has for the subjunctive. There is no future or future perfect subjunctive.

The two pronouns in your vocabulary have declensions based upon that of *quis.* The alternate form *aliquod* is used as an adjective rather than a pronoun.

Note: if the relative pronoun occurs at the beginning of the sentence, it may refer to something in the preceding sentence. Since English does not follow this practice, you will need to treat these as the equivalent of demonstratives, "this," "that," or even as personal pronouns, "he," "she," etc.

TENDERE AND *TANGERE*

The verb *tendere* has two basic meanings which are quite different, "stretch" and "go." In compounds the "stretch" idea usually prevails. *Contendere* means "stretch," then "strain," then "strive." You can "strive" in two ways, "hurrying" and "fighting." *Contendere* carries both these meanings, and the English derivative preserves the latter. If you stretch something in front of you, you PRETEND, one of the meanings of *praetendere*. If you stretch toward a thing, you pay ATTENTION to it, *attendere*. *Intendere* means "stretch," "extend," and it also means "strain towards," "endeavor," "intend." *Extendere* and *distendere* should be obvious in meaning. For the perfect participle, *tēnsus* gives TENSE, EXTENSION, among others, and the alternate form *tentus* gives CONTENTION, ATTENTION, and INTENTION. The man who "stretches out over" the school system is the SUPERINTENDENT.

Tangere, which means "touch," has an additional meaning "happen" in two of its compounds, *contingere* and *obtingere*. Notice that English ATTAIN comes from *attingere* and not from *tenēre*, as do all the other -TAIN words. *Attingere* means "touch," "reach," "strike," "engage in," "concern," among other things. The present participles give us both TANGENT and CONTINGENT. Other derivatives: CONTIGUOUS, TACT, TANGIBLE, CONTACT, INTACT, CONTAGIOUS.

A

This is a drill on the relative pronoun. Read each sentence carefully, noting whether the relative means "he," "she," etc., or whether it means "he who," "she who," etc.

1. Quae est pulcherrima.
2. Quae eadem sunt nova.
3. Quod eīs nocet.
4. Quod eīs nocet est damnum.
5. Quī semper vīvunt honestē.
6. Quī vīvunt sunt fortūnātī.
7. Quī ipse nōs dēserit.

8. Quī mē interficit est malus.
9. Quae est salva est proba.
10. Quibus magnum mūnus dat.
11. Quōs nōn videō nōn audiō.
12. Quibus rēbus fruī licet.
13. Quae eōs tegunt.
14. Quae eōs tegunt sunt fortia.

B

1. Cum illum hominem esse servum cognōvisset, eum corripuit.
2. Cum id cōnspexit, manūs extendit.
3. Cum ea ita sint, tamen ībō.
4. Cum id posset negāre, tamen deinde cōnfessus est.

5. Cum ā mē id respōnsum tulissēs, ad cōnsulem vēnistī.
6. Dīxērunt sē īvisse quod missī essent.
7. Cum arma sua aliquō modō āmīsisset, nē ūnam quidem hōram contendere potuit.

8. Quī dīxit sē aliquōs librōs
   lēgisse quōs mīsissēs.
9. Cum tē semper amāverim,
   tamen tuīs factīs īrātus sum.

10. Contigit ut esset cum aliquō
    mihi ignōtō.
11. Haec quidquam facere audet.
12. Rēgēs quemquam nōn inter-
    fēcērunt.

C

1. Caesarī cum id nūntiātum est,
   ab urbe abiit.
2. Illa cum audīvisset, Athēnīs
   deinde contendit.
3. Quae cum ita sint, abīte.

4. Cum ad forum vēnī, nē tē
   quidem vidēbam.
5. Cum Graeciam servitūte Per-
   sicā līberāvisset, in exsi-
   lium expulsus est.

6. Tū Sētīna quidem semper vel Massica pōnis,
   Pāpyle, sed rūmor tam bona vīna negat.
   Dīceris hāc factus caelebs (*widower*) quater
   (*four times*) esse lagōnā (*bottle*).
   Nec putō nec crēdō, Pāpyle, nec sitiō (*am thirsty*).

Note: Setian and Massic were kinds of wine.

7. Hostem cum fugeret, sē Fannius ipse perēmit (*killed*).
   Hic, rogō, nōn furor (*madness*) est, nē moriāre
   (= moriāris), morī?

Pyramus and Thisbe

Fuit quīdam nōmine Pyramus, quī dīlēxit ūnam nōbilem puellam et
ipsa eum ē conversō (*i.e.*, *she seconded the emotion*). Quī libentissimē
cōnfābulāvissent (*would have talked*), sed nimiā custōdiā parentum nōn
valēbant. Sed puella locum iuvenī extrā cīvitātem assignāvit ad quem
puella īvit, in quō locō fuit fōns (*spring*) aquae.

Contigit ergō cāsū quod leō (*lion*) vēnit et ipsa fugiēns vēlum (*covering*) capitis suī dērelīquit et leō maculāvit (*stained*) vēlum sanguine
bēstiae quam leō apprehendit et interfēcit.

Post dēcessum leōnis vēnit iuvenis tendēns ad praefātum locum fontis;
ubi cum pannum (*cloth*) sanguinolentum invēnit putāvit virginem esse ā
bēstiā interfectam esse. Extrāctō mūcrōne (*sword*) suō sē ipsum inter-

274

ficiēns perforāvit. Interim (*meanwhile*) puella reversa ad fontem vīdit iuvenem perforātum; nimiō dolōre etiam sē cum eōdem mucrōne interfēcit.

THE ROMAN CANDLE

We have already seen how the names SYLVIA and SYLVESTER come from *silva* and AMANDA and MIRANDA come from gerundives. Latin is the source of many other names, especially those of girls. Sometimes the suffix is disguised, as in BEATRICE and CLARICE, from *-trīx*, the feminine agent suffix. Occasionally the whole word is disguised, as NORA from HONORA and MABEL from AMABEL (from *amābilis*). The older names, such as PATIENCE and PRUDENCE, give us more Latin derivatives. Give the meaning for the Latin origin of each of these:

Amy	Festus	Rex
Clara	Flora	Regina
Clarence	Florence	Vera
Clarissa	Grace	Victor
Constance	Justin	Victoria
Cordelia	Letitia	Vincent
Felix	Lucius	Virginia
Felicia	Lucia	Vivian

Lesson LXXVIII

CONDITIONAL SENTENCES

quasi *as, as if*

quīcumque, quaecumque, quod-
cumque *whoever, which-
ever, whatever*

quisquis, quaequae, quidquid
whoever, whichever, whatever

velut *as, as if*

Latin conditional sentences are very easy. In the first place, a simple condition of fact may be stated in the present, past, or future indicative. We have been using this type all along.

Sī venit, eum videō. *If he comes, I see him.*
Sī vēnit, eum vīdī. *If he came, I saw him.*
Sī veniet, eum vidēbō. *If he will come, I will see him.*

A contrary-to-fact condition uses in Latin the imperfect subjunctive for both condition and conclusion to express present time, the pluperfect subjunctive to express past time. English uses exactly the same tenses for the condition.

Sī venīret, eum vidērem. *If he came (now!), I would see him.*
Sī vēnisset, eum vīdissem. *If he had come, I would have seen him.*

In between the two extremes is another type which is best called the should-would condition. For this, Latin uses the present subjunctive in both clauses.

Sī veniat, eum videam. *If he should come, I would see him.*

Again the pronouns are compounds of the relative and interrogative and should be easy to handle.

-DERE

The verb *-dere* is very important, and its compounds show interesting shades of meaning. Here are some we should know:

abdere *put away, hide*	perdere *destroy*
abscondere *put away, hide*	prōdere *bring forth, betray*
addere *add*	recondere *put away, hide*
condere *put together, found*	trādere *hand over, hand down*
dēdere *give up, surrender*	conditor *founder*
obdere *put against, shut*	prōditor *betrayer*

Derivatives: ABSCOND, ADDITION, PERDITION, RECONDITE, TRADE, and the doublets TRADITION and TREASON.

A

Make these simple conditions into should-would and present and past contrary-to-fact conditions and translate, as in the example:

Sī hoc crēdis, errās.   *If you believe this, you are mistaken.*
Sī hoc crēdās, errēs.   *If you should believe this, you would be mistaken.*
Sī hoc crēderēs, errārēs.   *If you believed this, you would be mistaken.*
Sī hoc crēdidissēs, errāvissēs.   *If you had believed this, you would have been mistaken.*

1. Sī est bonus, laudātur.
2. Sī quid datur, accipiunt.
3. Sī hoc legis, discis.
4. Sī īmus, ducem prōdimus.
5. Sī venītis, vōs vident.
6. Sī lūdō, sum laetus.

B

1. Quidquid id est, ōrāculō nōn crēdit.
2. Tantus metus hominēs cēpit, velut sī hostis iam in urbe esset.
3. Quasi bonus sit, laudātur.
4. Quācumque viā eunt, spērant sē amīcōs inventūrōs esse.
5. Conditor urbis posterīs lēgēs mōrēsque trādidit.
6. Quemcumque inimīcum cernunt, abscondunt sē.
7. Quōscumque videt negat esse fidēlēs.
8. Quasi ā deīs docērētur, omnia sciēbat.
9. In quemcumque locum venit, laudātur.
10. Sī puer nōn potest linguam Latīnam discere, est iners.
11. Quisquis nōs docet decus meret.

C

1. Minus saepe errēs, sī sciās
quid nesciās.
2. Quī vincit nōn est victor
nisi victus fatētur.
3. Velut cum in populō sēditiō
coorta est, sīc mare turbātum est.

4. Sī urbs bene dēfenderētur,
ā prōditōribus capī nōn
posset.
5. Velut multī dīxērunt, dīves
homō est saepe miser.
6. Quasi iter factūrī, impedīmentum parant.

7. Esse nihil dīcis quidquid petis, improbe Cinna.
Sī nīl, Cinna, petis, nīl tibi, Cinna, negō.
8. Cinnam, Cinname, tē iubēs vocārī.
Nōn est hic, rogō, Cinna, barbarismus?
Tū sī Fūrius ante dictus essēs,
Fūr (*thief*) istā ratiōne dīcerēris.

It Pays to Be Ugly

Erat quīdam rēx, quī duās fīliās habēbat; ūna erat pulcherrima et
omnibus amōrōsa, altera nigra et omnibus odiōsa (*hateful*). Rēx vidēns
fīliās suās ūnam pulchram, aliam nigram, eīs nōmina imposuit; pulchrae
fīliae imposuit nōmen Rosimunda, nigrae fīliae nōmen Grātiā Plēna.

Deinde nūntium per tōtum rēgnum mīsit rogantem quod omnēs venī-
rent, et fīliās suās in mātrimōnium daret illīs, quī ad (*for*) hoc dignī
essent. Quīcumque vērō pulchram fīliam in (*as*) uxōrem acciperet, nihil
cum eā nisi pulchritūdinem obtinēret; sed quī nigram fīliam in uxōrem
acciperet, tōtum rēgnum post eius dēcessum obtinēret.

Multī hoc audientēs ad palātium rēgis vēnērunt, et cum duās fīliās
vidērent, omnēs ad pulchram fīliam currēbant et eam in uxōrem
petēbant. Grātiā Plēna, nigra fīlia, amārē (*bitterly*) flēvit. Ait eī rēx, "Ō
fīlia, ob quam rem afflīgitur (*is afflicted*) anima tua?" Ait illa, "Ō
domine, nūllus est quī mē vīsitet nec mēcum loquātur; omnēs ad
sorōrem meam currunt et omnēs mē dēspiciunt." Ait pater, "Ō fīlia,
nescīs quod omnia mea tua sunt, et quī tē dēspōnsāverit (*becomes en-
gaged to*) rēgnum meum obtinēbit." Illa sīc comfortāta ā flētū cessābat.

Post haec vēnit quīdam rēx ad palātium rēgis, et cum vīdisset pulchritūdinem Rosimundae, eam in uxōrem petīvit sōlum cum suā pulchri-

278

tūdine. Rēx pater puellam eī concessit et cum magnō gaudiō eam dēspōnsāvit. Stābat altera fīlia per multōs annōs antequam esset dēspōnsāta;
tandem (*finally*) quīdam dux nōbilis sed pauper cōgitābat, "Cum puella
turpis (*ugly*) sit, tamen quīcumque eam habuerit, rēgnum cum eā
obtinēbit." Īvit ad rēgem et eam in uxōrem petīvit. Rēx vērō gāvīsus est,
eam dēspōnsāvit cum magnō gaudiō et post mortem rēgis dux tōtum
rēgnum cum eā obtinuit.

THE ROMAN CANDLE

English is full of Latin phrases. Here are only a few that you should
know:

ad infinitum	in memoriam	per diem
alter ego	in pace	post mortem
ante bellum	in situ	sanctum sanctorum
bona fide	in toto	semper fidelis
de facto	ipse dixit	semper paratus
de jure	ipso facto	sine qua non
de novo	magnum opus	summum bonum
e pluribus unum	modus operandi	tempus fugit
ex post facto	pax vobiscum	terra firma
ex tempore	per annum	una voce
habeas corpus	per capita	viva voce

Lesson LXXIX

MISCELLANEOUS SUBJUNCTIVES

dum	*while, until*	sīve (seu)	*or if, whether*
dum (modo)	*provided that*	sīve ... sīve	*whether ... or*
sīcut	*just as, as if*		

There are a few other subjunctive uses you may encounter. *Dum,* meaning "while," is followed by the present indicative, even if the main verb in the sentence is a past tense. *Dum,* meaning "until," often uses the subjunctive, and *dum* or *dum modo,* "provided that," always does. *Sīcut* and *quasi* have the same meaning, "as if," when used with the subjunctive.

Sīve ... sīve can be used in all the types of conditions just as the conjunction *sī* is used. Clauses after verbs of fearing have verbs in the subjunctive, but the introductory word is unusual: for a positive, Latin uses *nē,* for a negative, *ut.*

And there is still more to the subjunctive. There will be other expressions involving the subjunctive which will be explained as you meet them in reading. Sometimes either the indicative or the subjunctive may occur in a sentence, but with a great difference in the meaning of the sentence. Note these two examples:

Mānsī dum vēnit.   *I waited until he came.*
Mānsī dum venīret.   *I waited until he might come,* i.e., *I waited for him to come.*

DENOMINATIVES AND DERIVATIVES

With some of the denominative verbs, the derivative will give you great assistance with the verb meaning. The following list gives you first the verb, then the meaning, and finally the derivative.

accūsāre	*accuse, blame*	accuse
recitāre	*recite*	recite
suscitāre	*arouse*	resuscitate
condemnāre	*condemn*	condemn
condōnāre	*give up, pardon*	condone
īnfōrmāre	*represent, inform*	inform
allevāre (alleviāre)	*raise, lighten*	alleviate
admīrārī	*wonder at, admire*	admire
adōrāre	*worship*	adore
exsecrāre	*curse*	execrable
obviāre	*meet, prevent*	obviate

Give the meanings of the Latin nouns and adjectives that are the sources of the above verbs.

A

Make the following compounds and give the derivatives:

ex + causāre re + fōrmāre
ex + citāre ex + levāre
in + citāre re + levāre
dē + fōrmāre dē + viāre

B

1. Exspectābō dum litterae veniant.
2. Timeō nē hostis veniat.
3. Timeō nē hostis vēnerit.
4. Timeō nē amīcus mē accūset.
5. Metuō nē bellum suscitētur.
6. Metuō ut dīvōs adōrent.
7. Dum fāta sinunt, vīvite laetī.
8. Dum est vīta, est spēs.
9. Sīve īs sīve manēs, certē capiēris.
10. Sīcut dīxī, tuum dolōrem allevābō.
11. Dum inter hominēs sumus, colāmus hūmānitātem.
12. Dum modo mihi condōnēs, tē admīror.
13. Sīcut saepe dīximus, lingua Latīna est facilis.

C

1. Ita fit ut nēmō esse possit beātus.
2. Ex quō accidit ut gaudium nōn sit summum bonum.

3. Nihil dictum est quod nōn
   sit dictum prius.

4. Timeō nē male facta antīqua
   mea sint inventa omnia.

5. Manent ingenia senibus, dum
   modo permaneat studium et
   industria.

6. Faciāmus, sīcut ait Cicerō
   nōs facere dēbēre.

7. Magnō mē metū līberāveris,
   dum modo inter mē atque
   tē mūrus intersit.

8. Nīl recitās et vīs, Māmerce, poēta vidērī.
   Quidquid vīs estō (*be*), dummodo nīl recitēs.

The Miser Loses His Gold

Periī, interiī, occidī. Quō curram? Quō nōn curram? Tenē! Tenē! Quem? Quis? Nesciō, nihil video, caecus (*blind*) eō atque quidem quō eam aut ubi sim aut quī sim nōn possum invēstīgāre. Rogō vōs ego, ōrō, petō, iuvāte mē et hominem ostendite, quis aurum abstulerit. Quid est? Cūr rīdētis? Nōvī vōs omnēs, sciō fūrēs (*thieves*) esse hīc plūrimōs, quī vestītū occultant (*disguise*) sē et sedent quasi sint bonī. Quid ais tū? Tibi crēdere volō, nam tē esse bonum ex vultū cognōscō. Nēmō hōrum habet? Occīdistī mē. Dīc igitur, quis habet? Nescīs? Ō mē miserum! Miserē periī, male perditus, pessimē adōrnātus eō. Tantum gemitī (*mourning*) et malī miseriaeque hic diēs mihi obtulit, famem (*hunger*) et paupertātem. Perditissimus ego sum omnium in terrā; nam quid mihi opus (*need*) est vītā, quī tantum aurī perdidī, quod concustōdīvī magnā cum cūrā? Nunc aliī laetificantur meō malō et damnō. Patī nōn possum.

To a Nagging Wife

Cum exīre volō, mē retinēs, revocās, rogitās quō ego eam, quam rem agam, quid negotī (*business*) geram, quid petam, quid feram, quid forīs (*outside*) ēgerim. Portitōrem (*customs officer*) domum dūxī, ita omnem mihi rem necesse ēloquī est, quidquid ēgī atque agō.

Note: these two passages are from Plautus, who wrote Roman comedies about 200 B.C.

THE ROMAN CANDLE

Here are some common Latin abbreviations from words you have studied:

i.e. (id est) *that is*
cf. (confer) *compare*
n.b. (nota bene) *note well*
v. (vide) *see*
v.i. (vide infra) *see below*
v.s. (vide supra) *see above*
q.v. (quod vide) *which see*
no. (numero) *number*
n. (natus) *born*
fl. (floruit) *flourished*
ob. (obiit) *died*
aet. (aetate) *age*
saec. (saeculum) *century*
et al. (et alii) *and others*
vs. (versus) *against*
vox pop. (vox populi) *voice of the people*
A.D. (Anno Domini) *in the year of the Lord*
e.g. (exempli gratia) *for example*
p.s. (post scriptum) *written after*

loc. cit. (locus citatus) *the place cited*
op. cit. (opus citatum) *the work cited*
s.v. (sub verbo) *under the word*
et seq. (et sequens) *and the following*
ad lib. (ad libitum) *to the amount desired*
ad val. (ad valorem) *according to the value*
ex lib. (ex libris) *from the books (of)*
pro tem. (pro tempore) *for the time*
s.d. (sine die) *without a day (to reconvene)*
nol. pros. (nolle prosequi) *to be unwilling to prosecute*
etc. (et cetera) *and the rest*

Lesson LXXX
REVIEW

Some subjunctive synopses:

	mandāre 1st sing. act.	*fugere* 3rd sing. act.	*orīrī* 3rd pl.	*esse* 2nd sing.
Pres.	mandem	fugiat	oriantur	sīs
Imp.	mandārem	fugeret	orīrentur	essēs
Perf.	mandāverim	fūgerit	ortī sint	fuerīs
Pluperf.	mandāvissem	fūgisset	ortī essent	fuissēs

Now you try a few subjunctives:

stāre	3rd sing. act.	rumpere	2nd pl. act.
sūmere	3rd pl. pass.	velle	1st pl.
rapere	1st sing. act.	pugnāre	3rd pl. act.
posse	2nd sing.	discere	2nd sing. act.
aperīre	3rd sing. pass.	morī	1st sing.

Meanings of the subjunctive:

Independent			*Dependent*	
may	let	would	may	the English infinitive
			might	the English subjunctive
			should	the English indicative

Before we conclude our grammar study, we need a good review of Latin noun forms. Instead of doing the various declensions, we are going to identify the forms. Simply give the case and number of each of the following nouns. If there can be more than one form, give all possibilities.

aetātem	agrīs	avium
annō	aurī	campōs
bellōrum	deī	cīve
comitēs	domuum	cordum

cornūs	aciēī	diē
custōdibus	fidem	dōna
dominō	fortūnās	equum
ducī	fūnera	fāmam
flammā	glōriā	fīlī
genus	hōrae	gentis
ignis	maria	manūs
rērum	serve	speciēs
metū	vī	deābus

ADDITIONAL MEDIEVAL STORIES

The Three Caskets

Honōrius rēgnāvit, dīves valdē, quī ūnicum fīlium habēbat, quem multum dīlēxit. Fāma eius imperātōris per mundum volābat quod in omnibus probus erat et iūstus. Tamen contrā quendam rēgem bellum habēbat et eum dēvāstābat. Rēx hic, cum multās persecūtiōnēs ac damna īnfīnīta ab eō sustinēbat, cōgitābat, "Ūnicam fīliam habeō et adversārius meus ūnicum fīlium. Sī per aliquam viam fīliam meam possem fīliō eius in mātrimōnium iungere, pācem perpetuam obtinērem."

Mīsit nūntiōs ad imperātōrem ut eī pācem prō tempore concēderet ut cum eō persōnāliter loquī posset. Imperātor pācem ūnīus annī concessit. Rēx vērō persōnāliter ad eum accessit et fīliam suam fīliō suō obtulit. At ille, "Nōn faciam nisi duo habeam. Prīmō ut tua fīlia sit virgō; secundō ut post dēcessum tuum tōtum rēgnum tuum fīliō meō dēstinētur." At ille, "Bene placet mihi." Dē conventiōne (*agreement*) charta (*paper*) sigillāta (*signed*) est. Rēx valē imperātōrī dīxit.

Cum autem ad rēgnum suum vēnerat, nāvem parārī iussit ut fīlia sua per mare ad imperātōrem trānsīret. Factā nāve et omnibus necessāriīs parātīs, puella intrāvit habēns thēsaurum (*treasure*) sēcum in magnā cōpiā ac mīlitēs quīnque (*five*) cum dominābus et servābus. Cum autem per mare nāvigārent cētus (*whale*) magnus eī occurrēbat in marī et nāvem dēglūtīre (*swallow*) volēbat. Nautae (*sailors*) hoc percipientēs timuērunt valdē et praecipuē (*especially*) puella. Nautae vērō ignem cōpiōsum fēcērunt et diē ac nocte vigilābant. Sed accidit post trēs diēs quod, fessī (*tired*) propter magnās vigiliās, dormīvērunt (*slept*). Cētus nāvem cum omnibus contentīs dēglūtīvit.

Puella cum intellēxit (*understood*) quod in ventre (*stomach*) cētī esset fortiter clāmābat. Ad cuius clāmōrem omnēs excitātī (*aroused*) sunt. Nautae vērō puellae dīxērunt ac mīlitibus, "Cārissimī, este comfortātī, Deus nōs salvābit; habeāmus bonum cōnsilium quia sumus in ventre cētī." Ait puella, "Audīte cōnsilium meum et erimus salvātī." Quī dīxērunt, "Dīc." Quae ait, "Accendāmus ignem in magnā cōpiā et cētum aliquis vulneret et per illa duo mortem recipiet et ad terram nātābit (*swim*) et sīc per grātiam Deī ēvādere poterimus." Illī vērō cōnsilium puellae per omnia implēvērunt. Cētus cum mortem sēnsit ad terram nātāvit.

In hāc terrā erat quīdam mīles, quī prope mare ambulāvit (*walked*). Cum ergō cētum hinc inde nātāre vīdisset et ad terram venīre, servōs vocāvit et cētum ad terram trāxit. Quī incēpērunt cum īnstrūmentīs percutere. Puella cum sonitum audīvisset loquēbātur prō omnibus et ait, "Cārissimī, molliter percutite et cētum aperīte; hīc sumus in eius ventre fīliī bonōrum virōrum dē generōsō sanguine." Mīles cum vōcem puellae audīvisset ait servīs suīs, "Cārissimī, cētum aperīte et videāmus quid lateat (*is hidden*) interius." Cum vērō apertus esset, puella prīmō exīvit quasi mortua, deinde mīlitēs et cēterī. Coepit nārrāre cuius fīlia esset et quod uxor fīliī imperātōris esse dēbēret. Hoc audiēns mīles eam per aliquōs diēs sēcum retinuit dum perfectam salūtem recuperābat. Post hoc puellam cum mūneribus ad imperātōrem mīsit.

Imperātor cum eam vīdisset, ait, "Cārissima fīlia, bene tibi sit nunc et in perpetuum. Sed tibi dīcō, filia, antequam fīlium meum habueris in marītum, tē probābō per ūnum āctum." Iussit fierī trēs cophinōs (*caskets*). Prīmus erat dē aurō pūrissimō et lapidibus (*stones*) pretiōsīs. Et erat tālis īnscrīptiō super cophinum: "Quī mē aperiet, in mē inveniet quod meruit." Et tōtus cophinus erat plēnus ossibus (*bones*) mortuōrum. Secundus erat dē argentō (*silver*) pūrissimō, plēnus gemmīs in omnī parte, quī tālem īnscrīptiōnem habēbat: "Quī mē ēlēgerit, in mē inveniet quod nātūra dedit." Hic cophinus terrā plēnus erat. Tertius cophinus erat dē plumbō (*lead*) habēns īnscrīptiōnem tālem: "Potius ēligō hīc esse et manēre quam in thēsaurīs rēgis manēre." In cophinō hōc erant trēs ānulī (*rings*) pretiōsī. Tunc ait imperātor puellae, "Cārissima, hīc sunt trēs cophinī; ēligās quemcumque voluerīs, et sī bene ēlēgerīs, fīlium meum in marītum obtinēbis."

Illa vērō trēs cophinōs intimē (*closely*) respexit et ait in corde suō, "Deus, quī omnia videt, det mihi grātiam (*power*) sīc ēligendī ut dē illō prō quō multum labōrāvī nōn dēficiam." Quae prīmum cophinum tetigit et scrīptūram lēgit, "Quī mē," etc. Illa cōgitābat, "Cophinus exterius est pretiōsus, sed quid interius lateat nesciō, itaque eum ēligere nōlō." Deinde secundum lēgit, etc. Quae ait, "Numquam nātūra dedit quod fīlia patris meī dēbēret iungī fīliō imperātōris. Itaque," etc. Tertium cophinum lēgit dīcēns, "Melius est mihi cum fīliō rēgis manēre quam in thēsaurīs patris meī." Et magnā vōce clāmābat, "Illum cophinum tertium ēligō."

Imperātor cum audīvisset, ait, "Ō bona puella, satis prūdenter ēlēgistī. In illō cophinō sunt trēs ānulī meī pretiōsī: ūnum prō mē, ūnum prō fīliō, tertium prō tē in signum mātrimōniī." Iussit nūptiās (*wedding*) celebrārī, et trādidit eī fīlium suum, et sīc in pāce vītam fīnīvērunt.

The King Lear Story

Theodosius in cīvitāte Rōmānā rēgnāvit, prūdēns valdē et potēns, quī trēs fīliās pulchrās habēbat, dīxitque fīliae seniōrī (*the oldest*), "Quantum dīligis mē?" At illa, "Certē plūs quam mē ipsam." Ait eī pater, "Et tē ad magnās dīvitiās prōmovēbō." Eam dedit rēgī opulentō et potentī in (*as*) uxōrem. Post haec vēnit ad secundam fīliam et ait eī, "Quantum dīligis mē?" At illa, "Tantum quantum (*as much as*) mē ipsam." Imperātor vērō eam cuidam ducī trādidit in uxōrem. Et post haec vēnit ad tertiam fīliam et ait eī, "Quantum mē dīligis?" At illa, "Tantum quantum valēs (*you are worth*), et nōn plūs neque minus." Ait eī pater, "Cum ita sit, nōn tam opulenter tē marītāre poterō sīcut et sorōrēs tuās." Trādidit eam cuidam comitī in uxōrem.

Accidit citō post haec quod imperātor bellum contrā rēgem Aegyptī habēbat. Rēx vērō imperātōrem dē imperiō expellēbat unde bonum refugium habēre nōn poterat. Scrīpsit litterās ad prīmam fīliam suam, quae dīxit quod patrem suum plūs quam sē ipsam dīlēxit, ut eī succurreret in suā necessitāte quod dē imperiō expulsus erat. Fīlia, cum hās litterās eius lēgisset, virō suō rēgī cāsum (*crisis*) prīmō nārrābat. Ait rēx, "Bonum est ut succurrāmus eī in hāc suā magnā necessitāte. Colligam exercitum et adiuvābō eum."

Ait illa, "Illud nōn potest fierī sine magnīs expēnsīs. Sufficit quod eī concēdātis, dum est extrā imperium suum, quīnque (*five*) mīlitēs quī eī associentur." Et sīc factum est. Fīlia patrī rescrīpsit quod alium auxilium (*help*) ab eā habēre nōn posset, nisi quīnque mīlitēs dē sūmptibus (*expenses*) rēgis in societāte (*retinue*) suā.

Imperātor cum hoc audīvisset contrīstātus est valdē et sibi dīcēbat, "Tōta spēs mea erat in seniōre filiā meā quod dīxit quod plūs mē dīlēxit quam sē ipsam, et propter hoc ad magnam dignitātem ipsam prōmōvī." Scrīpsit secundae filiae, quae dīxit, "Tantum tē dīligō quantum mē ipsam," ut succurreret eī in tantā necessitāte. At illa, cum audīvisset, virō suō nūntiābat et ipsī cōnsiliāvit ut nihil aliud eī concēderet nisi vīctum (*food*) et vestītum honestē prō tālī rēge, et litterās patrī suō rescrīpsit.

Imperātor cum hoc audīvisset, contrīstātus est valdē dīcēns, "Dēceptus sum per duās filiās. Iam probābō tertiam quae mihi dīxit, 'Tantum tē dīligō quantum valēs.' " Litterās scrīpsit eī ut eī succurreret in tantā necessitāte, dīcēns quōmodo sorōrēs suae eī respondēbant. Tertia filia cum vīdisset inopiam (*need*) patris suī virō suō dīxit, "Domine, mihi succurre in hāc necessitāte. Iam pater meus expulsus est ab terrā suā." Ait eī vir eius, "Quid vīs tū ut eī faciam?" At illa, "Exercitum colligās et ad vincendum inimīcum suum eās cum eō." Ait comes, "Voluntātem (*wish*) tuam implēbō."

Collēgit magnum exercitum et sūmptibus suīs propriīs cum imperātōre īvit ad bellum. Victōriam obtinuit et imperātōrem in imperiō suō posuit. Tunc ait imperātor, "Benedicta est hōra in quā genuī filiam meam iūniōrem (*youngest*). Eam minus aliīs filiābus dīlēxī et mihi in magnā necessitāte succurrit et aliae filiae meae dēfēcērunt, propter quod tōtum imperium relinquam post dēcessum meum filiae meae iūniōrī," et sīc factum est. Post dēcessum patris filia iūnior rēgnāvit et in pāce vītam finīvit.

The Lady of Solace

Vespasiānus rēgnāvit, quī filiam pulcherrimam habēbat cui nōmen erat Aglaes, quae erat nimis pulchra et oculīs hominum grātiōsa, ita quod eius pulchritūdō omnēs aliās mulierēs excellēbat. Accidit ūnā diē quod cum filia eius ante eum stāret, eam intimē (*closely*) respexit et ait eī, "Cārissima, nōmen tuum mūtābō; propter pulchritūdinem corporis tuī sit nōmen tuum Domina Sōlāciī, ut omnēs quī ad tē vēnerint trīstēs cum gaudiō recēdant."

Rēx prope palātium quendam hortum (*garden*) pulcherrimum habēbat in quō saepe causā sōlāciī ambulāvit (*walked*). Prōclāmāvit per tōtum imperium quod sī quis filiam suam in (*as*) uxōrem habēre vellet, ad palātium suum venīret et in hortō tribus aut quattuor (*four*) diēbus spatiāret (*walk*), tum redīret et filiam suam in uxōrem habēret. Factā prōclāmātiōne, multī ad palātium vēnērunt, hortum intrābant et numquam posteā sunt vīsī, et nūllus ex eīs quī vēnērunt ēvāsit.

Erat tunc mīles in partibus remōtīs; cum audīvisset quod sī quis ad palātium venīret filiam rēgis in uxōrem habēret, vēnit ad palātium. Iānitor (*doorkeeper*) eum intrōdūxit, et mīles ad rēgem accessit et ait, "Domine mī, clāmor factus est, ut sī quis hortum tuum intrāverit, filiam tuam in uxōrem habēbit, itaque hūc vēnī." Ait rēx, "Hortum intrāte et, sī exieris, eam habēbis." Quī ait, "Domine mī, ūnum mihi concēde; petō, antequam hortum intrāverō, ut aliqua verba cum puellā loquī poterō." Ait ille, "Mihi bene placet."

Accessit ad puellam et ait, "Cārissima, nōmen tuum est Domina Sōlāciī; nōmen tibi datum est, ut omnēs quī trīstēs ad tē veniunt cum gaudiō redeant, sed ego nimis trīstis et dēsōlātus ad tē veniō; dā mihi ergō cōnsilium quōmodo cum gaudiō recēdere poterō. Multī ante mē vēnērunt et hortum intrāvērunt et numquam iterum vīsī sunt; sī ergō mihi īdem cāsus (*fate*) contingeret, 'Vae (*woe*) mihi,' dīcere poterō, 'quod ego in coniugem tē dēsīderāvī in mātrimōniō.' "

At illa, "Tibi vēritātem dīcam et tuam trīstitiam in gaudium convertam. In hortō illō est quīdam leō (*lion*) ferōcissimus quī omnēs intrantēs interficit, et per eum omnēs quī intrāvērunt ratiōne persōnae meae sunt interfectī. Armā corpus tuum tōtum ferrō (*with iron*) ā pedibus usque ad caput, et sint omnia arma tua cum gummō (*gum*) linīta (*smeared*). Cum hortum intrāveris, leō in tē irruet; contrā eum virīliter pugnā et cum lassus (*tired*) fuerit ab eō tē sēparēs. Ille per manum vel pedem tē tenēbit cum dentibus (*teeth*) tantum, quod per arma gummāta dentēs eius plēnī erunt, quod tibi nōn multum poterit nocēre; tū cum haec percēperis, caput eius amputā. Sed aliud est perīculum in hortō illō. Est tantum (*only*) ūnus introitus (*entrance*) et sunt dīversae viae, ita quod quī intrāverit vix exitum invenīre poterit, itaque contrā illud perīculum dabō tibi tāle remedium. Globum (*ball*) fīlī (*string*) tibi dabō, et cum ad portam (*gate*) hortī pervēneris fīlum in portā ligā (*tie*), et sīc per fīlum in hortum dēscende, et sīcut vītam tuam dīligis, globum fīlī nōn perdās."

Mīles omnia implēvit sīcut dīxerat puella, et armātus hortum intrāvit. Leō cum eum vīdisset, tōtīs vīribus in eum irruit; mīles virīliter sē dēfendit, et cum lassus erat, ab eō abiit. Leō eum per manum tenuit tantum quod dentēs eius gummō plēnī erant. Mīles cum hoc percēpisset, caput leōnis amputāvit. Ille tantum gaudēbat, quod fīlum per quem dēscendit perdidit. Ille trīstis ac dolēns hortum tribus circuīvit diēbus et dīligenter globum quaesīvit; dē nocte invēnit. Cum invēnisset, nōn modicum (*little*) gaudēns per fīlum ascendit, dum ad portam pervēnit; fīlum solvit, ad rēgem īvit et fīliam eius Dominam Sōlāciī in uxōrem obtinuit, dē quō multum gaudēbat.

The Emperor Jovinian's Lesson

Ioviniānus imperātor rēgnāvit potēns valdē. Quī cum in strātū (*bed*) suō iacuisset, ēlevātum est cor eius ultrā quam crēdī potest, et dīcēbat in corde suō, "Estne alius Deus quam ego?" Hīs cōgitātīs dormīvit (*slept*). Māne (*in the morning*) surrēxit, vocāvit mīlitēs suōs ac cēterōs et ait, "Cārissimī, bonum est cibum (*food*) sūmere, quia ad vēnandum (*hunt*) volō īre." Illī vērō parātī erant eius voluntātem (*wish*) adimplēre. Cibō sūmptō ad vēnandum īvērunt.

Dum vērō imperātor equitāret, calor (*fever*) intollerābilis arripuit eum, tantum quod vidēbātur sibi morī, nisi in aquā frīgidā posset balneārī (*bathe*). Respexit et vīdit aquam lātam. Dīxit mīlitibus suīs, "Hīc remaneātis dum ad vōs veniam!" Percussit equum cum calcāribus (*spurs*) et ad aquam celeriter equitāvit. Dē equō dēscendit, omnia vestīmenta dēposuit, aquam intrāvit et ibi remānsit dum tōtāliter refrīgerātus esset.

Dum vērō ibi exspectāret, vēnit quīdam eī per omnia similis in vultū, in gestū; et induit (*dressed*) sē vestīmentīs eius, equum eius ascendit et ad mīlitēs equitāvit. Ab omnibus sīcut imperātor est receptus, quia nūllam suspiciōnem dē eō habēbant, quia in omnibus dominō eōrum similis erat. Lūdēbant; fīnītō lūsū, ad palātium cum mīlitibus equitābat.

Post haec Ioviniānus dē aquā exīvit; nec vestēs nec equum invēnit. Mīrābātur; contrīstātus est valdē, quia nūdus erat et nēminem vīdit.

Cōgitābat, "Quid faciam ego? Miserābiliter sum ministrātus. Prope manet mīles, quem ad mīlitiam (*knighthood*) prōmōvī. Ībō ad eum et vestīmenta habēbō et equum, et sīc ad palātium meum ascendam et vidēbō quōmodo et per quem tāliter sim cōnfūsus."

Ioviniānus tōtāliter nūdus sōlus ad domum mīlitis īvit; ad iānuam (*door*) pulsāvit (*knocked*). Iānitor (*doorkeeper*) causam pulsātiōnis quaesīvit. At ille, "Iānuam aperī et vidē quālis sim ego!" Ille iānuam aperuit, et cum vīdisset eum, ait, "Quis es tū?" Et ille, "Ego sum Ioviniānus imperātor. Vādās ad dominum tuum et dīc eī ut mihi vestēs mittat, quia meās vestēs et equum perdidī!" Quī ait, "Mentīris (*you lie*), pessime ribalde (*joker*)! Parum ante tē imperātor Ioviniānus ad palātium suum cum mīlitibus equitāvit, et dominus meus cum eō equitāvit et rediit et iam in (*at*) mēnsā (*table*) sedet. Sed quia imperātōrem tē nōminās, dominō meō nūntiābō." Iānitor intrāvit et dominō suō verba eius annūntiāvit. Ille haec audiēns praecēpit ut intrōdūcērētur. Et sīc factum est.

Mīles cum eum vīdisset, nūllam nōtitiam (*recognition*) eius habēbat; sed imperātor eum optimē cognōvit. Ait eī mīles, "Dīc mihi, quis es tū, et quod est tibi nōmen?" Ait ille, "Imperātor sum et Ioviniānus dīcor et tē ad mīlitiam prōmōvī tālī diē et tālī tempore." At ille, "Ō ribalde pessime, quā audāciā audēs tē ipsum imperātōrem nōmināre? Iam dominus meus, imperātor Ioviniānus, ante tē ad palātium cum mīlitibus equitāvit, et ego per viam eram eī associātus et reversus sum. Ō ribalde pessime! Vērum est, quod tālī diē et hōrā factus sum mīles per dominum meum imperātōrem. Quia ad tantam praesūmptiōnem dēvēnistī, ut tē ipsum imperātōrem nōminārēs, impūne (*unpunished*) nōn trānsībis." Et iussit eum verberārī (*to be beaten*) et posteā expellī.

Ille vērō sīc verberātus et expulsus flēvit et ait, "Ō deus meus, quid hoc esse potest, quod mīles, quem ad mīlitiam prōmōvī, nōtitiam meī nōn habet et mē graviter verberāvit? Prope est quīdam dux cōnsiliārius (*counselor*) meus. Ad eum ībō et necessitātem meam eī ostendam; per quem poterō induī (*to be dressed*) et ad palātium meum īre."

Cum vērō ad iānuam ducis vēnisset, pulsābat. Iānitor, audiēns pulsātiōnem, iānuam aperuit, et cum hominem nūdum vīdisset, mīrābātur et ait, "Quis es tū et cūr sīc tōtāliter nūdus advēnistī?" At ille, "Rogō tē, fac negōtium (*business*) meum cum duce! Ego sum imperātor et cāsū (*by chance*) vestīmenta et equum perdidī et ad eum vēnī, ut mihi in hāc necessitāte succurrat." Iānitor cum verba eius audīvisset, mīrābātur, intrāvit, et dominō suō annūntiāvit quod quīdam homō nūdus in iānuā esset, quī dīceret sē imperātōrem esse et introitum (*entrance*) peteret. Ait dux, "Citō eum intrōdūc, ut videāmus quis sit quī praesūmit sē imperātōrem nōmināre."

Iānitor vērō iānuam aperuit ac eum intrōdūxit. Imperātor nōtitiam ducis optimē habēbat, sed ille eius nōtitiam nūllam. Ait eī dux, "Quis es tū?" Et ille, "Ego sum imperātor et tē ad honōrēs et ad ducātum (*duke-dom*) prōmōvī et cōnsiliārium meum inter aliōs cōnstituī." Ait dux, "Īnsāne miser, parum ante tē īvī cum imperātōre ad palātium et reversus sum; et quia tālem gradum (*rank*) tibi appropriāvistī, impūne nōn trānsībis." Iussit eum incarcerārī (*jailed*) et per aliquōs diēs pāne (*bread*) et aquā sustentārī. Deinde dē carcere eum extrāxit et usque ad effūsiōnem sanguinis verberāvit eum et ab eius terrā eum ēiēcit.

Ille dēiectus ultrā quam crēdī potest, ait intrā sē, "Quid faciam? Cōnfūsus sum. Melius est mihi ad palātium meum īre, et meī amīcī nōtitiam meī habēbunt. Sī nōn illī, saltem (*at least*) uxor mea nōtitiam meī habēbit per certa signa." Sōlus ad palātium tōtāliter nūdus accessit; ad iānuam pulsāvit. Audītā pulsātiōne, iānitor iānuam aperuit.

Quem cum vīdisset, ait, "Dīc mihi, quis es tū?" Et ille, "Nōnne nōvistī me?" Quī ait, "Minimē (*not at all*)." At ille, "Dē hōc mīror, quia portās meās vestēs." Quī ait, "Mentīris, quia vestēs dominī meī imperātōris portō." Et ille, "Ego sum ille. In signum huius rogō tē Deī amōre, ut ad imperātrīcem (*empress*) eās et eī dē adventū meō dīcās, ut mihi celeriter vestēs mittat, quia domum intrāre volō. Sī vērō dictīs tuīs nōn crēdat, dīc eī haec signa et illa, quae nēmō nōvit nisi nōs duo!" Ait iānitor, "Nōn dubitō quod sīs īnsānus, quia iam dominus meus in mēnsā sedet et imperātrīx cum eō. Tamen, quia dīcis tē imperātōrem esse, imperātrīcī nārrābō et certus sum quia graviter propter hoc poenam dabis (*you will pay*)."

Iānitor ad imperātrīcem īvit et eī omnia nārrāvit. Illa contrīstāta ad dominum suum conversa ait, "Ō domine mī, audīte mīrābilia! Signa prīvāta quīdam ribaldus per iānitōrem mihi recitat et dīcit sē imperātōrem esse." Ipse cum hoc audīvisset, praecēpit iānitōrī ut eum intrōdūceret in cōnspectum omnium. Quī cum intrōductus esset tōtāliter nūdus, canis (*dog*) quīdam, quī ante eum multum dīlēxit, ad guttur (*throat*) ruit, ut eum occīderet, sed per hominēs impedītus eī nōn nocuit.

Ait imperātor omnibus, sedentibus sīve stantibus, "Cārissimī, audīte mea verba, quae eī dīcam! Dīc mihi, cārissime, quis es tū et ob quam causam hūc vēnistī?" At ille, "Domine, imperātor sum et dominus huius locī; hūc vēnī ad loquendum cum imperātrīce." Ait imperātor omnibus circumstantibus, "Dīcite mihi per iūrāmentum (*oath*) quod fēcistis, quis nostrum est imperātor?" At ille, "Ō domine, ista est quaestiō mīrābilis. Per iūrāmentum quod fēcimus, numquam illum pessimum vīdimus; sed tū es dominus noster et imperātor, quem ā iuventūte habuimus. Et rogāmus ut poenam det, ut omnēs exemplum capiant."

Imperātor ille conversus ad imperātrīcem et ait, "Dīc, domina, nōvistī tū istum hominem, quī dīcit sē imperātōrem et dominum tuum esse?" At illa, "Ō bone domine, cūr tālia ā mē quaeris? Nōnne plūs quam XXX annīs in tuā societāte stetī et fīliōs per tē habuī? Sed ūnum est quod mīror, quōmodo ribaldus ille pervēnit ad nostra sēcrēta." Imperātor ille dīxit eī, "Quia tam audāx fuistī quod tē imperātōrem nōmināvistī, dō prō iūdiciō ut ad caudam (*tail*) equī sīs trāctus." Vocāvit servōs, praecēpit eīs ut eum ad caudam equī traherent, ita autem quod nōn occīderētur. Et sīc factum est.

Post haec vērō ultrā quam crēdī potest dolēbat et quasi dēspērātus ait sibi, "Pereat diēs in quā nātus sum! Ā mē amīcī meī recessērunt; nec uxor mea nec fīliī nōvērunt mē." Cum haec dīxisset, cōgitābat, "Prope manet herēmīta (*hermit*), cōnfessor meus. Vādam ad eum; forte (*perhaps*) ipse nōtitiam meī habēbit, quia saepe cōnfessiōnem meam audīvit." Īvit ad herēmītam et ad iānuam pulsāvit.

At ille, "Quis est quī ibi pulsat?" Quī dīxit, "Ego sum Ioviniānus imperātor. Aperī mihi iānuam, ut loquar tēcum!" Ille vērō cum vōcem eius audīvisset, aperuit iānuam, et cum eum vīdisset, cum impetū iānuam clausit et ait, "Discēde ā mē, maledicte! Tū nōn es imperātor, sed diabolus (*devil*) in speciē hominis." Ille haec audiēns ad terram cecidit, et lāmentātiōnēs usque ad caelum dedit et dīxit, "Quid faciam?"

Hōc dictō recordātus est (*remembered*) quōmodo ūnā nocte ēlevātum est cor eius et dīxit, "Estne alius Deus quam ego?" Pulsāvit iterum ad iānuam herēmītae et dīxit, "Amōre illīus quī occīdit in cruce (*cross*), audī cōnfessiōnem meam! Sī nōlīs iānuam aperīre, iānuā clausā audiās tamen, dum fīnīverō!" At ille, "Mihi bene placet." Tunc dē tōtā vītā suā est cōnfessus, et praecipuē (*especially*) quōmodo sē contrā Deum ērēxisset dīcēns quod nōn crēderet alium Deum esse quam sē ipsum.

Factā cōnfessiōne et absolūtiōne, herēmīta iānuam aperuit et nōtitiam eius habēbat et ait, "Benedictus Altissimus! Iam nōtitiam tuī habeō. Paucās vestēs hīc habeō; citō indue tē et ad palātium tuum ī! Ut spērō, omnēs nōtitiam tuī habēbunt." Imperātor induit sē et ad palātium īvit. Ad iānuam pulsāvit. Iānitor iānuam aperuit et eum satis honōrificē salūtāvit. At ille, "Nōnne nōtitiam meī habēs?" Quī ait, "Etiam (*yes*), domine, optimē. Sed mīror quod tōtā diē hīc stetī nec vīdī tē exīre."

Ille vērō aulam (*hall*) intrāvit, et omnēs capita vertēbant. Sed alter imperātor erat in camerā (*room*) cum dominā. Quīdam autem mīles dē camerā exīvit et eum intimē (*closely*) respexit, in cameram rediit et ait, "Domine mī, est quīdam homō in aulā cui omnēs honōrem faciunt, quī tantum assimilātur tibi in omnibus quod quis vestrum sit imperātor nescīmus." Imperātor haec audiēns ait imperātrīcī, "Cārissima domina, exī et mihi dīc sī nōtitiam eius habeās, et mihi nūntiā!" Illa vērō exīvit, et cum eum vīdisset mīrābātur. Cameram intrāvit et ait, "Ō domine, in perīculō animae meae tibi ūnum dīcō, quod quis vestrum sit dominus meus nesciō." At ille, "Cum sīc sit, ībō et vēritātem discam."

Cum aulam intrāvisset, eum per manum accēpit et vocāvit omnēs nōbilēs in aulā cum imperātrīce et ait, "Per iūrāmentum quod fēcistis, dīcite quis nostrum est imperātor." Imperātrīx prīmō respondit, "Domine, dēbeō prīmō respondēre. Testis (*witness*) est mihi Deus in caelīs, quis vestrum sit imperātor nesciō!" Et sīc omnēs dīxērunt.

Tunc ait ille quī dē camerā exīvit, "Audīte mē! Hic homō est imperātor vester et dominus; nam aliquō tempore sē contrā Deum ērēxit, unde omnis nōtitia hominum ab eō recessit, dum satisfactiōnem Deō fēcit. Ego vērō sum angelus eius, custōs animae suae, quī imperium suum custōdīvī quamdiū (*as long as*) paenitentiam sustinuit. Iam paenitentia est complēta et prō crīminibus suīs satis fēcit, quia, ut vīdistis, illum ad caudam equī trahī iussī." Hīs dictīs, ait, "Sītis eī obēdientēs! Ad Deum vōs commendō." Et ab oculīs eōrum dispāruit. Imperātor grātiās Deō ēgit et post haec omnī tempore vītae suae in pāce vīxit et spīritum Deō trādidit.

GRAMMATICAL APPENDIX

DECLENSION OF NOUNS

Masculine and Feminine
Singular

	I	II	III	IV	V
Nom.	aqua	annus	dux	manus	diēs
Acc.	aquam	annum	ducem	manum	diem
Abl.	aquā	annō	duce	manū	diē
Dat.	aquae	annō	ducī	manuī	diēī
Gen.	aquae	annī	ducis	manūs	diēī

Plural

	I	II	III	IV	V
Nom.	aquae	annī	ducēs	manūs	diēs
Acc.	aquās	annōs	ducēs	manūs	diēs
Abl.	aquīs	annīs	ducibus	manibus	diēbus
Dat.	aquīs	annīs	ducibus	manibus	diēbus
Gen.	aquārum	annōrum	ducum	manuum	diērum

Neuter
Singular

Nom.	bellum	caput	cornū
Acc.	bellum	caput	cornū
Abl.	bellō	capite	cornū
Dat.	bellō	capitī	cornū
Gen.	bellī	capitis	cornūs

Plural

Nom.	bella	capita	cornua
Acc.	bella	capita	cornua
Abl.	bellīs	capitibus	cornibus
Dat.	bellīs	capitibus	cornibus
Gen.	bellōrum	capitum	cornuum

The locative case is used only with the names of cities plus a few other words, especially *domus* and *rūs*. In the singular of first and second declension nouns it is like the genitive; elsewhere it is like the ablative.

The vocative is like the nominative except for the vocative singular of *-us* second declension nouns, which ends in *-e*, and that of *fīlius* and proper nouns in *-ius*, which ends in *-ī*.

The genitive singular of *-ius* and *-ium* nouns usually ends in a single *-ī*. In the remainder of the declension the *-i-* of the stem is preserved.

Third declension *i*-stem nouns include: 1. masculine and feminine whose genitive has the same number of syllables as the nominative. 2. masculine and feminine whose stems end in two consonants. 3. neuters in *-e* and *-al*. Exceptions: *māter, pater, frāter*. All *i*-stems have *-ium* in genitive plural. Masculine and feminine nouns may have accusative singular in *-im*, ablative singular in *-ī*, and accusative plural in *-īs*. Neuter *i*-stems have *-ī* in ablative singular and *-ia* in nominative and accusative plural.

DECLENSION OF ADJECTIVES
Singular

	I and II			III	
	M	F	N	M-F	N
Nom.	bonus	bona	bonum	omnis	omne
Acc.	bonum	bonam	bonum	omnem	omne
Abl.	bonō	bonā	bonō	omnī	omnī
Dat.	bonō	bonae	bonō	omnī	omnī
Gen.	bonī	bonae	bonī	omnis	omnis

Plural

Nom.	bonī	bonae	bona	omnēs	omnia
Acc.	bonōs	bonās	bona	omnēs	omnia
Abl.	bonīs	bonīs	bonīs	omnibus	omnibus
Dat.	bonīs	bonīs	bonīs	omnibus	omnibus
Gen.	bonōrum	bonārum	bonōrum	omnium	omnium

COMPARISON OF ADJECTIVES
Regular

lātus	lātior, -ius	lātissimus, -a, -um
brevis	brevior, -ius	brevissimus, -a, -um
pulcher	pulchrior, -ius	pulcherrimus, -a, -um
celer	celerior, -ius	celerrimus, -a, -um
facilis	facilior, -ius	facillimus, -a, -um

The *-rimus* superlative applies to any *-er* adjective regardless of declension. The *-limus* superlative is used for only five adjectives: *facilis, difficilis, similis, dissimilis,* and *humilis* "low." Others, e.g., *nōbilis,* have *-issimus.*

Irregular

bonus	melior	optimus
magnus	maior	maximus
malus	peior	pessimus
parvus	minor	minimus
multus	plūs, plūris	plūrimus
prope	propior	proximus
prō	prior	prīmus
post	posterior	postrēmus, postumus
īnfrā	īnferior	īnfimus, īmus
ultrā	ulterior	ultimus
inter	interior	intimus
extrā	exterior	extrēmus, extimus
super	superior	suprēmus, summus

COMPARISON OF ADVERBS

Adverbs are formed from first and second declension adjectives by adding *-ē* to the stem; the third declension adds *-(i)ter* to the stem. The comparative adverb is the accusative singular neuter of the comparative adjective, and the superlative adverb adds *-ē* to the stem of the superlative adjective. Occasionally a neuter accusative singular is used as a positive adverb, as *facile, multum.* A few adverbs are irregular and must be memorized.

lātē	lātius	lātissimē	bene	melius	optimē
pulchrē	pulchrius	pulcherrimē	male	peius	pessimē
breviter	brevius	brevissimē	parum	minus	minimē
celeriter	celerius	celerrimē	magnopere	magis	maximē
facile	facilius	facillimē	multum	plūs	plūrimum

DECLENSION OF PRONOUNS

	ego "I" Singular	Plural	tū "you" Singular	Plural	sē "himself," etc. Singular and Plural
Nom.	ego	nōs	tū	vōs	—
Acc.	mē	nōs	tē	vōs	sē
Abl.	mē	nōbīs	tē	vōbīs	sē
Dat.	mihi	nōbīs	tibi	vōbīs	sibi
Gen.	meī	nostrum	tuī	vestrum	suī

quis "who?" "what?"

	Singular		Plural		
	M and F	N	M	F	N
Nom.	quis	quid	quī	quae	quae
Acc.	quem	quid	quōs	quās	quae
Abl.	quō	quō	quibus	quibus	quibus
Dat.	cui	cui	quibus	quibus	quibus
Gen.	cuius	cuius	quōrum	quārum	quōrum

quī "who," "which," "that"

	Singular			Plural
	M	F	N	
Nom.	quī	quae	quod	Same as for quis
Acc.	quem	quam	quod	
Abl.	quō	quā	quō	
Dat.	cui	cui	cui	
Gen.	cuius	cuius	cuius	

hic "this"

	Singular			Plural		
	M	F	N	M	F	N
Nom.	hic	haec	hoc	hī	hae	haec
Acc.	hunc	hanc	hoc	hōs	hās	haec
Abl.	hōc	hāc	hōc	hīs	hīs	hīs
Dat.	huic	huic	huic	hīs	hīs	hīs
Gen.	huius	huius	huius	hōrum	hārum	hōrum

ille "that" & *is* "this," "that"

	Singular			Singular		
	M	F	N	M	F	N
Nom.	ille	illa	illud	is	ea	id
Acc.	illum	illam	illud	eum	eam	id
Abl.	illō	illā	illō	eō	eā	eō
Dat.	illī	illī	illī	eī	eī	eī
Gen.	illīus	illīus	illīus	eius	eius	eius
Pl.	illī, illae, illa, etc.			eī, eae, ea, etc.		

ipse "self," "very" & *īdem* "same"

	Singular			Singular		
	M	F	N	M	F	N
Nom.	ipse	ipsa	ipsum	īdem	eadem	idem
Acc.	ipsum	ipsam	ipsum	eundem	eandem	idem

300

	M	F	N	M	F	N
Abl.	ipsō	ipsā	ipsō	eōdem	eādem	eōdem
Dat.	ipsī	ipsī	ipsī	eīdem	eīdem	eīdem
Gen.	ipsīus	ipsīus	ipsīus	eiusdem	eiusdem	eiusdem

iste "that of yours"
Singular

	M	F	N
Nom.	iste	ista	istud
Acc.	istum	istam	istud
Abl.	istō	istā	istō
Dat.	istī	istī	istī
Gen.	istīus	istīus	istīus

Plurals of all three regular
except for genitive plural
eōrundem, eārundem, eōrundem

Other pronouns based on the declension of *quī* and *quis*:

quīdam *a certain*   quisque *each*
aliquis *some*   quisquis *whoever*
quisquam *any*   quīcumque *whoever*

Adjectives with dative singular in *-ī* and genitive singular in *-īus* or *-ius*:

alius   nūllus   tōtus   ūnus
alter   sōlus   ūllus   uterque

CONJUGATION OF VERBS
The Verb Endings

		Active	Passive	Perfect Active
Sing.	1.	-ō or -m	-r	-ī
	2.	-s	-ris	-istī
	3.	-t	-tur	-it
Pl.	1.	-mus	-mur	-imus
	2.	-tis	-minī	-istis
	3.	-nt (-unt after i or a consonant)	-ntur (-untur after i or a consonant)	-ērunt

Principal Parts and Stems

Inf.	Pres. Stem	Perf. Act.	Perf. Stem	Perf. Part.	Part. Stem
vocāre	vocā-	vocāvī	vocāv-	vocātus	vocāt-
vidēre	vidē-	vīdī	vīd-	vīsus	vīs-
agere	ag-	ēgī	ēg-	āctus	āct-
audīre	audī-	audīvī	audīv-	audītus	audīt-
capere (i)	capi-	cēpī	cēp-	captus	capt-

Regular Verbs

Indicative

Active

	I	II	III	IV	V
Pres.	vocō	videō	agō	audiō	capiō
	vocās	vidēs	agis	audīs	capis
	vocat	videt	agit	audit	capit
	vocāmus	vidēmus	agimus	audīmus	capimus
	vocātis	vidētis	agitis	audītis	capitis
	vocant	vident	agunt	audiunt	capiunt
Imp.	vocābam	vidēbam	agēbam	audiēbam	capiēbam
	vocābās	vidēbās	agēbās	audiēbās	capiēbās
	etc.	etc.	etc.	etc.	etc.
Fut.	vocābō	vidēbō	agam	audiam	capiam
	vocābis	vidēbis	agēs	audiēs	capiēs
	vocābit	vidēbit	aget	audiet	capiet
	vocābimus	vidēbimus	agēmus	audiēmus	capiēmus
	vocābitis	vidēbitis	agētis	audiētis	capiētis
	vocābunt	vidēbunt	agent	audient	capient
Perf.	vocāvī	vīdī	ēgī	audīvī	cēpī
	vocāvistī	vīdistī	ēgistī	audīvistī	cēpistī
	vocāvit	vīdit	ēgit	audīvit	cēpit
	vocāvimus	vīdimus	ēgimus	audīvimus	cēpimus
	vocāvistis	vīdistis	ēgistis	audīvistis	cēpistis
	vocāvērunt	vīdērunt	ēgērunt	audīvērunt	cēpērunt
Pluperf.	vocāveram	vīderam	ēgeram	audīveram	cēperam
	vocāverās	vīderās	ēgerās	audīverās	cēperās
	etc.	etc.	etc.	etc.	etc.
Fut.	vocāverō	vīderō	ēgerō	audīverō	cēperō
Perf.	vocāveris	vīderis	ēgeris	audīveris	cēperis
	vocāverit	vīderit	ēgerit	audīverit	cēperit
	vocāverimus	vīderimus	ēgerimus	audīverimus	cēperimus
	vocāveritis	vīderitis	ēgeritis	audīveritis	cēperitis
	vocāverint	vīderint	ēgerint	audīverint	cēperint

Passive

	I	II	III	IV	V
Pres.	vocor	videor	agor	audior	capior
	vocāris	vidēris	ageris	audīris	caperis

302

	vocātur	vidētur	agitur	audītur	capitur
	vocāmur	vidēmur	agimur	audīmur	capimur
	vocāminī	vidēminī	agiminī	audīminī	capiminī
	vocantur	videntur	aguntur	audiuntur	capiuntur
Imp.	vocābar	vidēbar	agēbar	audiēbar	capiēbar
	vocābāris	vidēbāris	agēbāris	audiēbāris	capiēbāris
	etc.	etc.	etc.	etc.	etc.
Fut.	vocābor	vidēbor	agar	audiar	capiar
	vocāberis	vidēberis	agēris	audiēris	capiēris
	vocābitur	vidēbitur	agētur	audiētur	capiētur
	vocābimur	vidēbimur	agēmur	audiēmur	capiēmur
	vocābiminī	vidēbiminī	agēminī	audiēminī	capiēminī
	vocābuntur	vidēbuntur	agentur	audientur	capientur
Perf.	vocātus sum	vīsus sum	āctus sum	audītus sum	captus sum
	vocātus es	vīsus es	āctus es	audītus es	captus es
	etc.	etc.	etc.	etc.	etc.
Pluperf.	vocātus eram, etc.	vīsus eram etc.	āctus eram etc.	audītus eram, etc.	captus eram, etc.
Fut.	vocātus erō	vīsus erō	āctus erō	audītus erō	captus erō
Perf.	etc.	etc.	etc.	etc.	etc.

Subjunctive

Active

Pres.	vocem	videam	agam	audiam	capiam
	vocēs	videās	agās	audiās	capiās
	etc.	etc.	etc.	etc.	etc.
Imp.	vocārem	vidērem	agerem	audīrem	caperem
	vocārēs	vidērēs	agerēs	audīrēs	caperēs
	etc.	etc.	etc.	etc.	etc.
Perf.	vocāverim	vīderim	ēgerim	audīverim	cēperim
	vocāverīs	vīderīs	ēgerīs	audīverīs	cēperīs
	etc.	etc.	etc.	etc.	etc.
Pluperf.	vocāvissem	vīdissem	ēgissem	audīvissem	cēpissem
	vocāvissēs	vīdissēs	ēgissēs	audīvissēs	cēpissēs
	etc.	etc.	etc.	etc.	etc.

Passive

Pres.	vocer	videar	agar	audiar	capiar
	vocēris	videāris	agāris	audiāris	capiāris
	etc.	etc.	etc.	etc.	etc.
Imp.	vocārer	vidērer	agerer	audīrer	caperer
	vocārēris	vidērēris	agerēris	audīrēris	caperēris
	etc.	etc.	etc.	etc.	etc.
Perf.	vocātus sim	vīsus sim	āctus sim	audītus sim	captus sim
	vocātus sīs	vīsus sīs	āctus sīs	audītus sīs	captus sīs
	etc.	etc.	etc.	etc.	etc.
Pluperf.	vocātus essem, etc.	vīsus essem etc.	āctus essem etc.	audītus essem, etc.	captus essem, etc.

Participles

Pres. Act.	vocāns	vidēns	agēns	audiēns	capiēns
Fut. Pass.	vocandus	videndus	agendus	audiendus	capiendus
Perf. Pass.	vocātus	vīsus	āctus	audītus	captus
Fut. Act.	vocātūrus	vīsūrus	āctūrus	audītūrus	captūrus

Infinitives

Pres. Act.	vocāre	vidēre	agere	audīre	capere
Pres. Pass.	vocārī	vidērī	agī	audīrī	capī
Perf. Act.	vocāvisse	vīdisse	ēgisse	audīvisse	cēpisse
Perf. Pass.	vocātus esse	vīsus esse	āctus esse	audītus esse	captus esse
Fut. Act.	vocātūrus esse	vīsūrus esse	āctūrus esse	audītūrus esse	captūrus esse

Imperatives

Act.	vocā	vidē	age	audī	cape
	vocāte	vidēte	agite	audīte	capite
Pass.	vocāre	vidēre	agere	audīre	capere
	vocāminī	vidēminī	agiminī	audīminī	capiminī

Irregular Verbs
esse, fuī, futūrus
Indicative

Pres.	Imp.	Fut.	Perf.	Pluperf.	Fut. Perf.
sum	eram	erō	fuī	fueram	fuerō
es	erās	eris	fuistī	fuerās	fueris
est	erat	erit	fuit	fuerat	fuerit
sumus	erāmus	erimus	fuimus	fuerāmus	fuerimus
estis	erātis	eritis	fuistis	fuerātis	fueritis
sunt	erant	erunt	fuērunt	fuerant	fuerint

Subjunctive

Pres.	Imp.	Perf.	Pluperf.
sim	essem	fuerim	fuissem
sīs	essēs	fuerīs	fuissēs
sit	esset	fuerit	fuisset
sīmus	essēmus	fuerīmus	fuissēmus
sītis	essētis	fuerītis	fuissētis
sint	essent	fuerint	fuissent

Participle	Infinitives	Imperatives
Fut. Act. futūrus	Pres. Act. esse	es
	Perf. Act. fuisse	este
	Fut. Act. futūrus esse	

	posse	īre	velle	ferre	fierī
	potuī	īvī (iī)	voluī	tulī	factus
		itum		lātus	
Pres. Ind.	possum	eō	volō	ferō	fīō
	potes	īs	vīs	fers	fīs
	potest	it	vult	fert	fit
	possumus	īmus	volumus	ferimus	fīmus
	potestis	ītis	vultis	fertis	fītis
	possunt	eunt	volunt	ferunt	fīunt
Pres. Subj.	possim	eam	velim	feram	fīam
	possīs	eās	velīs	ferās	fīās
	possit	eat	velit	ferat	fīat
	possīmus	eāmus	velīmus	ferāmus	fīāmus
	possītis	eātis	velītis	ferātis	fīātis
	possint	eant	velint	ferant	fīant

Imp. Ind.	poteram	ībam	volēbam	ferēbam	fīēbam
Fut. Ind.	poterō	ībō	volam	feram	fīam
Pres. Part.		iēns, eunt-	volēns	ferēns	
Imperative		ī		fer	fī
		īte		ferte	fīte

PREPOSITIONS

With Accusative

ad *to, at*

ante *before*

apud *with, near, at the house of*

circum *around*

contrā *against*

inter *between, among*

ob *because of*

per *through*

post *after, behind*

praeter *beyond, past, except*

prope *near*

propter *because of*

trāns *across*

With Ablative

ā, ab *from, by*

cum *with*

dē *down from, about, from*

ē, ex *from, out of*

prae *before*

prō *before, for*

sine *without*

With Accusative and Ablative

in (abl.) *in, on*

  (acc.) *into*

sub *under*

super *over, upon*

THE CASES

Nominative

The nominative is used as subject.

Vir venit. The man comes.

It is used as predicate nominative.

Cicerō est *senātor*. Cicero is a senator.

Accusative

The accusative is used as direct object.

Mātrem videt. He sees the mother.

It expresses extent of time or space.

Trēs *hōrās* labōrāvit.   He worked three hours.
Mīlle *pedēs* cucurrit.   He ran a thousand feet.

It is the subject of the infinitive.

Cupiō *eum* īre. I want him to go.

It is used as the object of prepositions (see above).

Ablative

The ablative is used as the object of prepositions (see above).

It is used in the ablative absolute.

Mūrō ruptō, mīlitēs oppugnant.   When the wall is broken, the soldiers attack. (or since, although, after, because, if)
Cōnsule imperante, exercitus vincit.   Since the consul commands, the army conquers. (or when, if, etc.)
Magistrō bonō, puerī discunt.   If the teacher is good, the boys learn. (or since, because, etc.)

The ablative expresses the following ideas: from; by, with; in, on, at; because of.

Timōre līberāmur.   We are freed from fear.
Mūrīs continētur.   He is held by walls.
Magnā *celeritāte* it.   He goes with great speed.
Altitūdine differunt.   They differ in height.
Secundō *diē* advēnit.   He arrived on the second day.
Tertiā *hōrā* discessērunt.   They departed at the third hour.
Timōre fugiunt.   They flee because of fear.

The ablative means "than" after a comparative. "Than" may also be expressed by *quam*.

Pater est melior quam māter.   The father is better than the mother.
Pater est melior *mātre.*

Dative

The dative is used for the indirect object of the verb and for various "to" or "for" ideas.

Puerō librum dat.   He gives the book to the boy.
Mihi amīcus est.   He is friendly to me.
Locus est *castrīs* aptus.   The place is suitable for a camp.

Genitive

The genitive expresses possession and almost every other meaning of the English word "of."

vestis *puellae*   the girl's robe
dux *mīlitum*   the leader of the soldiers
īra *mātris*   the anger of the mother
umbra *arboris*   the shade of the tree

VERBS

The Indicative

The indicative tenses have the following English meanings:

vocō   *I call, I am calling, I do call*
vocābam   *I was calling, I used to call, I called*
vocābō   *I will call*
vocāvī   *I called, I have called*
vocāveram   *I had called*
vocāverō   *I will have called*

vocor   *I am called, I am being called*
vocābar   *I was being called, I used to be called, I was called*
vocābor   *I will be called*
vocātus sum   *I was called, I have been called*
vocātus eram   *I had been called*
vocātus erō   *I will have been called*

The Infinitive

The infinitive may be used as subject or predicate nominative.

Vidēre est *crēdere.*   Seeing is believing.

It is used as direct object and as the complement of certain intransitive verbs.
Legere cupiō.   I want to read.
Audīre possum.   I am able to hear.

It is used especially with verbs of saying, knowing, thinking in an indirect statement, where it is best translated by a "that" clause.

Sciō eum *scrībere.*   I know that he is writing.
Crēdēbam eōs *vēnisse.*   I believed that they had come.
Dīxī eam *vīsūram esse.*   I said that she would see.

The Gerundive

The gerundive may be used with a form of *esse* to mean "must be," "ought to be." If an agent for the action is expressed, it is put into the dative.

Opus mihi *faciendum* est.   The work must be done by me.

The gerundive may be used in all Latin cases except the nominative to express the idea of the English gerund.

Librīs *legendīs* discimus.   We learn by reading books.
Legendō discimus.   We learn by reading.
Cupidus *legendī* sum.   I am desirous of reading.

The accusative gerundive is used with *ad* and the genitive with *causā* or *grātiā* "for the sake of" to express purpose.

ad *legendum*
legendī causā   in order to read, to read
legendī grātiā

ad librōs *legendōs*
librōrum *legendōrum* causā   in order to read books, to read books
librōrum *legendōrum* grātiā

The Subjunctive

The independent subjunctive expresses either a wish or a command. The negative is *nē*.

Rēx diū *vīvat*.   Long live the king.
Hoc *faciāmus*.   Let us do this.
Nē *sequantur*.   Let them not follow.

Subjunctive clauses with *ut* may express a purpose, a result, or an indirect command. *Nōn* is used with *ut* for negative result, but *nē* replaces *ut* for the other two constructions.

Venīmus ut eum *videāmus*.   We come in order that we may see him.   *or* We come in order to see him.   *or*   We come to see him.
Est tam fortis ut *pugnet* bene.   He is so brave that he fights well.
Eīs imperat nē *veniant*.   He orders them not to come.

Ut with the indicative regularly means "as" or "when." Clauses of fear employ the subjunctive with *nē* for the positive and *ut* for the negative.
Timeō nē *veniant*.   I am afraid that they will come.

Cum with the subjunctive may mean "when," "since," or "although."

Cum *esset* hīc, domī vīvēbat.   When he was here, he lived at home.

Cum *vīcisset*, gāvīsus est.   Since he had conquered, he rejoiced.

Cum mē *vocēs*, tamen nōn ībō.   Although you call me, I still won't go.

Cum with the indicative regularly means "when."

Dum means "until" with either indicative or subjunctive. *Dum* or *dum modo* with the subjunctive means "provided that."

Manēbō dum *veniat*.   I will wait until he comes.

Mānsī dum *vēnit*.   I waited until he came.

Dum modo aurum *habeās*, laetus es.   Provided that you have gold, you are happy.

Dum with the present indicative means "while."

Dum *legō*, discēbam.   While I was reading, I was learning.

Conditions of fact are in the indicative.

Sī *vocātur*, venit.   If he is called, he comes.

Sī *vocātus est*, vēnit.   If he was called, he came.

Contrary to fact conditions use the imperfect subjunctive in both condition and conclusion for present time, the pluperfect subjunctive in both condition and conclusion for past time.

Sī *vocārētur, venīret*.   If he were called, he would come.

Sī *vocātus esset, vēnisset*.   If he had been called, he would have come.

Should-would conditions use the present subjunctive in both clauses.

Sī *vocētur, veniat*.   If he should be called, he would come.

Indirect questions usually have their verbs in the subjunctive.

Rogāvit quis *esset* ibi.   He asked who was there.

In general, a verb dependent on an infinitive or a subjunctive is in the subjunctive.

Dīxit hominem quī ibi *esset* labōrāre.   He said that the man who was there was working.

Imperāvit ut hominem quī ibi *esset* interficerent.   He ordered them to kill the man who was there.

VOCABULARY

ā, ab (with abl.) *from, by*

ac, atque *and, and also,*
    and even

aciēs, aciēī, F *edge, battle*
    line, eye

ad (with acc.) *to, at*

adhūc *still, up to now*

aequus, -a, -um *equal, fair*

aetās, aetātis, F *age*

ager, agrī, M *field*

agere, ēgī, āctus *do, drive,*
    act, spend

aiō *I say*

aliquis, aliqua, aliquid
    (aliquod) *some, some-*
    one, something

alius, alia, aliud *another*

alter, altera, alterum *the*
    other

altus, -a, -um *high, deep*

amāre, -āvī, -ātus *love*

amīcus, -a, -um *friendly*

an *or, whether*

anima, -ae, F *soul, life*

animus, -ī, M *mind, spirit*

annus, -ī, M *year*

ante (with acc.) *before*

aperīre, aperuī, apertus
    open

apud (with acc.) *with, near,*
    at the house of

aqua, -ae, F *water*

arbor, arboris, F *tree*

arcēre, arcuī, — *keep away,*
    protect

arma, -ōrum, N pl. *arms*

ars, artis, F *art, skill*

at *but*

audēre, ausus *dare*

audīre, audīvī, audītus *hear*

augēre, auxī, auctus *increase*

aurum, -ī, N *gold*

aut *or; aut . . . aut either . . .*
    or

autem *but, moreover*

avis, avis, F *bird*

beātus, -a, -um *happy, blessed*

bellum, -ī, N *war*

bibere, bibī, — *drink*

bonus, -a, -um *good*

brevis, -e *short*

cadere, cecidī, cāsum *fall*

caedere, cecīdī, caesus *cut,*
    kill

caelum, -ī, N *heaven*

campus, -ī, M *field*

candēre, canduī, — *shine,*
    be white

canere, cecinī, cantus *sing*

capere (i), cēpī, captus
    take, seize

caput, capitis, N *head*

carmen, carminis, N *song*

cārus, -a, -um *dear*

castra, -ōrum, N pl. *camp*

causa, -ae, F *cause*

cēdere, cessī, cessum *yield, go*

celer, celeris, celere *swift*

-cendere, -cendī, -cēnsus
    kindle, light, burn

cernere, crēvī, certus (crētus)
    see, decide

cēterī, -ae, -a *the other*

circum (with acc.) *around*

citus, -a, -um *quick*

cīvis, cīvis, M, F *citizen*

clāmāre, -āvī, -ātus *shout*

clārus, -a, -um *clear,
    bright, famous*

claudere, clausī, clausus
    close

coepī, coeptus *began*

cōgitāre, -āvī, -ātus *think,
    plan*

colere, coluī, cultus *till,
    inhabit, worship*

comes, comitis, M, F *companion*

coniūnx, coniugis, M, F *husband,
    wife*

cōnsilium, -ī, N *plan, advice*

cōnsul, cōnsulis, M *consul*

contrā (with acc.) *against*

cōpia, -ae, F *abundance,
    supply*, pl. *troops*

cor, cordis, N *heart*

cornū, cornūs, N *horn, wing
    (of an army)*

corpus, corporis, N *body*

crēdere, crēdidī, crēditus
    trust, believe

cum (with abl.) *with*; (conj.)
    when, since, although

cūnctus, -a, -um *whole, all*

cupere (i), cupīvī, cupītus
    wish

cūr *why*

cūra, -ae, F *care*

currere, cucurrī, cursum *run*

custōs, custōdis, M *guard*

damnum, -ī, N *damage, loss*

dare, dedī, datus *give*

dē (with abl.) *from, down
    from, about*

dēbēre, dēbuī, dēbitus *owe,
    ought*

decēre, decuī, — *be fitting*

decus, decoris, N *beauty,
    glory*

deinde, dein *then, next*

-dere, -didī, -ditus *place,
    give*

dēserere, dēseruī, dēsertus
    desert

deus, -ī, M *god*

dexter, -tra, -trum *right,
    right hand*

dīcere, dīxī, dictus *say*

diēs, diēī, M, F *day*

dignus, -a, -um *worthy*

dis- *apart, not*

discere, didicī, — *learn*

diū *for a long time*

dīves, dīvitis *rich*

dīvus, -a, -um *divine*

docēre, docuī, doctus *teach*

dolēre, doluī, dolitum *grieve*

dominus, -ī, M, *master*

domus, -ūs, F *home*

dōnum, -ī, N *gift*

dūcere, dūxī, ductus *lead*

dulcis, -e *sweet*

dum *while, until*; dum (modo) *provided that*

duo, duae, duo *two*

dūrus, -a, -um *hard*

dux, ducis, M *leader*

ē, ex (with abl.) *from, out of*

edere, (ēsse), ēdī, ēsus *eat*

ego *I*

emere, ēmī, ēmptus *take, buy*

enim (conj.) *for*

eques, equitis, M *horseman, knight*

equus, -ī, M *horse*

ergō *therefore, then*

errāre, -āvī, -ātus *wander, err*

esse, fuī, futūrus *be*

et *and, also, even*; et ... et *both ... and*

etiam *also, even*

extrā *outside*

facere (i), fēcī, factus *make, do*

fallere, fefellī, falsus *deceive*

fāma, -ae, F *fame, rumor*

fārī, fātus *speak*

fatērī, fassus *confess*

fēlīx, fēlīcis *happy, lucky*

fēmina, -ae, F *woman*

ferre, tulī, lātus *bear, carry*

ferus, -a, -um *fierce, wild*

fēstus, -a, -um *festive*

fidēs, fideī, F *faith*

fierī, factus *be made, become, happen*

fīlius, -ī, M *son*

fingere, fīnxī, fictus *form, invent, pretend*

fīnis, fīnis, M, F *end, limit,* pl. *territory*

firmus, -a, -um *strong, firm*

flamma, -ae, F *flame*

flēre, flēvī, flētus *weep*

flōs, flōris, M *flower*

fluere, flūxī, flūxum *flow*

fōrma, -ae, F *shape, beauty*

fortis, -e *brave, strong*

fortūna, -ae, F *fortune*

frangere, frēgī, frāctus *break*

frāter, frātris, M *brother*

frīgus, frīgoris, N *cold*

fruī, frūctus *enjoy* (with abl.)

fugere (i), fūgī, fugitum *flee*

fundere, fūdī, fūsus *pour, rout, shed*

fūnus, fūneris, N *death, funeral*

gaudēre, gāvīsus *rejoice*

gēns, gentis, F *race, nation, clan*

genus, generis, N *kind, family*

gerere, gessī, gestus *bear, wear, carry on*

gignere, genuī, genitus *bear, produce*

glōria, -ae, F *glory*

gradī (i), gressus *go, walk*

grātus, -a, -um *pleasing, grateful*

gravis, -e *heavy, serious*

habēre, habuī, habitus *have, hold*

hic, haec, hoc *this*

homō, hominis, M *man*

honor, honōris, M *honor*

hōra, -ae, F *hour*

horrēre, horruī, — *shudder, dread*

hospes, hospitis, M *host, guest*

hostis, hostis, M *enemy*

hūmānus, -a, -um *human*

iacēre, iacuī, — *lie*

iacere (i), iēcī, iactus *throw*

iam *now, already*

ibi *there*

īdem, eadem, idem *same*

igitur *therefore*

ignis, ignis, M *fire*

ille, illa, illud *that*

imperāre, -āvī, -ātus *command*

in (with abl.) *in, on;* (with acc.) *into*

in- *not*

inde *from there*

indicāre, -āvī, -ātus *show*

īnfrā *below*

ingenium, -ī, N *talent, nature*

inquam *I say*

inter (with acc.) *between, among*

ipse, ipsa, ipsum *himself, herself, very*

īra, -ae, F *anger*

īre, īvī (iī), itum *go*

is, ea, id *this, that*

iste, ista, istud *that of yours*

ita *so*

iter, itineris, N *journey, road*

iterum *again*

iubēre, iussī, iussus *order*

iugum, -ī, N *yoke, ridge*

iungere, iūnxī, iūnctus *join*

iūs, iūris, N *right, law*

iuvāre, iūvī, iūtus *help, please*

iuvenis, -e *young*

lābī, lāpsus *slip, glide*

labor, labōris, M *work*

lacrima, -ae, F *tear*

laetus, -a, -um *happy*

lātus, -a, -um *wide*

laus, laudis, F *praise*

legere, lēgī, lēctus *choose, pick, read*

levis, -e *light*

lēx, lēgis, F *law*

līber, lībera, līberum *free*

liber, librī, M *book*

libēre, libuī, libitum *be pleasing*

licēre, licuī, licitum *be permitted*

lingua, -ae, F *tongue, language*

linquere, līquī, lictus *leave*

littera, -ae, F *letter*

locus, -ī, M *place*

longus, -a, -um *long*

loquī, locūtus *speak*

lūdere, lūsī, lūsus *play*

lūmen, lūminis, N *light*

lūx, lūcis, F *light*

magister, magistrī, M *teacher, chief*

magnus, -a, -um *great, large*

malus, -a, -um *bad*

mandāre, -āvī, -ātus *order, entrust*

manēre, mānsī, mānsum *remain*

manus, -ūs, F *hand, troop*

mare, maris, N *sea*

marītus, -ī, M *husband*

māter, mātris, F *mother*

medius, -a, -um *middle (of)*

membrum, -ī, N *limb*

memor, memoris *mindful*

mēns, mentis, F *mind*

merēre, meruī, meritus *earn, deserve*

metus, -ūs, M *fear*

meus, -a, -um *my*

mīles, mīlitis, M *soldier*

mīlle *thousand*

minister, -trī, M *servant*

mīrus, -a, -um *wonderful*

miscēre, miscuī, mixtus *mix, mingle*

miser, misera, miserum *wretched*

mittere, mīsī, missus *send*

modus, -ī, M *manner, limit*

mollis, -e *soft, gentle*

monēre, monuī, monitus *warn*

mōns, montis, M *mountain*

mora, -ae, F *delay*

morī (i), mortuus *die*

mors, mortis, F *death*

mōs, mōris, M *custom*

movēre, mōvī, mōtus *move*

mox *soon*

mulier, mulieris, F *woman*

multus, -a, -um *much, many*

mundus, -ī, M *world*

mūnus, mūneris, N *gift, duty*

mūrus, -ī, M *wall*

mūtāre, -āvī, -ātus *change*

nam (conj.) *for*

nāscī, nātus *be born*

nāvis, nāvis, F *ship*

-nē *not* (with *subj.*), *that not*

-ne sign of a question

nec, neque *and not, nor*; neque ... neque *neither ... nor*

necesse *necessary*

negāre, -āvī, -ātus *deny, refuse*

nēmō, nēminis, M, F *no one, nobody*

niger, nigra, nigrum *black, dark*

nihil, nīl *nothing*

nimis *too much, very*

nisi *if not, unless, except*

nocēre, nocuī, — *be harmful*

nōmen, nōminis, N *name*

nōn *not*

nōscere, nōvī, nōtus *learn, know*

noster, nostra, nostrum *our*

novus, -a, -um *new*

nox, noctis, F *night*

nūllus, -a, -um *no, not any*

numerus, -ī, M *number*

nunc *now*

nūntius, -ī, M *messenger*

ob (with acc.) *because of*

oculus, -ī, M *eye*

omnis, -e *all, every*

ops, opis, F *power, aid*, pl. *wealth*

opus, operis, N *work*

orbis, orbis, M *circle, world*

ōrdō, ōrdinis, M *order, row*

orīrī, ortus *arise, rise*

ōs, ōris, N *mouth, face*

ostendere, ostendī, ostēnsus
(ostentus) *show*
pār, paris *equal*
parāre, -āvī, -ātus *prepare*
parēns, parentis, M, F *parent*
parere (i), peperī, partus
produce, gain, bear
pārēre, pāruī, pāritum *appear,
be obedient*
pars, partis, F *part*
parvus, -a, -um *small*
pater, patris, M *father*
patī (i), passus *suffer,
allow*
patria, -ae, F *native land*
paucī, -ae, -a *few*
pauper, pauperis *poor*
pāx, pācis, F *peace*
pectus, pectoris, N *breast,
heart*
pellere, pepulī, pulsus *drive*
pendere, pependī, pēnsus *pay,
weigh*
per (with acc.) *through*
perīculum, -ī, N *danger*
pēs, pedis, M *foot*
petere, petīvī, petītus *ask,
seek*
pius, -a, -um *devout, loyal*
placēre, placuī, placitum
be pleasing
plēnus, -a, -um *full*
-plēre, -plēvī, -plētus *fill*
plicāre, plicāvī (plicuī), plicātus (plicitus) *fold*
poena, -ae, F *punishment*
pōnere, posuī, positus *place*
populus, -ī, M *people*
portāre, -āvī, -ātus *carry*

posse, potuī, — *can, be able*
post (with acc.) *after, behind*
potēns, potentis *powerful*
potis, -e *able, possible*
prae (with abl.) *before*
praeter (with acc.) *beyond,
past, except*
premere, pressī, pressus *press*
prex, precis, F *prayer*
prīnceps, prīncipis, M
leader, emperor
prō (with abl.) *before, for*
probus, -a, -um *good*
proelium, -ī, N *battle*
prope (adv. and prep. with acc.)
near
proprius, -a, -um *one's own,
proper*
propter (with acc.) *because of*
pūblicus, -a, -um *public*
pudēre, puduī, puditum *shame,
be shameful*
puella, -ae, F *girl*
puer, puerī, M *boy*
pugna, -ae, F *fight, battle*
pulcher, pulchra, pulchrum
beautiful
pūrus, -a, -um *pure*
putāre, -āvī, -ātus *think*
quaerere, quaesīvī, quaesītus
ask, seek
quālis, -e *what sort of?*
quam *how, as, than*
quantus, -a, -um *how great?
how much? as much as*
quasi *as, as if*
quatere (i), —, quassus
shake, beat

-que *and*; -que ... -que
  both ... and
querī, questus *complain*
quī, quae, quod *who, which,*
  that (relative)
quia *because, that*
quīcumque, quaecumque, quod-
  cumque *whoever, which-*
  ever, whatever
quīdam, quaedam, quoddam
  (quiddam) *a certain*
quidem *indeed*; nē ... quidem
  not even
quiēs, quiētis, F *quiet, rest*
quis, quid *who, what* (interrogative)
quisquam, quaequam, quidquam
  any, anyone, anything
quisque, quaeque, quodque
  (quidque) *each, every*
quisquis, quaequae, quidquid
  whoever, whichever,
  whatever
quod *because, that*
quoniam *since*
quoque *also, even*
rapere (i), rapuī, raptus *seize*
re- *back, again*
regere, rēxī, rēctus *rule,*
  guide
rēgnum, -ī, N *kingdom*
reliquus, -a, -um *remaining,*
  rest of
rērī, ratus *think*
rēs, reī, F *thing, matter*
respondēre, respondī, respōnsus
  answer
rēx, rēgis, M *king*
rīdēre, rīsī, rīsus *laugh (at)*

rogāre, -āvī, -ātus *ask,*
  question
ruere, ruī, rutum *rush, fall,*
  tumble
rumpere, rūpī, ruptus *break*
rūs, rūris, N *country*
sacer, sacra, sacrum *sacred*
saeculum, -ī, N *age*
saepe *often*
saevus, -a, -um *cruel*
salūs, salūtis, F *health,*
  safety
salvus, -a, -um *safe, well*
sānctus, -a, -um *holy*
sanguis, sanguinis, M *blood*
sapiēns, sapientis *wise*
satis, sat *enough*
scandere, scandī, scānsum
  climb
scīre, scīvī, scītus *know*
scrībere, scrīpsī, scrīptus
  write
sē *himself, herself, them-*
  selves
secundus, -a, -um *second,*
  following
sed *but*
sedēre, sēdī, sessum *sit*
semper *always*
senex, senis *old*
sentīre, sēnsī, sēnsus *feel*
sepelīre, sepelīvī, sepultus
  bury
sequī, secūtus *follow*
sermō, sermōnis, M *talk, speech*
servāre, -āvī, -ātus *save,*
  guard
servus, -ī, M *slave*

seu, sīve *or if, whether*;
   sīve...sīve *whether...or*
sī *if*
sīc *thus, so*
sīcut *just as, as if*
sīdus, sīderis, N *star*
signum, -ī, N *signal,*
   standard
silva, -ae, F *forest*
similis, -e *like, similar*
simul *at the same time*
sine, sē- (with abl.) *without*;
   (prefix) *from, apart*
sinere, sīvī, situs *let,*
   allow
singulī, -ae, -a *one at a*
   time
sistere, stitī, status *set,*
   stop, stand
socius, -ī, M *ally*
sōl, sōlis, M *sun*
solēre, solitus *be accustomed*
sōlus, -a, -um *alone, only*
solvere, solvī, solūtus *free,*
   destroy, pay
somnus, -ī, M *sleep*
sonus, -ī, M *sound*
soror, sorōris, F *sister*
specere (i), spexī, spectus *see*
speciēs, speciēī, F *appearance*
spēs, speī, F *hope*
stāre, stetī, statum *stand*
statuere, statuī, statūtus
   establish, decide
struere, strūxī, strūctus
   build, heap up
studēre, studuī, — *desire,*
   be eager
sub (with acc. and abl.) *under*

suēscere, suēvī, suētus
   become accustomed
sūmere, sūmpsī, sūmptus *take*
super (with acc. and abl.) *over,*
   upon
surgere, surrēxī, surrēctum
   rise
suus, -a, -um *his, her, their*
tacēre, tacuī, tacitus *be*
   silent
tālis, tāle *such*
tam *so*
tamen *nevertheless*
tangere, tetigī, tāctus *touch*
tantus, -a, -um *so great,*
   so much
tegere, tēxī, tēctus *cover*
templum, -ī, N *temple*
tempus, temporis, N *time*
tendere, tetendī, tentus (tēnsus)
   stretch, go
tener, tenera, tenerum *tender*
tenēre, tenuī, tentus *hold*
terra, -ae, F *earth, land*
terrēre, terruī, territus
   frighten
tertius, -a, -um *third*
timēre, timuī, — *fear*
tollere, sustulī, sublātus
   raise, remove, destroy
tōtus, -a, -um *all, whole*
trahere, trāxī, trāctus *drag,*
   draw
trāns (with acc.) *across*
trēs, tria *three*
trīstis, -e *sad*
tū *you*
tuērī, tūtus *look at, guard*
tum, tunc *then*

turba, -ae, F *crowd*

tuus, -a, -um *your* (one person)

ubi *where, when*

ūllus, -a, -um *any*

ultrā *beyond*

umbra, -ae, F *shade*

umquam *ever*

unda, -ae, F *wave*

unde *from where*

ūnus, -a, -um *one*

urbs, urbis, F *city*

usque *continuously, all the way*

ut, utī (with indic.) *as, when;* (with subj.) *that, in order that, so that*

uterque, utraque, utrumque *each, both*

ūtī, ūsus *use* (with abl.)

uxor, uxōris, F *wife*

vacāre, -āvī, -ātum *be free, be empty*

vādere, vāsī, — *go*

valēre, valuī, valitum *be strong, be able, be well*

varius, -a, -um *varied*

-ve *or*

vehere, vexī, vectus *carry*

vel *or*

velle, voluī, — *wish*

velut *as, as if*

venīre, vēnī, ventum *come*

ventus, -ī, M *wind*

vēr, vēris, N *spring*

verbum, -ī, N *word*

vērō *indeed, but*

vertere, vertī, versus *turn*

vērus, -a, -um *true*

vester, -tra, -trum *your* (more than one person)

vestis, vestis, F *robe, clothing*

vetus, veteris *old*

via, -ae, F *road, way*

vidēre, vīdī, vīsus *see*

vigil, vigilis *awake, watchful*

vincere, vīcī, victus *conquer*

vīnum, -ī, N *wine*

vir, virī, M *man, husband*

virgō, virginis, F *girl, virgin*

vīs, F *power, force, strength*

vīta, -ae, F *life*

vīvere, vīxī, vīctum *live*

vīvus, -a, -um *living*

vix *barely, scarcely*

vocāre, -āvī, -ātus *call*

volāre, -āvī, -ātum *fly*

volvere, volvī, volūtus *roll, ponder*

vovēre, vōvī, vōtus *vow, promise*

vulnus, vulneris, N *wound*

vultus, -ūs, M *expression, face*

GRAMMATICAL INDEX